GOLDM
MIT ER

Lulu, die Heldin von Frank Wedekinds 1892–94 entstandenen Tragödien »Erdgeist« und »Die Büchse der Pandora«, verkörpert wie kaum eine andere Figur des deutschsprachigen Dramas ein weibliches Triebmenschentum, das sich ohne Rücksicht auf sittliche Normen hemmungslos auslebt, bürgerliche Konventionen mit Füßen tritt und die ihm verfallenen Männer bedenkenlos ausbeutet.

In »Erdgeist«, dem ersten der Lulu-Stücke, führt Wedekind vor, wie an der schönen, aber gewissenlosen Lulu, die durch Protektion aus niedrigsten Verhältnissen in die Gesellschaft aufgestiegen ist, nacheinander alle ihre intellektuellen Ehemänner zerbrechen – naiverweise glaubten sie, Lulu, »das wahre Tier, das schöne, wilde Tier«, nach ihren Vorstellungen formen zu können.

»Die Büchse der Pandora«, das zweite der Lulu-Stücke, zeigt den Abstieg der Heldin. Aus dem Gefängnis, in das sie als Mörderin ihres letzten Gatten gekommen ist, von einer Lesbierin befreit, verbindet sie sich mit dem Sohn des Ermordeten. Nachdem sie ihn finanziell ruiniert hat, sinkt sie immer tiefer, bis sie schließlich als Straßendirne einem Lustmörder zum Opfer fällt.

Zu den Herausgebern des vorliegenden Bandes:
Dr. Peter Unger ist Oberstudienrat in Bad Vilbel. Buchveröffentlichung: »Walter Benjamin als Rezensent« (1974).
Dr. Hartmut Vinçon ist Professor für Kommunikationswissenschaften an der Fachhochschule Darmstadt. Außer Büchern vor allem über Jean Paul und Theodor Storm hat er geschrieben: »Frank Wedekind« (1987); er ist Mitherausgeber des Wedekind-Jahrbuchs »Pharus« (1989 ff.) und der kritischen Studienausgabe der Werke Wedekinds (1994 ff.). Er hat ferner den Anhang zu Theodor Storms als Band 7675 der »Goldmann Klassiker mit Erläuterungen« erschienener Novelle »Der Schimmelreiter« verfaßt.

Außer »Erdgeist – Die Büchse der Pandora« liegen von Frank Wedekind in den »Goldmann Klassikern mit Erläuterungen« vor:

Frühlings Erwachen. Eine Kindertragödie (7674)
Der Marquis von Keith. Schauspiel (7590)
Gedichte und Chansons (7585)

FRANK WEDEKIND

ERDGEIST
DIE BÜCHSE DER PANDORA

TRAGÖDIEN

Herausgegeben und mit einem Nachwort,
einer Zeittafel zu Wedekind, einem Textapparat,
Anmerkungen und bibliographischen Hinweisen
versehen von Peter Unger und Hartmut Vinçon

GOLDMANN VERLAG

Vollständige Texte von »Erdgeist«
(nach dem Wortlaut der zweiten Auflage, 1903)
und »Die Büchse der Pandora«
(nach dem Wortlaut der Erstausgabe, 1904)

Umschlagbild: Ausschnitt aus dem in der Ungarischen
Nationalgalerie, Budapest, aufbewahrten Gemälde
»Akt einer rothaarigen Frau«
von János Vaszáry (1867–1939)

Umwelthinweis:
Alle bedruckten Materialien dieses Taschenbuches
sind chlorfrei und umweltfreundlich.

Der Goldmann Verlag
ist ein Unternehmen der Verlagsgruppe Bertelsmann

Made in Germany · 6. Auflage · 12/95
Alle Rechte vorbehalten
Umschlagentwurf: Design Team, München
Umschlagfoto: Alfred Schiller / Artothek, Peißenberg
Satz und Druck: Presse-Druck Augsburg
Verlagsnummer: 7534
Lektorat: Martin Vosseler
Herstellung: Sebastian Strohmaier
ISBN 3-442-07534-3

INHALT

ERDGEIST

Tragödie in vier Aufzügen

Nach dem Wortlaut
der zweiten Auflage (1903)

»Mich schuf aus gröberm Stoffe die Natur,
Und zu der Erde zieht mich die Begierde.
Dem bösen Geist gehört die Erde, nicht
Dem guten. Was die Göttlichen uns senden
Von oben, sind nur allgemeine Güter;
Ihr Licht erfreut, doch macht es keinen reich,
In ihrem Staat erringt sich kein Besitz.
Den Edelstein, das allgeschätzte Gold
Muß man den falschen Mächten abgewinnen,
Die unterm Tage schlimmgeartet hausen.
Nicht ohne Opfer macht man sie geneigt,
Und keiner lebt, der aus ihrem Dienst
Die Seele hätte rein zurückgezogen.«

WILLY GRÉTOR
gewidmet

PERSONEN

Medizinalrat Dr. Goll

Dr. Schön, *Chefredakteur*

Alwa, *sein Sohn*

Schwarz, *Kunstmaler*

Prinz Escerny, *Afrikareisender*

Schigolch

Rodrigo, *Artist*

Hugenberg, *Gymnasiast*

Escherich, *Reporter*

Lulu

Gräfin Geschwitz, *Malerin*

Ferdinand, *Kutscher*

Henriette, *Zimmermädchen*

Ein Bedienter

Die Rolle Hugenberg wird von einem Mädchen gespielt.
Rechts und links vom Schauspieler.

PROLOG

*Ein Tierbändiger tritt, nachdem der aufgezogene Vorhang einen Zelt-
eingang hat sichtbar werden lassen, in zinnoberrotem Frack, weißer Kra-
watte, langen schwarzen Locken, weißen Beinkleidern und Stulpstiefeln,
in der Linken eine Hetzpeitsche, in der Rechten einen geladenen Revolver,
unter Zimbelklängen und Paukenschlägen aus dem Zelt.*

Hereinspaziert in die Menagerie,
Ihr stolzen Herrn, ihr lebenslust'gen Frauen,
Mit heißer Wollust und mit kaltem Grauen
Die unbeseelte Kreatur zu schauen,
Gebändigt durch das menschliche Genie.
Hereinspaziert, die Vorstellung beginnt! –
Auf zwei Personen kommt umsonst ein Kind.

Hier kämpfen Tier und Mensch im engen Gitter,
Wo jener höhnend seine Peitsche schwingt
Und dieses, mit Gebrüll wie Ungewitter,
Dem Menschen mörderisch an die Kehle springt;
Wo bald der Kluge, bald der Starke siegt,
Bald Mensch, bald Tier geduckt am Estrich liegt;
Das Tier bäumt sich, der Mensch auf allen vieren!
Ein eisig kalter Herrscherblick –
Die Bestie beugt entartet das Genick
Und läßt sich fromm die Ferse drauf postieren.

Schlecht sind die Zeiten! – All die Herrn und Damen,
Die einst vor meinem Käfig sich geschart,
Beehren Possen, Ibsen, Opern, Dramen
Mit ihrer hochgeschätzten Gegenwart.
An Futter fehlt es meinen Pensionären,
So daß sie gegenseitig sich verzehren.
Wie gut hat's am Theater ein Akteur!
Des Fleischs auf seinen Rippen ist er sicher,
Sei auch der Hunger ein ganz fürchterlicher
Und des Kollegen Magen noch so leer. –
Doch will man Großes in der Kunst erreichen,
Darf man Verdienst nicht mit dem Lohn vergleichen.

Was seht ihr in den Lust- und Trauerspielen?! –
Haustiere, die so wohlgesittet fühlen,
An blasser Pflanzenkost ihr Mütchen kühlen
Und schwelgen in behaglichem Geplärr,
Wie jene andern – unten im Parterre:
Der eine Held kann keinen Schnaps vertragen,
Der andre zweifelt, ob er richtig liebt,
Den dritten hört ihr an der Welt verzagen,
Fünf Akte lang hört ihr ihn sich beklagen,
Und niemand, der den Gnadenstoß ihm gibt.
Das *wahre* Tier, das *wilde, schöne* Tier,
Das – meine Damen! – sehn Sie nur bei mir.

Sie sehen den *Tiger,* der gewohnheitsmäßig,
Was in den Sprung ihm läuft, hinunterschlingt;
Den *Bären,* der, von Anbeginn gefräßig,
Beim späten Nachtmahl tot zu Boden sinkt;
Sie sehn den kleinen amüsanten *Affen*
Aus Langeweile seine Kraft verpaffen;
Er hat Talent, doch fehlt ihm jede Größe,
Drum kokettiert er frech mit seiner Blöße;
Sie sehn in meinem Zelte, meiner Seel',
Sogar gleich hinterm Vorhang ein *Kamel!* –
Und sanft schmiegt das Getier sich mir zu Füßen,
Wenn – *er schießt ins Publikum*
                    – donnernd mein Revolver knallt.
Rings bebt die Kreatur; ich bleibe kalt –
Der *Mensch* bleibt kalt! – Sie ehrfurchtsvoll zu grüßen.

Hereinspaziert! – Sie traun sich nicht herein? –
Wohlan, Sie mögen selber Richter sein!
Sie sehn auch das Gewürm aus allen Zonen:
Chamäleone, Schlangen, Krokodile,
Drachen und Molche, die in Klüften wohnen.
Gewiß, ich weiß, Sie lächeln in der Stille
Und glauben mir nicht eine Silbe mehr –

er lüftet den Türvorhang und ruft in das Zelt

He, Aujust! Bring mir unsre *Schlange* her!

*Ein schmerbäuchiger Arbeiter trägt die Darstellerin der Lulu in ihrem
Pierrotkostüm aus dem Zelt und setzt sie vor dem Tierbändiger nieder.*

Sie ward geschaffen, Unheil anzustiften,
Zu locken, zu verführen, zu vergiften –
Zu morden, ohne daß es einer spürt.

Lulu am Kinn krauend

Mein süßes Tier, sei ja nur nicht *geziert!*
Nicht *albern*, nicht *gekünstelt*, nicht *verschroben*,
Auch wenn die Kritiker dich weniger loben.
Du hast kein Recht, uns durch Miaun und Fauchen
Die *Urgestalt* des *Weibes* zu verstauchen,
Durch Faxenmachen uns und Fratzenschneiden
Des *Lasters Kindereinfalt* zu verleiden!
Du sollst – drum sprech' ich heute sehr ausführlich –
Natürlich sprechen und nicht unnatürlich!
Denn erstes Grundgesetz seit frühster Zeit
In jeder Kunst war *Selbstverständlichkeit!*

Zum Publikum

Es ist jetzt nichts Besondres dran zu sehen,
Doch warten Sie, was später wird geschehen:

Mit starkem Druck umringelt sie den Tiger;
Er heult und stöhnt! – Wer bleibt am Ende Sieger?! –
Hopp, Aujust! Marsch! Trag sie an ihren Platz –
*Der Arbeiter nimmt Lulu quer auf die Arme; der Tierbändiger
tätschelt ihr die Hüften.*

Die süße Unschuld – meinen größten Schatz!
Der Arbeiter trägt Lulu ins Zelt zurück.

Und nun bleibt noch das Beste zu erwähnen:
Mein Schädel zwischen eines Raubtiers Zähnen.
Hereinspaziert! Das Schauspiel ist nicht neu,
Doch seine Freude hat man stets dabei.
Ich wag' es, ihm den Rachen aufzureißen,
Und dieses Raubtier wagt nicht zuzubeißen.
So *schön* es ist, so *wild* und *buntgefleckt*,
Vor meinem Schädel hat das Tier Respekt!
Getrost leg' ich mein Haupt ihm in den Rachen;
Ein *Witz* – und meine beiden Schläfen krachen!
Dabei verzicht' ich auf des Auges Blitz;

Mein *Leben* setz' ich gegen *einen Witz;*
Die Peitsche werf' ich fort und diese Waffen
Und geb' mich *harmlos,* wie mich Gott geschaffen. –
Wißt ihr den Namen, den dies Raubtier führt? – –
Verehrtes Publikum – – Hereinspaziert!!

Der Tierbändiger tritt unter Zimbelklängen und Paukenschlägen
in das Zelt zurück.

ERSTER AUFZUG

Geräumiges Atelier. – Rechts hinten Entreetür, rechts vorn Seitentür zum Schlafkabinett. In der Mitte ein Podium. Hinter dem Podium eine spanische Wand. Vor dem Podium ein Smyrnateppich. Links vorn zwei Staffeleien. Auf der hintern das Brustbild eines jungen Mädchens. Gegen die vordere lehnt eine umgekehrte Leinwand. Vor den Staffeleien, etwas gegen die Mitte vorn, eine Ottomane. Darüber Tigerfell. Rechts an der Wand zwei Sessel. Im Hintergrund eine Trittleiter.

Erster Auftritt

Schwarz und Schön.

SCHÖN *auf dem Fußende der Ottomane sitzend, mustert das Brustbild auf der hinteren Staffelei* Wissen Sie, daß ich die Dame von einer ganz neuen Seite kennen lerne?

SCHWARZ *Pinsel und Palette in der Hand, steht hinter der Ottomane* Ich habe noch niemanden gemalt, bei dem der Gesichtsausdruck so ununterbrochen wechselte. – Es war mir kaum möglich, einen einzigen Zug dauernd festzuhalten.

SCHÖN *auf das Bild deutend, ihn ansehend* Finden Sie das darin?

SCHWARZ Ich habe das Erdenklichste getan, um durch meine Unterhaltung während der Sitzungen wenigstens etwas Ruhe in der Stimmung hervorzurufen.

SCHÖN Dann verstehe ich den Unterschied.

SCHWARZ *taucht den Pinsel ins Ölnäpfchen und überstreicht die Gesichtszüge.*

SCHÖN Glauben Sie, es wird dadurch ähnlicher?

SCHWARZ Man kann nicht mehr tun als es mit der Kunst so gewissenhaft wie möglich nehmen.

SCHÖN Sagen Sie mal . . .

SCHWARZ *zurücktretend* Die Farbe ist auch wieder etwas eingeschlagen.

SCHÖN *ihn ansehend* Haben Sie jemals in Ihrem Leben ein Weib geliebt?

SCHWARZ *geht auf die Staffelei zu, setzt eine Farbe auf und tritt auf der anderen Seite zurück* Der Stoff ist noch nicht genügend abgehoben. Man sieht noch nicht recht, daß ein lebender Körper darunter ist.

SCHÖN   Ich zweifle nicht daran, daß die Arbeit gut ist.

SCHWARZ   Wenn Sie hierhertreten wollen.

SCHÖN *sich erhebend*   Sie müssen ihr wahre Schauergeschichten erzählt haben.

SCHWARZ   So weit wie möglich zurück.

SCHÖN *zurücktretend, stößt die an die vordere Staffelei gelehnte Leinwand um*   Pardon ...

SCHWARZ *den Rahmen aufhebend*   O bitte ...

SCHÖN *betroffen*   Was ist das ...

SCHWARZ   Kennen Sie sie?

SCHÖN   Nein.

SCHWARZ *setzt das Bild auf die Staffelei. Man sieht eine Dame als Pierrot gekleidet mit einem hohen Schäferstab in der Hand Ein Kostümbild.*

SCHÖN   Die ist Ihnen aber gelungen.

SCHWARZ   Sie kennen sie?

SCHÖN   Nein. Und in dem Kostüm?

SCHWARZ   Es fehlt noch die ganze Ausführung.

SCHÖN   Na ja.

SCHWARZ   Was wollen Sie? Während sie mir steht, habe ich das Vergnügen, ihren Mann zu unterhalten.

SCHÖN   Sagen Sie ...

SCHWARZ   Über Kunst natürlich, um mein Glück zu vervollständigen.

SCHÖN   Wie kommen Sie denn zu der reizenden Bekanntschaft?

SCHWARZ   Wie man dazu kommt. Ein steinalter, wackliger Knirps fällt mir hier herein, ob ich seine Frau malen könne. Nun natürlich, und wenn sie runzlig wie Mutter Erde ist. Andern Tags Punkt zehn fliegen die Türen auf, und der Schmerbauch treibt dies Engelskind vor sich her. Ich fühle jetzt noch, wie mir die Knie schwankten. Ein stocksteifer, saftgrüner Lakai mit einem Paket unter dem Arm. Wo die Garderobe sei? Denken Sie sich meine Lage. Ich öffne die Tür da *nach rechts deutend.* Nur ein Glück, daß schon alles in Ordnung war. Das süße Geschöpf huscht hinein, und der Alte postiert sich als Schanzkorb davor. Zwei Minuten darauf tritt sie in diesem Pierrot heraus. *Den Kopf schüttelnd* Ich habe nie so was gesehen. *Geht nach rechts und starrt an die Schlafzimmertür hin.*

SCHÖN *der ihm mit dem Blick gefolgt*   Und der Schmerbauch steht Schildwache?

SCHWARZ *sich umwendend*   Der ganze Körper im Einklang mit dem unmöglichen Kostüm, als wäre er darin zur Welt gekommen. Ihre Art, die Ellbogen in die Taschen zu vergraben, die Füßchen vom Teppich zu heben – mir schießt oft das Blut zu Kopf . . .

SCHÖN Das sieht man dem Bild an.

SCHWARZ *kopfschüttelnd* Unsereiner, wissen Sie . . .

SCHÖN Hier führt das Modell die Konversation.

SCHWARZ Sie hat den Mund noch nicht aufgetan.

SCHÖN Ist's möglich!

SCHWARZ Erlauben Sie, daß ich Ihnen das Kostüm zeige.
Nach rechts ab.

SCHÖN *allein, vor dem Pierrot* Eine Teufelsschönheit. *Vor dem Brustbild* Hier ist mehr Fond. *Nach vorn kommend* Er ist noch etwas jung für sein Alter.

SCHWARZ *kommt mit einem weißen Atlaskostüm zurück* Was das für ein Stoff sein mag?

SCHÖN *den Stoff befühlend* Atlas.

SCHWARZ Und alles in einem Stück.

SCHÖN Wie kommt man denn da hinein?

SCHWARZ Das kann ich Ihnen nicht sagen.

SCHÖN *das Kostüm bei den Beinen nehmend* Diese riesigen Hosenpfeifen!

SCHWARZ Die linke rafft sie hinauf.

SCHÖN *auf das Bild sehend* Bis übers Knie!

SCHWARZ Sie macht das zum Entzücken.

SCHÖN Und transparente Strümpfe?

SCHWARZ Die wollen nämlich gemalt sein.

SCHÖN Oh, das können Sie.

SCHWARZ Dabei von einer Koketterie!

SCHÖN Wie kommen Sie auf den entsetzlichen Verdacht?

SCHWARZ Es gibt Dinge, von denen sich unsere Schulweisheit nichts träumen läßt. *Trägt das Kostüm in sein Schlafzimmer.*

SCHÖN *allein* Wenn man schläft . . .

SCHWARZ *kommt zurück, sieht nach der Uhr* Wenn Sie übrigens ihre Bekanntschaft machen wollen . . .

SCHÖN Nein.

SCHWARZ Sie müssen im Augenblick hier sein.

SCHÖN Wie oft wird denn die Dame noch sitzen müssen?

SCHWARZ Ich werde die Tantalusqual wohl noch ein Vierteljahr zu erdulden haben.

SCHÖN Ich meine die andere.

SCHWARZ Entschuldigen Sie. Dreimal höchstens. *Ihn zur Türe geleitend* Wenn mir die Dame dann nur ihre Taille dalassen will!

SCHÖN   Mit Vergnügen. Lassen Sie sich bald wieder bei mir sehen. *Stößt in der Tür auf Dr. Goll und Lulu.* In Gottes Namen!

Zweiter Auftritt

Dr. Goll. Lulu. Die Vorigen.

SCHWARZ   Darf ich vorstellen . . .

GOLL *zu Schön*   Was treiben denn Sie hier?

SCHÖN *Lulu die Hand küssend*   Frau Medizinalrat.

LULU   Sie wollen doch nicht schon gehen?

GOLL   Welcher Wind führt denn Sie hierher?

SCHÖN   Ich habe mir das Bild meiner Braut angesehen.

LULU *nach vorn kommend*   Ihre Braut ist hier?

GOLL   Sie lassen hier also auch arbeiten?

LULU *vor dem Brustbild*   Sieh da! Bezaubernd! Entzückend!

GOLL *sich umsehend*   Sie halten sie wohl hier irgendwo versteckt?

LULU   Das ist also das süße Wunderkind, das Sie zu einem Menschen gemacht . . .

SCHÖN   Sie sitzt meistens am Nachmittag.

GOLL   Und davon erzählen Sie einem nichts?

LULU *sich umwendend*   Ist sie denn wirklich so ernst?

SCHÖN   Wohl noch die Nachwirkung der Pensionszeit, gnädige Frau.

GOLL *vor dem Brustbild*   Man sieht, daß Sie eine tiefgehende Wandlung durchgemacht haben.

LULU   Nun dürfen Sie sie aber nicht mehr länger warten lassen.

SCHÖN   In vierzehn Tagen denke ich unsere Verlobung bekanntzumachen.

GOLL *zu Lulu*   Laß uns keine Zeit verlieren. Hopp!

LULU *zu Schön*   Denken Sie, wir fuhren im Trab über die neue Kaibrücke. Ich habe selber kutschiert.

SCHÖN *will sich verabschieden.*

GOLL   Nein, nein. Wir beide sprechen nachher weiter. Geh, Nelli. Hopp!

LULU   Jetzt kommt's an mich!

GOLL   Unser Apelles leckt sich schon die Pinsel ab.

LULU   Ich hatte mir das viel amüsanter vorgestellt.

SCHÖN   Sie haben dabei immerhin die Genugtuung, uns den seltensten Genuß zu bereiten.

LULU *nach rechts gehend*   Na, warten Sie nur.

SCHWARZ *vor der Schlafzimmertür*   Wenn Frau Obermedizinalrat so freundlich sein wollen. *Schließt die Tür hinter ihr und bleibt
davor stehen.*

GOLL   Ich habe sie in unserm Ehekontrakt nämlich Nelli ge-
tauft.

SCHÖN   So? – Ja.

GOLL   Was halten Sie davon?

SCHÖN   Warum nennen Sie sie nicht lieber Mignon?

GOLL   Das wäre auch was. Daran habe ich nicht gedacht.

SCHÖN   Glauben Sie, daß der Name soviel dabei ausmacht?

GOLL   Hm – Sie wissen, ich habe keine Kinder.

SCHÖN *sein Zigarettenetui aus der Tasche nehmend*   Sie sind
doch aber auch erst ein paar Monate verheiratet.

GOLL   Danke. Ich wünsche mir keine.

SCHÖN   Rauchen Sie eine Zigarette?

GOLL *sich bedienend*   Ich habe an dem einen vollkommen genug.
Zu Schwarz Sagen Sie mal, was macht denn eigentlich Ihre kleine
Tänzerin?

SCHÖN *sich nach Schwarz umwendend*   Sie und eine Tänzerin?

SCHWARZ   Die Dame saß mir damals nur aus Gefälligkeit. Ich
kenne die Dame von einem Ausflug des Cäcilienvereins her.

GOLL *zu Schön*   Hm – ich glaube, wir kriegen anderes Wetter.

SCHÖN   Das geht wohl nicht so rasch mit der Toilette?

GOLL   Das geht wie der Blitz! Die Frau muß Virtuosin in ihrem
Fach sein. Das muß jeder von uns in seinem Fach, wenn das Leben
nicht zur Bettelei werden soll. *Ruft* Hopp, Nelli!

SCHWARZ *an der Tür*   Frau Obermedizinalrat!

LULU *von innen*   Gleich, gleich.

GOLL *zu Schön*   Ich begreife solche Stockfische nicht.

SCHÖN   Ich beneide sie. Diese Stockfische kennen nichts Heili-
geres als ihr Hungertuch. Sie fühlen sich reicher als unsereiner mit
30 000 Mark Renten. Sie können übrigens nicht über einen Menschen urteilen, der von Kindesbeinen an von der Palette in den
Mund gelebt hat. Nehmen Sie es auf sich, ihn zu finanzieren. Es ist
ein Rechenexempel. Mir fehlt der moralische Mut. Man verbrennt
sich auch leicht die Finger . . .

LULU *als Pierrot aus dem Schlafzimmer tretend*   Da bin ich.

SCHÖN *wendet sich um, nach einer Pause*   Superb!

LULU *tritt näher*   Nun?

SCHÖN   Sie beschämen die kühnste Phantasie.

LULU   Wie gefall' ich Ihnen?

Schön   Ein Bild, vor dem die Kunst verzweifeln muß.

Goll   Finden Sie nicht auch?

Schön *zu Lulu*   Sie wissen doch wohl nicht recht, was Sie tun.

Lulu   Ich bin mir meiner vollkommen bewußt!

Schön   Dann dürften Sie etwas besonnener sein.

Lulu   Ich tue ja doch nur meine Schuldigkeit.

Schön   Sie sind gepudert?

Lulu   Was fällt Ihnen ein!

Goll   Sie hat eine weiße Haut, wie ich sie noch nirgends gesehen habe. Ich habe unserem Raffael auch gesagt, er möge sich mit dem Fleisch nur ja so wenig wie möglich abgeben. Ich kann mich einmal für die moderne Kleckserei nicht begeistern.

Schwarz *an den Staffeleien, seine Farben präparierend*   Dem Impressionismus dankt es die heutige Kunst jedenfalls, daß sie sich alten Meistern ohne Erröten an die Seite stellen darf.

Goll   Für ein Stück Schlachtvieh mag sie ja ganz angebracht sein.

Schön   Nur um Gottes willen keine Aufregung!

Lulu *fällt Goll um den Hals und küßt ihn.*

Goll   Man sieht dein Negligé. Du mußt es herunterziehen.

Lulu   Ich hätte es am liebsten weggelassen. Es geniert nur.

Goll   Er wäre imstande und malte es hin.

Lulu *nimmt den Schäferstab, der an der spanischen Wand lehnt, auf das Podium steigend, zu Schön*   Was würden Sie jetzt sagen, wenn Sie zwei Stunden Parade stehen müßten?

Schön   Meine Seele verschriebe ich dem Teufel, um mit Ihnen tauschen zu dürfen.

Goll *sich rechts setzend*   Kommen Sie hierher. Hier ist nämlich mein Beobachtungsposten.

Lulu *das linke Beinkleid bis zum Knie hinaufraffend, zu Schwarz*   So?

Schwarz   Ja...

Lulu *es um eine Idee höher raffend*   So?

Schwarz   Ja, ja...

Goll *zu Schön, der auf dem Sessel neben ihm Platz genommen hat, mit einer Handbewegung*   Ich finde sie nämlich von hier aus noch vorteilhafter.

Lulu *ohne sich zu rühren*   Ich bitte sehr! Ich bin von allen Seiten gleich vorteilhaft.

Schwarz *zu Lulu*   Das rechte Knie weiter vor, bitte.

Schön *mit einer Geste*   Der Körper zeigt vielleicht feinere Linien...

SCHWARZ Die Beleuchtung ist heute zum mindesten halbwegs
erträglich.

GOLL Sie müssen sie flott hinwerfen! Fassen Sie Ihren Pinsel
etwas länger!

SCHWARZ Gewiß, Herr Medizinalrat.

SCHÖN Behandeln Sie sie als Stilleben!

SCHWARZ Gewiß, Herr Doktor. *Zu Lulu* Sie pflegten den Kopf
um eine Idee höher zu halten, Frau Medizinalrat.

LULU *den Kopf hebend* Malen Sie mir die Lippen etwas geöffnet.

SCHÖN Malen Sie Schnee auf Eis. Wenn Sie sich dabei erwärmen,
dann wird Ihre Kunst sofort unkünstlerisch.

SCHWARZ Gewiß, Herr Doktor!

GOLL Die Kunst, wissen Sie, muß die Natur so wiedergeben,
daß man wenigstens *geistig* dabei genießen kann!

LULU *den Mund etwas öffnend, zu Schwarz* So – sehen Sie. So
halte ich sie halb geöffnet.

SCHWARZ Sobald die Sonne kommt, wirft die Mauer von gegenüber warme Reflexe herein.

GOLL *zu Lulu* Du mußt dich in deiner Stellung überhaupt so
verhalten, als ob unser Velasquez hier gar nicht vorhanden wäre.

LULU Ein Maler ist doch auch eigentlich gar kein Mann.

SCHÖN Ich glaube nicht, daß Sie von einer rühmlichen Ausnahme so ohne weiteres auf die ganze Zunft schließen dürfen.

SCHWARZ *von der Staffelei zurücktretend* Ich hätte mir im ver-
gangenen Herbst doch lieber ein anderes Atelier mieten müssen.

SCHÖN *zu Goll* Was ich fragen wollte – haben Sie die kleine
O'Morphi schon als peruanische Perlenfischerin gesehen?

GOLL Morgen sehe ich sie mir zum viertenmal an. Der Fürst
Polossow führte mich hin. Sein Haar ist vor Entzücken schon wieder
dunkelblond geworden.

SCHÖN Sie finden sie also auch so fabelhaft?

GOLL Wer will das je im voraus beurteilen!

LULU Ich glaube, es hat geklopft.

SCHWARZ Entschuldigen Sie mich einen Augenblick. *Geht zur
Tür und öffnet.*

GOLL Du darfst ihn getrost etwas unbefangener anlächeln.

SCHÖN Dem macht das gar nichts.

GOLL Und wenn! – Wozu sitzen wir beide denn hier!

Dritter Auftritt

Alwa Schön. Die Vorigen.

ALWA *noch hinter der spanischen Wand* Darf man eintreten?

SCHÖN   Mein Sohn.

LULU   Das ist ja Herr Alwa!

GOLL   Kommen Sie nur ungeniert herein!

ALWA *vortretend, reicht Schön und Goll die Hand* Herr Medizinalrat ... *Sich nach Lulu umwendend* Seh ich recht? – Wenn ich Sie doch nur für meine Hauptrolle engagieren könnte!

LULU   Ich würde für Ihr Stück wohl kaum gut genug tanzen.

ALWA   Aber Sie haben doch einen Tanzlehrer, wie man ihn an keiner Bühne Europas findet!

SCHÖN   Was führt dich denn hierher?

GOLL   Sie lassen hier wohl auch insgeheim irgend jemanden porträtieren?

ALWA *zu Schön* Ich wollte dich zur Generalprobe abholen.

SCHÖN *erhebt sich.*

GOLL   Lassen Sie denn heute schon in vollem Kostüm tanzen?

ALWA   Versteht sich. Kommen Sie mit. In fünf Minuten muß ich auf der Bühne sein. *Zu Lulu* Ich Unglücklicher!

GOLL   Ich habe ganz vergessen – wie nennt sich doch Ihr Ballett?

ALWA   Dalai-Lama.

GOLL   Ich glaubte, der wäre im Irrenhaus.

SCHÖN   Sie meinen Nietzsche, Herr Sanitätsrat.

GOLL   Sie haben recht. Ich verwechsle die beiden.

ALWA   Ich habe dem Buddhismus auf die Beine geholfen.

GOLL   An den Beinen erkennt man den Bühnendichter.

ALWA   Die Corticelli tanzt den jugendlichen Buddha, als hätte sie am Ganges das Licht der Welt erblickt.

SCHÖN   Solang die Mutter noch lebte, tanzte sie mit den Beinen ...

ALWA   Als sie dann frei wurde, tanzte sie mit dem Verstande ...

GOLL   Jetzt tanzt sie mit dem Herzen!

ALWA   Wenn Sie sie sehen wollen?

GOLL   Danke.

ALWA   Kommen Sie doch mit!

GOLL   Unmöglich!

SCHÖN   Wir haben übrigens keine Zeit zu verlieren.

ALWA   Kommen Sie mit, Herr Medizinalrat. Im dritten Akt sehen Sie Dalai-Lama in seinem Kloster, mit seinen Mönchen ...

GOLL   Mir wäre es lediglich um den jugendlichen Buddha zu tun.

ALWA Was hindert Sie denn?

GOLL Es geht nicht. Es geht nicht.

ALWA Wir gehen nachher zu Peters. Da können Sie Ihrer Bewunderung Ausdruck geben.

GOLL Dringen Sie nicht weiter in mich. Ich bitte Sie.

ALWA Sie sehen die zahmen Affen, die beiden Brahmanen, die kleinen Mädchen ...

GOLL Bleiben Sie mir nur um Gottes willen mit den kleinen Mädchen vom Halse!

LULU Reservieren Sie uns eine Proszeniumsloge auf Montag, Herr Alwa?

ALWA Wie konnten gnädige Frau daran zweifeln?

GOLL Wenn ich zurückkomme, hat mir der Höllenbreughel das ganze Bild verpatzt!

ALWA Das wäre doch kein Unglück. Das läßt sich übermalen.

GOLL Wenn man dem Caravacci nicht jeden Pinselstrich expliziert ...

SCHÖN Ich halte übrigens Ihre Befürchtungen für unbegründet.

GOLL Das nächste Mal, meine Herren!

ALWA Die Brahmanen werden ungeduldig! Die Töchter Nirvanas schlottern in ihren Trikots!

GOLL Verdammte Kleckserei!!

SCHÖN Man wird uns auszanken, daß wir Sie nicht mitbringen.

GOLL In fünf Minuten bin ich zurück. *Stellt sich links vorn hinter Schwarz und vergleicht das Bild mit Lulu.*

ALWA *zu Lulu* Mich ruft leider die Pflicht, gnädige Frau.

GOLL *zu Schwarz* Sie müssen hier ein wenig mehr modellieren. Das Haar ist schlecht. Sie sind nicht genug bei der Sache ...

ALWA Kommen Sie.

GOLL Nun nur hopp! Zu Peters bringen mich keine zehn Pferde.

SCHÖN *Alwa und Goll folgend* Wir nehmen meinen Wagen, der unten steht.

Vierter Auftritt

Schwarz. Lulu.

SCHWARZ *beugt sich nach links, spuckt aus* Pack! – Wäre doch das Leben zu Ende! – Der Brotkorb! – Brotkorb und Maulkorb! Jetzt bäumt sich mein Künstlerstolz. *Nach einem Blick auf Lulu* Diese Gesellschaft! – *Erhebt sich, geht nach rechts hinten, betrachtet Lulu von allen Seiten, setzt sich wieder an die Staffelei* Die Wahl

würde einem schwer. – – Wenn ich Frau Obermedizinalrat ersuchen
darf, die rechte Hand etwas höher.

LULU *nimmt den Schäferstab so hoch sie reichen kann, für sich*
Wer hätte das für möglich gehalten!

SCHWARZ   Ich bin wohl recht lächerlich?

LULU   Er kommt gleich zurück.

SCHWARZ   Ich kann nicht mehr tun als malen.

LULU   Da ist er.

SCHWARZ *sich erhebend*   Nun?

LULU   Hören Sie nicht?

SCHWARZ   Es kommt jemand . . .

LULU   Ich wußte es ja.

SCHWARZ   Es ist der Hausmeister. Er fegt die Treppe.

LULU   Gott sei Dank.

SCHWARZ   Sie begleiten Herrn Obermedizinalrat wohl auf seine
Praxis?

LULU   Das fehlte mir noch!

SCHWARZ   Weil Sie es nicht gewohnt sind, allein zu sein.

LULU   Wir haben zu Hause eine Haushälterin.

SCHWARZ   Die Ihnen Gesellschaft leistet?

LULU   Sie hat viel Geschmack.

SCHWARZ   Wofür?

LULU   Sie zieht mich an.

SCHWARZ   Sie gehen wohl viel auf Bälle?

LULU   Nie.

SCHWARZ   Wozu brauchen Sie dann die Toiletten?

LULU   Zum Tanzen.

SCHWARZ   Sie tanzen wirklich?

LULU   Csardas – Samaqueca – Skirtdance . . .

SCHWARZ   Widert Sie denn das nicht an?

LULU   Sie finden mich häßlich?

SCHWARZ   Sie verstehen mich nicht. – Wer gibt Ihnen denn den
Unterricht?

LULU   Er.

SCHWARZ   Wer?

LULU   Er.

SCHWARZ   Er?

LULU   Er spielt Violine. – – –

SCHWARZ   Man lernt jeden Tag ein neues Stück Welt kennen.

LULU   Ich habe in Paris gelernt. Ich nahm Stunden bei Eugenie
Fougère. Sie hat mich auch ihre Kostüme kopieren lassen.

SCHWARZ   Wie sind denn die?

LULU Grünes Spitzenröckchen bis zum Knie, ganz in Volants dekolletiert natürlich, sehr dekolletiert und fürchterlich geschnürt. Hellgrüner Unterrock, dann immer heller. Schneeweiße Dessous mit handbreiten Spitzen ...

SCHWARZ Ich kann nicht mehr ...

LULU Malen Sie doch!

SCHWARZ *mit dem Spachtel schabend* Ist Ihnen denn nicht kalt?

LULU Gott bewahre! Nein. Wie kommen Sie auf die Frage? Ist Ihnen denn so kalt?

SCHWARZ Heute nicht. Nein.

LULU Gottlob kann man atmen!

SCHWARZ Wieso ...

LULU *atmet tief ein.*

SCHWARZ Lassen Sie das, bitte! – *Springt auf, wirft Pinsel und Palette weg, geht auf und nieder* Der Stiefelputzer hat es wenigstens nur mit ihren Füßen zu tun. Seine Farbe frißt ihm auch nicht ins Geld. Wenn mir morgen das Abendbrot fehlt, fragt mich kein Weltdämchen danach, ob ich mich aufs Austernschlecken verstehe.

LULU Ist das ein Unhold!

SCHWARZ *nimmt die Arbeit wieder auf* Was jagt den Kerl auch in diese Probe!

LULU Mir wäre es auch lieber, er wäre dageblieben.

SCHWARZ Wir sind wirklich die Märtyrer unseres Berufes!

LULU Ich wollte Ihnen nicht weh tun.

SCHWARZ *zögernd, zu Lulu* Wenn Sie links – das Beinkleid – ein wenig höher ...

LULU Hier?

SCHWARZ *tritt zum Podium* Erlauben Sie ...

LULU Was wollen Sie?

SCHWARZ Ich zeige es Ihnen.

LULU Es geht nicht.

SCHWARZ Sie sind nervös ... *Will ihre Hand fassen.*

LULU *wirft ihm den Schäferstab ins Gesicht* Lassen Sie mich in Ruhe! *Eilt zur Entreetür* Sie bekommen mich noch lange nicht.

SCHWARZ Sie verstehen keinen Scherz.

LULU Doch, ich verstehe alles. Lassen Sie mich nur frei. Mit Gewalt erreichen Sie gar nichts bei mir. Gehen Sie an Ihre Arbeit. Sie haben kein Recht, mich zu belästigen. *Flüchtet hinter die Ottomane.* Setzen Sie sich hinter Ihre Staffelei.

SCHWARZ *will um die Ottomane* Sobald ich Sie für Ihre Launenhaftigkeit bestraft habe.

LULU *ausweichend* Dazu müssen Sie mich aber erst haben.

Gehen Sie, Sie erwischen mich doch nicht. – In langen Kleidern
wäre ich Ihnen längst in die Hände gefallen. – Aber in dem Pierrot!

SCHWARZ *sich der Länge nach über die Ottomane werfend* Habe
ich dich!

LULU *schlägt ihm das Tigerfell über den Kopf* Gute Nacht!
Springt über das Podium, klettert auf die Trittleiter. Ich sehe über
alle Städte der Erde weg ...

SCHWARZ *sich aus der Decke wickelnd* Dieser Balg!

LULU Ich greife in den Himmel und stecke mir die Sterne ins
Haar.

SCHWARZ *ihr nachkletternd* Ich schüttle, bis Sie herunterfallen.

LULU *höher steigend* Wenn Sie nicht aufhören, werfe ich die
Leiter um. Werden Sie meine Beine loslassen! – Gott schütze Polen!
*Bringt die Leiter zu Fall, springt auf das Podium und wirft Schwarz,
wie er sich vom Boden aufrafft, die spanische Wand an den Kopf.
Nach vorn eilend, an den Staffeleien* Ich habe Ihnen ja gesagt, daß
Sie mich nicht bekommen.

SCHWARZ *nach vorn kommend* Lassen Sie uns Frieden schließen.
Will sie umfassen.

LULU Bleiben Sie mir vom Leib, oder ... *Sie wirft ihm die
Staffelei mit dem Brustbild entgegen, daß beides krachend zu Boden
stürzt.*

SCHWARZ *schreit auf* Barmherziger Gott!

LULU *links hinten* Das Loch haben Sie selber hineingeschlagen.

SCHWARZ Ich bin ruiniert! Zehn Wochen Arbeit, meine Reise,
meine Ausstellung. – Jetzt ist nichts mehr zu verlieren. *Stürzt ihr
nach.*

LULU *springt über die Ottomane, über die umgestürzte Trittleiter, kommt über das Podium nach vorn* Ein Graben! – Fallen Sie
nicht hinein! *Stapft durch das Brustbild.* Sie hat einen neuen Menschen aus ihm gemacht! *Fällt vornüber.*

SCHWARZ *über die spanische Wand stolpernd* Ich kenne kein
Erbarmen mehr.

LULU *im Hintergrund* Lassen Sie mich jetzt in Ruhe. – Mir
wird schwindlig. – – O Gott, o Gott ... *Kommt nach vorn und
sinkt auf die Ottomane.*

SCHWARZ *verriegelt die Tür. Darauf setzt er sich neben sie, ergreift ihre Hand und bedeckt sie mit Küssen, hält inne; man sieht
ihm an, daß er einen inneren Kampf kämpft.*

LULU *schlägt die Augen auf.* Er kann zurückkommen.

SCHWARZ Wie ist dir?

LULU Als wäre ich ins Wasser gefallen ...

SCHWARZ Ich liebe dich.

LULU Ich liebte einmal einen Studenten.

SCHWARZ Nelli ...

LULU Mit vierundzwanzig Schmissen ...

SCHWARZ Ich liebe dich, Nelli.

LULU Ich heiße nicht Nelli.

SCHWARZ *küßt sie.*

LULU Ich heiße Lulu.

SCHWARZ Ich werde dich Eva nennen.

LULU Wissen Sie, wieviel Uhr es ist?

SCHWARZ *nach der Uhr sehend* Halb elf.

LULU *nimmt die Uhr und öffnet das Gehäuse.*

SCHWARZ Du liebst mich nicht.

LULU Doch ... Es ist fünf Minuten nach halb elf.

SCHWARZ Gib mir einen Kuß, Eva!

LULU *nimmt ihn am Kinn und küßt ihn, wirft die Uhr in die Luft und fängt sie auf* Sie riechen nach Tabak.

SCHWARZ Warum sagst du nicht »du«?

LULU Es würde unbehaglich.

SCHWARZ Du verstellst dich!

LULU Sie verstellen sich selber, wie mir scheint. – Ich mich verstellen? Wie kommen Sie nur darauf? – *Das hatte ich niemals nötig.*

SCHWARZ *erhebt sich fassungslos, sich mit der Hand über die Stirn fahrend* Allmächtiger! Ich kenne die Welt nicht ...

LULU *schreit* Bringen Sie mich nur nicht um!

SCHWARZ *sich rasch umwendend* Du hast noch nie geliebt ...

LULU *sich halb aufrichtend* Sie haben noch nie geliebt ...!

GOLL *von außen* Machen Sie auf!

LULU *ist aufgesprungen* Verstecken Sie mich! O Gott, verstecken Sie mich!

GOLL *gegen die Tür polternd* Machen Sie auf!

SCHWARZ *will zur Tür.*

LULU *hält ihn zurück* Er schlägt mich tot.

GOLL *gegen die Tür polternd* Machen Sie auf!

LULU *vor Schwarz niedergesunken, umfaßt seine Knie* Er schlägt mich tot. Er schlägt mich tot.

SCHWARZ Stehen Sie auf ... *Die Tür fällt krachend ins Atelier.*

Fünfter Auftritt

Goll. Die Vorigen.

GOLL *mit blutunterlaufenen Augen stürzt mit erhobenem Stock auf Schwarz und Lulu los* Ihr Hunde! – Ihr ... *keucht, ringt einige Sekunden nach Atem und schlägt vornüber auf die Diele.*

SCHWARZ *wankt in den Knien.*

LULU *hat sich zur Tür geflüchtet. – Pause.*

SCHWARZ *tritt an Goll heran* Herr – Herr Medi – Herr Medizi – Herr Medizinal – Herr Medizinalrat.

LULU *in der Tür* Bringen Sie doch bitte erst das Atelier in Ordnung.

SCHWARZ Herr Obermedizinalrat. *Beugt sich nieder* Herr ... *Tritt zurück.* Er hat sich die Stirne geritzt. Helfen Sie mir, ihn auf die Ottomane legen.

LULU *bebt scheu zurück* Nein, nein ...

SCHWARZ *sucht ihn umzukehren* Herr Medizinalrat.

LULU Er hört nicht.

SCHWARZ Helfen Sie mir doch nur.

LULU Wir heben ihn zu zweit auch nicht.

SCHWARZ *sich emporrichtend* Man muß zum Arzt schicken.

LULU Er ist furchtbar schwer.

SCHWARZ *seinen Hut nehmen* Seien Sie doch bitte so freundlich und richten Sie, bis ich zurück bin, die Stellagen ein wenig zurecht. *Ab.*

Sechster Auftritt

Lulu. Goll.

LULU Auf einmal springt er auf. – *Eindringlich* Bussi! – – Er läßt sich nichts merken. – *Kommt in weitem Bogen nach vorn* Er sieht mir auf die Füße und beobachtet jeden Schritt, den ich tue. Er hat mich überall im Auge. – *Sie berührt ihn mit der Fußspitze* Bussi! – *Zurückweichend* Es ist ihm Ernst. – – Der Tanz ist aus. – – Er läßt mich sitzen. – – Was fang' ich an? – – *Beugt sich zur Erde* Ein wildfremdes Gesicht! – *Sich aufrichtend* Und niemand, der ihm den letzten Dienst erweist. – Ist das trostlos ...

Siebenter Auftritt

Schwarz. Die Vorigen.

SCHWARZ Noch nicht wieder zur Besinnung gekommen?

LULU *links vorn* Was fang' ich an . . .

SCHWARZ *über Goll gebeugt* Herr Medizinalrat.

LULU Ich glaube beinah, es ist ihm Ernst.

SCHWARZ Reden Sie doch anständig!

LULU Er würde mir das nicht sagen. Er läßt sich von mir vortanzen, wenn er sich nicht wohl fühlt.

SCHWARZ Der Arzt muß im Augenblick hier sein.

LULU Arznei hilft ihm nicht.

SCHWARZ Aber man tut doch in solchem Falle, was man kann.

LULU Er glaubt nicht daran.

SCHWARZ Wollen Sie sich denn nicht wenigstens umziehen?

LULU Ja. – Gleich.

SCHWARZ Worauf warten Sie denn noch?

LULU Ich bitte Sie . . .

SCHWARZ Was denn . . .?

LULU Schließen Sie ihm die Augen.

SCHWARZ Sie sind entsetzlich.

LULU Noch lange nicht so entsetzlich wie Sie!

SCHWARZ Wie ich?

LULU Sie sind eine Verbrechernatur.

SCHWARZ Rührt Sie denn dieser Moment gar nicht?

LULU Mich trifft es auch mal.

SCHWARZ Ich bitte Sie, jetzt schweigen Sie endlich mal!

LULU Sie trifft es auch mal.

SCHWARZ Das brauchen Sie einem in einem solchen Augenblick wirklich nicht noch zu sagen.

LULU Ich bitte Sie . . .

SCHWARZ Tun Sie, was Ihnen nötig scheint. Ich kenne das nicht.

LULU *rechts von Goll* Er sieht mich an.

SCHWARZ *links von Goll* Mich auch . . .

LULU Sie sind ein Feigling!

SCHWARZ *schließt Goll mit dem Taschentuch die Augen* Es ist das erstemal in meinem Leben, daß ich dazu verurteilt bin.

LULU Haben Sie es denn Ihrer Mutter nicht getan?

SCHWARZ *nervös* Nein.

LULU Sie waren wohl auswärts?

SCHWARZ Nein!

LULU Oder Sie fürchteten sich?

SCHWARZ *heftig*   Nein.

LULU *bebt zurück*   Ich wollte Sie nicht beleidigen.

SCHWARZ   Sie lebt noch.

LULU   Dann haben Sie doch noch jemanden.

SCHWARZ   Sie ist bettelarm.

LULU   Das kenne ich.

SCHWARZ   Spotten Sie meiner nicht!

LULU   Jetzt bin ich reich ...

SCHWARZ   Es ist grauenerregend. *Geht nach links* Was kann sie
dafür!

LULU *für sich*   Was fang' ich an?

SCHWARZ *für sich*   Vollkommen verwildert! *Schwarz links, Lulu
rechts, sehen einander mißtrauisch an.*

SCHWARZ *geht auf sie zu, ergreift ihre Hand*   Sieh mir ins Auge!

LULU *ängstlich*   Was wollen Sie ...

SCHWARZ *führt sie zur Ottomane, nötigt sie, neben ihm Platz zu
nehmen*   Sieh mir in die Augen!

LULU   Ich sehe mich als Pierrot darin.

SCHWARZ *stößt sie von sich*   Verwünschte Tanzerei!

LULU   Ich muß mich umziehen ...

SCHWARZ *hält sie zurück*   Eine Frage ...

LULU   Ich darf ja nicht antworten.

SCHWARZ *wieder an der Ottomane*   Kannst du die Wahrheit
sagen?

LULU   Ich weiß es nicht.

SCHWARZ   Glaubst du an einen Schöpfer?

LULU   Ich weiß es nicht.

SCHWARZ   Kannst du bei etwas schwören?

LULU   Ich weiß es nicht. Lassen Sie mich! Sie sind verrückt!

SCHWARZ   Woran glaubst du denn?

LULU   Ich weiß es nicht.

SCHWARZ   Hast du denn keine Seele?

LULU   Ich weiß es nicht.

SCHWARZ   Hast du schon einmal geliebt –?

LULU   Ich weiß es nicht.

SCHWARZ *erhebt sich, geht nach links, für sich*   Sie weiß es nicht!

LULU *ohne sich zu rühren*   Ich weiß es nicht.

SCHWARZ *mit einem Blick auf Goll*   Er weiß es ...

LULU *sich ihm nähernd*   Was wollen Sie wissen?

SCHWARZ *empört*   Geh, zieh dich an!

LULU *geht ins Schlafkabinett.*

Achter Auftritt

Schwarz. Goll.

SCHWARZ   Ich möchte tauschen mit dir, du Toter! Ich gebe sie dir zurück. Ich gebe dir meine Jugend dazu. Mir fehlt der Mut und der Glaube. Ich habe mich zu lange gedulden müssen. Es ist zu spät für mich. Ich bin dem Glück nicht gewachsen. Ich habe eine höllische Angst davor. Wach auf! Ich habe sie nicht angerührt. *Er öffnet den Mund.* – Mund auf und Augen zu wie die Kinder. Bei mir ist es umgekehrt. Wach auf! Wach auf! *Kniet nieder und bindet ihm sein Taschentuch um den Kopf* Hier flehe ich zum Himmel, er möge mich befähigen, glücklich zu sein. Er möge mir die Kraft geben und die seelische Freiheit, nur ein klein wenig glücklich zu sein. *Um ihretwillen, einzig um ihretwillen.*

Neunter Auftritt

Lulu. Die Vorigen.

LULU *tritt aus dem Schlafkabinett, vollständig angekleidet, den Hut auf, die rechte Hand unter der linken Achsel; zu Schwarz den linken Arm hebend*   Würden Sie mich hier zuhaken. Meine Hand zittert.

ZWEITER AUFZUG

Sehr eleganter Salon. Rechts hinten Entreetür. Vorne rechts und links
Portieren. Zu der links führen einige Stufen hinan. An der Hinterwand
über dem Kamin in prachtvollem Brokatrahmen Lulus Bild als Pierrot.
Links ein hoher Spiegel. Davor eine Chaiselongue. Rechts ein Schreibtisch
in Ebenholz. In der Mitte einige Sessel um ein chinesisches Tischchen.

Erster Auftritt

Lulu. Schwarz. Dann Henriette.

Lulu, *in grünseidenem Morgenkleid, steht regungslos vor dem*
Spiegel, runzelt die Stirn, fährt mit der Hand darüber, befühlt ihre
Wangen, trennt sich vom Spiegel mit einem mißmutigen, halb zor-
nigen Blick, geht nach rechts, sich mehrmals umwendend, öffnet auf
dem Schreibtisch eine Schatulle, zündet sich eine Zigarette an, sucht
unter den Büchern, die auf dem Tisch liegen, nimmt eines zur Hand,
legt sich auf die Chaiselongue, dem Spiegel gegenüber, läßt, nach-
dem sie einen Moment gelesen, das Buch sinken, nickt sich ernsthaft
zu, nimmt die Lektüre wieder auf.

Schwarz *Pinsel und Palette in der Hand, tritt von rechts ein,*
beugt sich über Lulu, küßt sie auf die Stirn, geht nach links die
Stufen hinan, wendet sich in der Portiere um Eva!

Lulu *lächelnd* Befehlen?

Schwarz Ich finde, du siehst heute außerordentlich reizend aus.

Lulu *mit einem Blick in den Spiegel* Es kommt auf die Ansprüche an.

Schwarz Dein Haar atmet eine Morgenfrische . . .

Lulu Ich komme aus dem Wasser.

Schwarz *sich ihr nähernd* Ich habe heute furchtbar zu tun.

Lulu Das redest du dir ein.

Schwarz *legt Pinsel und Palette auf den Teppich und setzt sich*
auf den Rand der Chaiselongue Was liest du denn da?

Lulu *liest* Plötzlich hörte sie einen Rettungsanker die Treppe
heraufwinken.

Schwarz Wer in aller Welt schreibt denn so ergreifend?

Lulu *liest* Es war der Geldbriefträger.

Henriette *durch die Entree, eine Hutschachtel am Arm, setzt*
ein Tablett mit Briefen auf den Tisch Die Post. – Ich gehe der

Putzmacherin den Hut bringen. Haben gnädige Frau noch etwas zu befehlen?

LULU   Nichts.

SCHWARZ *winkt ihr, sich zu entfernen.*

HENRIETTE *verschmitzt lächelnd ab.*

SCHWARZ   Was hast du vergangene Nacht denn alles geträumt?

LULU   Das hast du mich heute doch schon zweimal gefragt.

SCHWARZ *erhebt sich, nimmt die Briefe vom Tablett* Ich zittere vor Neuigkeiten. Ich fürchte jeden Tag, die Welt könnte untergehen. *Zur Chaiselongue zurückgekehrt, Lulu einen Brief gebend* An dich.

LULU *führt das Billett zur Nase* Die Corticelli. *Birgt es an ihrem Busen.*

SCHWARZ *einen Brief durchfliegend* Meine Samaquecatänzerin verkauft – für 50 000 Mark!

LULU   Wer schreibt denn das?

SCHWARZ   Sedelmeier in Paris. Das ist das dritte Bild seit unserer Verheiratung. Ich weiß mich vor meinem Glück kaum zu retten.

LULU *auf die Briefe deutend* Da kommt noch mehr.

SCHWARZ *eine Verlobungsanzeige öffnend* Sieh da! *Gibt sie Lulu.*

LULU *liest* Herr Regierungsrat Heinrich Ritter von Zarnikow beehrt sich, Ihnen von der Verlobung seiner Tochter Charlotte Marie Adelaide mit Herrn Dr. Ludwig Schön ergebenste Mitteilung zu machen.

SCHWARZ *einen anderen Brief öffnend* Endlich! Es ist ja eine Ewigkeit, daß er darauf lossteuert, sich vor der Welt zu verloben. Ich begreife nicht, ein Gewaltmensch von seinem Einfluß. Was steht denn seiner Heirat eigentlich im Wege!!

LULU   Was ist das, was du da liest?

SCHWARZ   Eine Einladung, mich an der internationalen Ausstellung in Petersburg zu beteiligen. – Ich weiß gar nicht, was ich malen soll.

LULU   Irgendein entzückendes Mädchen natürlich.

SCHWARZ   Wenn du mir dazu Modell stehen willst?

LULU   Es gibt doch, weiß Gott, auch andere hübsche Mädchen genug.

SCHWARZ   Ich gelange aber einem anderen Modell gegenüber, und wenn es pikant wie die Hölle ist, nicht zu dieser vollen Ausbeutung meines Könnens.

LULU   Dann muß ich ja wohl. – Ginge es denn nicht vielleicht auch liegend?

SCHWARZ   Am liebsten möchte ich das Arrangement wirklich

deinem Geschmack überlassen. *Die Briefe zusammenfaltend* Daß
wir nicht vergessen, Schön jedenfalls heute noch zu gratulieren!
Geht nach rechts und schließt die Briefe in den Schreibtisch.

LULU Das haben wir doch längst getan.

SCHWARZ Seiner Braut wegen.

LULU Du kannst es ihm ja noch einmal schreiben.

SCHWARZ Und jetzt zur Arbeit. *Nimmt Pinsel und Palette auf,
küßt Lulu, geht links die Stufen hinan, wendet sich in der Portiere
um* Eva!

LULU *läßt ihr Buch sinken, lächelnd* Befehlen?

SCHWARZ *sich ihr nähernd* Mir ist täglich, als sähe ich dich zum
allererstenmal.

LULU Du bist schrecklich.

SCHWARZ *sinkt vor der Chaiselongue in die Knie, liebkost ihre
Hand* Du trägst die Schuld.

LULU *ihm die Locken streichelnd* Du vergeudest mich.

SCHWARZ Du bist ja mein. Du bist auch nie bestrickender, als
wenn du nur um Gottes willen einmal ein paar Stunden recht häßlich sein solltest! Ich habe nichts mehr, seit ich dich habe – Ich bin
mir vollständig abhanden gekommen ...

LULU Nicht so aufgeregt.

Es läutet auf dem Korridor.

SCHWARZ *zusammenfahrend* Verwünscht.

LULU Niemand zu Hause!

SCHWARZ Vielleicht ist es der Kunsthändler ...

LULU Und wenn es der Kaiser von China ist.

SCHWARZ Einen Moment. *Ab.*

LULU *visionär* – Du? – du? – *Schließt die Augen.*

SCHWARZ *zurückkommend* Ein Bettler, der den Feldzug mitgemacht haben will. Ich habe kein Kleingeld bei mir. *Pinsel und
Palette aufnehmend* Es ist auch die höchste Zeit, daß ich endlich an
die Arbeit gehe. *Nach links ab.*

LULU *ordnet vor dem Spiegel ihre Toilette, streicht sich das Haar
zurück und geht hinaus.*

Zweiter Auftritt

Lulu. Schigolch.

SCHIGOLCH *von Lulu hereingeführt* Ich hatte ihn mir etwas
chevaleresker gedacht; ein wenig mehr Nimbus. Er ist etwas verlegen. Er brach ein wenig in die Knie, als er *mich* vor sich sah.

LULU *rückt ihm einen Sessel zurecht* Wie kannst du ihn auch anbetteln?

SCHIGOLCH Deswegen habe ich meine siebenundsiebzig Lenze nämlich hergeschleppt. Du sagtest mir, er halte sich morgens an seine Malerei.

LULU Er hatte noch nicht ausgeschlafen. Wieviel brauchst du?

SCHIGOLCH Zweihundert, wenn du soviel flüssig hast; meinetwegen dreihundert. Es sind mir einige Klienten verduftet.

LULU *geht an den Schreibtisch und kramt in den Schubladen* Bin ich müde!

SCHIGOLCH *sich umsehend* Das hat mich nämlich auch bewogen. Ich hätte lange gerne gesehen, wie es jetzt so bei dir zu Hause aussieht.

LULU Nun?

SCHIGOLCH Es überläuft einen. *Emporblickend* Wie bei mir vor fünfzig Jahren. Statt der Bummelagen hatte man damals noch alte verrostete Säbel. Den Teufel noch mal, du hast es weit gebracht. *Scharrend* Die Teppiche . . .

LULU *gibt ihm zwei Billetts* Ich gehe am liebsten barfuß darauf.

SCHIGOLCH *Lulus Porträt betrachtend* Das bist du?

LULU *zwinkernd* Fein?

SCHIGOLCH Wenn das alles Gutes ist.

LULU Einen Süßen?

SCHIGOLCH Was denn?

LULU *erhebt sich* Elixir de Spaa.

SCHIGOLCH Hilft nichts! – Trinkt er?

LULU *nimmt aus einem Schränkchen neben dem Kamin Karaffe und Gläser* Noch nicht. *Nach vorn kommend* Das Labsal wirkt so verschieden!

SCHIGOLCH Er schlägt aus?

LULU *zwei Gläser füllend* Er schläft ein.

SCHIGOLCH Wenn er betrunken ist, kannst du ihm in die Eingeweide sehen.

LULU Lieber nicht. *Setzt sich Schigolch gegenüber* Erzähl' mir.

SCHIGOLCH Die Straßen werden immer länger und die Beine immer kürzer.

LULU Und deine Harmonika?

SCHIGOLCH Hat falsche Luft, wie ich mit meinem Asthma. Ich denke nur immer, das Ausbessern ist nicht mehr der Mühe wert.

Stößt mit ihr an.

LULU *leert ihr Glas* Ich glaubte schon, du wärest am Ende . . .

SCHIGOLCH   ... am Ende schon auf und davon? – Das glaubte
ich auch schon. Aber wenn so erst die Sonne hinunter ist, dann läßt
es einen doch noch nicht ruhen. Ich hoffe auf den Winter. Da wird
hustend mein – mein – mein Asthma wohl eine Fahrgelegenheit aus-
findig zu machen wissen.

LULU *die Gläser füllend*   Du meinst, man könnte dich drüben
vergessen haben.

SCHIGOLCH   Wär schon möglich, weil es ja nicht der Reihe nach
geht. *Ihr das Knie streichelnd* Nun erzähl' du mal – lange nicht gesehen – meine kleine Lulu.

LULU *zurückrückend, lächelnd*   Das Leben ist doch unfaßlich!

SCHIGOLCH   Was weißt du! Du bist noch so jung.

LULU   Daß du mich Lulu nennst.

SCHIGOLCH   Lulu, nicht? Habe ich dich jemals anders genannt?

LULU   Ich heiße seit Menschengedenken nicht mehr Lulu.

SCHIGOLCH   Eine andere Benennungsweise?

LULU   Lulu klingt mir ganz vorsintflutlich.

SCHIGOLCH   Kinder! Kinder!

LULU   Ich heiße jetzt ...

SCHIGOLCH   Als bliebe das Prinzip nicht immer das gleiche!

LULU   Du meinst?

SCHIGOLCH   Wie heißt es jetzt?

LULU   Eva.

SCHIGOLCH   Gehupft wie gesprungen!

LULU   Ich höre darauf.

SCHIGOLCH *sieht sich um*   So habe ich es für dich geträumt. Du
bist darauf angelegt. Was soll denn das?

LULU *sich mit einem Parfümflakon besprengend*   Heliotrop.

SCHIGOLCH   Riecht das besser als du?

LULU *ihn besprengend*   Das braucht dich wohl nicht mehr zu
kümmern.

SCHIGOLCH   Wer hätte den königlichen Luxus vorausgeahnt!

LULU   Wenn ich zurückdenke – – Hu!

SCHIGOLCH *ihr das Knie streichelnd*   Wie geht's dir denn?
Treibst du noch immer Französisch?

LULU   Ich liege und schlafe.

SCHIGOLCH   Das ist vornehm. Das sieht immer nach so was aus.
Und weiter?

LULU   Und strecke mich – bis es knackt.

SCHIGOLCH   Und wenn es geknackt hat?

LULU   Was interessiert dich das!

SCHIGOLCH   Was mich das interessiert? Was mich das interessiert?

Ich wollte lieber bis zur jüngsten Posaune leben und auf alle himmlischen Freuden Verzicht leisten als meine Lulu hinieden in Entbehrung zurücklassen. Was mich das interessiert? Es ist mein Mitgefühl. Ich bin ja mit meinem besseren Ich schon verklärt. Aber ich habe noch das Verständnis für diese Welt.

LULU   Ich nicht.

SCHIGOLCH   Dir ist zu wohl.

LULU *schaudernd*   Blödsinnig . . .

SCHIGOLCH   Wohler als bei dem alten Tanzbär?

LULU *wehmütig*   Ich tanze nicht mehr . . .

SCHIGOLCH   Für den war es auch Zeit.

LULU   Jetzt bin ich . . . *Stockt.*

SCHIGOLCH   Sprich, wie es dir ums Herz ist, mein Kind! Ich hatte Vertrauen in dich, als noch nichts an dir zu sehen war als deine zwei großen Augen. Was bist du jetzt?

LULU   Ein Tier! . . .

SCHIGOLCH   Daß dich der! – Und was für ein Tier! – Ein feines Tier! – Ein elegantes Tier! – Ein Prachtstier! – – – Dann will ich mich man beisetzen lassen. – Mit den Vorurteilen sind wir fertig. Auch mit dem gegen die Leichenwäscherin.

LULU   Du hast nicht zu fürchten, daß du noch mal gewaschen wirst!

SCHIGOLCH   Macht auch nichts. Man wird doch wieder schmutzig.

LULU *ihn besprengend*   Es würde dich noch mal ins Leben zurückrufen.

SCHIGOLCH   Wir sind Moder.

LULU   Bitte recht schön! Ich reibe mich täglich mit Kammfett ein und dann kommt Puder darauf.

SCHIGOLCH   Auch wohl der Mühe wert, der Zierbengel wegen.

LULU   Das macht die Haut wie Satin.

SCHIGOLCH   Als wäre es deswegen nicht auch nur Dreck.

LULU   Danke schön. Ich will zum Anbeißen sein.

SCHIGOLCH   Sind wir auch. Geben da unten nächstens ein großes Diner. Halten offene Tafel.

LULU   Deine Gäste werden sich dabei kaum überessen.

SCHIGOLCH   Geduld, Mädchen! Dich setzen deine Verehrer auch nicht in Weingeist. Das heißt schöne Melusine, solang es seine Schwungkraft behält. Nachher? Man nimmt's im Zoologischen Garten nicht. *Sich erhebend* Die holden Bestien bekämen Magenkrämpfe.

LULU *sich erhebend*   Hast du auch genug?

SCHIGOLCH   Es bleibt noch genug übrig, um mir eine Terebinthe aufs Grab zu pflanzen. – Ich finde selber hinaus. *Ab.*
LULU *begleitet ihn und kommt mit Dr. Schön zurück.*

Dritter Auftritt

Lulu. Schön.

SCHÖN   Was tut denn Ihr Vater hier?
LULU   Was haben Sie?
SCHÖN   Wenn ich Ihr Mann wäre, käme mir dieser Mensch nicht über die Schwelle.
LULU   Sie können getrost »du« sagen; er ist nicht hier.
SCHÖN   Ich danke für die Ehre.
LULU   Ich verstehe nicht.
SCHÖN   Das weiß ich. *Ihr einen Sessel bietend* Darüber möchte ich nämlich gerne mit Ihnen sprechen.
LULU *sich unsicher setzend* Warum haben Sie mir denn das nicht gestern gesagt?
SCHÖN   Bitte, jetzt nichts von gestern. Ich habe es Ihnen vor zwei Jahren schon gesagt.
LULU *nervös* Ach so. Hm.
SCHÖN   Ich bitte dich, deine Besuche bei mir einzustellen.
LULU   Darf ich Ihnen ein Elixier ...
SCHÖN   Danke. Kein Elixier. Haben Sie mich verstanden?
LULU *schüttelt den Kopf.*
SCHÖN   Gut. Sie haben die Wahl. – Sie zwingen mich zu den äußersten Mitteln – entweder sich Ihrer Stellung angemessen zu benehmen ...
LULU   Oder?
SCHÖN   Oder – Sie zwingen mich – ich müßte mich an diejenige Persönlichkeit wenden, die für Ihre Aufführung verantwortlich ist.
LULU   Wie stellen Sie sich das vor?
SCHÖN   Ich ersuche Ihren Mann, Ihre Wege selber zu überwachen.
LULU *erhebt sich, geht links die Stufen hinan.*
SCHÖN   Wo wollen Sie denn hin?
LULU *ruft unter der Portiere* Walter!
SCHÖN *aufspringend* Bist du verrückt?!
LULU *sich zurückwendend* Aha!
SCHÖN   Ich mache die übermenschlichsten Anstrengungen, um

dich in der Gesellschaft zu erhöhen. Auf deinen Namen kannst du zehnmal stolzer sein als auf meine Vertraulichkeit ...

LULU *kommt die Stufen herunter, legt Schön den Arm um den Hals* Was fürchten Sie denn jetzt noch, wo Sie am Ziel Ihrer Wünsche sind.

SCHÖN Keine Komödie! Am Ziel meiner Wünsche? Ich habe mich verlobt, endlich! Ich habe jetzt den Wunsch, meine Braut unter ein reines Dach zu führen.

LULU *sich setzend* Sie ist zum Entzücken aufgeblüht in den zwei Jahren.

SCHÖN Sie sieht einem nicht mehr so ernsthaft durch den Kopf.

LULU Sie ist jetzt erst ganz Weib. Wir können einander treffen, wo es Ihnen angemessen scheint.

SCHÖN Wir werden einander nirgends treffen, es sei denn in Gesellschaft Ihres Mannes!

LULU Sie glauben selber nicht an das, was Sie sagen.

SCHÖN Dann muß doch er daran glauben. Ruf ihn nur! Durch seine Verheiratung mit dir, durch das, was ich für ihn getan, ist er mein Freund geworden.

LULU *sich erhebend* Meiner auch.

SCHÖN Dann werde ich mir das Schwert über dem Kopf herunterschneiden.

LULU Sie haben mich ja an die Kette gelegt. Ihnen verdanke ich doch mein Glück. Sie bekommen Freunde die Menge, wenn Sie erst wieder eine hübsche junge Frau haben.

SCHÖN Du beurteilst die Frauen nach dir! – Er ist ein Kindergemüt. Er wäre deinen Seitensprüngen sonst längst auf die Spur gekommen.

LULU Ich wünsche nicht mehr! Er würde seine Kinderschuhe dann endlich ausziehen. Er pocht darauf, daß er den Heiratskontrakt in der Tasche hat. Die Mühe ist überstanden. Jetzt kann man sich geben und sicher gehen lassen, wie zu Hause. Er ist kein Kindergemüt. Er ist banal. Er hat keine Erziehung. Er sieht nichts. Er sieht mich nicht und sich nicht. Er ist blind, blind, blind ...

SCHÖN *halb für sich* Wenn dem die Augen aufgehen!!

LULU Öffnen Sie ihm die Augen! Ich verkomme. Ich vernachlässige mich. Er kennt mich gar nicht. Was bin ich ihm? Er nennt mich Schätzchen und kleines Teufelchen. Er würde jeder Klavierlehrerin das gleiche sagen. Er erhebt keine Prätensionen. Alles ist ihm recht. Das kommt, weil er nie in seinem Leben das Bedürfnis gefühlt hat, mit Frauen zu verkehren.

SCHÖN Ob das wahr ist!

LULU   Er gesteht es ja ganz offen ein.

SCHÖN   Jemand, der seit seinem vierzehnten Jahr Krethi und Plethi porträtiert.

LULU   Er hat Angst vor Frauen. Er bebt für sein Wohlbefinden. – Mich fürchtet er nicht!

SCHÖN   Wie manches Mädchen würde sich in deinem Fall Gott weiß wie selig preisen!

LULU *zärtlich bittend*   Verführen Sie ihn. Sie verstehen sich darauf. Bringen Sie ihn in schlechte Gesellschaft. Sie haben die Bekanntschaften. Ich bin ihm nichts als Weib und wieder Weib. Ich fühle mich so blamiert. Er wird stolzer auf mich sein. Er kennt keine Unterschiede. Ich denke mir das Hirn aus, Tag und Nacht, um ihn aufzurütteln. In meiner Verzweiflung tanze ich Cancan. Er gähnt und faselt etwas von Obszönität.

SCHÖN   Unsinn. Er ist doch Künstler.

LULU   Er glaubt es wenigstens zu sein.

SCHÖN   Das ist schon die Hauptsache!

LULU   Wenn ich mich als Modell hinstelle. Er glaubt auch, er sei ein berühmter Mann.

SCHÖN   Dazu haben wir ihn auch gemacht!

LULU   Er glaubt alles! Er ist mißtrauisch wie ein Dieb und läßt sich anlügen, daß man jeden Respekt verliert. Als wir uns kennen lernten, machte ich ihm weis, ich hätte noch nie geliebt ...

SCHÖN *fällt in einen Lehnsessel.*

LULU   Er hätte mich ja sonst für ein verworfenes Geschöpf gehalten!

SCHÖN   – Du stellst weiß Gott was für exorbitante Anforderungen an *legitime* Verhältnisse!

LULU   Ich stelle keine exorbitanten Anforderungen. Oft träumt mir sogar noch von Goll.

SCHÖN   Der war allerdings nicht banal.

LULU   Er ist da, als wär' er nie fortgewesen. Nur geht er wie auf Socken. Er ist mir nicht böse. Er ist furchtbar traurig. Und dann ist er furchtsam, als wäre er ohne polizeiliche Erlaubnis da. Sonst fühlt er sich behaglich mit uns. Nur kommt er nicht darüber hinweg, daß ich seither so viel Geld zum Fenster hinausgeworfen habe ...

SCHÖN   Du sehnst dich nach der Peitsche zurück!

LULU   Mag sein. Ich tanze nicht mehr.

SCHÖN   Erzieh ihn dir dazu.

LULU   Das wäre verlorene Müh'!

SCHÖN   Unter hundert Frauen sind neunzig, die sich ihre Männer erziehen.

LULU Er liebt mich.

SCHÖN Das ist freilich fatal.

LULU Er liebt mich...

SCHÖN Das ist eine unüberbrückbare Kluft.

LULU Er kennt mich nicht, aber er liebt mich! Hätte er nur eine annähernd richtige Vorstellung von mir, er würde mir einen Stein an den Hals binden und mich im Meer versenken, wo es am tiefsten ist!

SCHÖN *sich erhebend* Kommen wir zu Ende!

LULU Wie Ihnen beliebt.

SCHÖN Ich habe dich verheiratet. Ich habe dich zweimal verheiratet. Du lebst im Luxus. Ich habe deinem Mann eine Position geschaffen. Wenn dir das nicht genügt und er sich dazu ins Fäustchen lacht, ich trage mich nicht mit idealen Forderungen, aber – laß mich dabei aus dem Spiel!

LULU *mit entschlossenem Ton* Wenn ich einem Menschen auf dieser Welt angehöre, gehöre ich Ihnen. Ohne Sie wäre ich – ich will nicht sagen, wo. Sie haben mich bei der Hand genommen, mir zu essen gegeben, mich kleiden lassen, als ich Ihnen die Uhr stehlen wollte. Glauben Sie, das vergißt sich? Jeder andere hätte den Schutzmann gerufen. Sie haben mich zur Schule geschickt und mich Lebensart lernen lassen. Wer außer Ihnen auf der ganzen Welt hat je etwas für mich übrig gehabt? Ich habe getanzt und Modell gestanden und war froh, meinen Lebensunterhalt damit verdienen zu können. Aber auf Kommando *lieben,* das kann ich nicht!

SCHÖN *die Stimme hebend* Laß *mich* aus dem Spiel! Tu, was du willst. Ich komme nicht, um Skandal zu machen. Ich komme, um mir den Skandal vom Halse zu schaffen. Meine Verbindung kostet mich Opfer genug! Ich hatte vorausgesetzt, mit einem gesunden jungen Mann, wie ihn sich eine Frau in deinem Alter nicht besser wünschen kann, würdest du dich endlich zufriedengeben. Wenn du mir verpflichtet bist, dann wirf dich mir nicht zum drittenmal in den Weg! Soll ich denn noch länger warten, bis ich mein Teil in Sicherheit bringe? Soll ich riskieren, daß mir der ganze Erfolg meiner Konzessionen nach zwei Jahren wieder ins Wasser fällt? Was hilft mir dein Verheiratetsein, wenn man dich zu jeder Stunde des Tages bei mir ein und aus gehen sieht? – Warum zum Teufel ist Dr. Goll nicht auch wenigstens ein Jahr noch am Leben geblieben! Bei dem warst du in Verwahrung. Dann hätte ich meine Frau längst unter Dach!

LULU Was hätten Sie dann! Das Kind fällt Ihnen auf die Nerven. Das Kind ist zu unverdorben für Sie. Das Kind ist viel zu

sorgfältig erzogen. Was sollte ich gegen Ihre Verheiratung haben!
Aber Sie täuschen sich über sich selber, wenn Sie glauben, mir Ihrer
bevorstehenden Verheiratung wegen Ihre Verachtung zum Ausdruck geben zu dürfen!

SCHÖN   Verachtung?! – Ich werde dem Kind schon die richtige
Fasson geben! Wenn etwas verachtenswert ist, so sind es deine
Intrigen!

LULU *lachend*   Bin ich auf das Kind eifersüchtig? – Das kann mir
doch gar nicht einfallen ...

SCHÖN   Wieso denn das Kind! Das Kind ist nicht einmal ein
ganzes Jahr jünger als du. Laß mir meine Freiheit, zu leben, was ich
noch zu leben habe! Sei das Kind erzogen, wie es will, das Kind hat
gerade so wie du seine fünf Sinne ...

Vierter Auftritt

Schwarz. Die Vorigen.

SCHWARZ *einen Pinsel in der Hand, links unter der Portiere*
Was ist denn los?

LULU *zu Schön*   Nun, reden Sie doch.

SCHWARZ   Was habt ihr denn?

LULU   Nichts, was dich betrifft ...

SCHÖN *rasch*   Ruhig!

LULU   Man hat mich satt.

SCHWARZ *führt Lulu nach links ab.*

SCHÖN *blättert in einem der Bücher, die auf dem Tisch liegen*   Es
mußte zur Sprache kommen. – – Ich muß endlich die Hände frei
haben.

SCHWARZ *zurückkommend*   Ist denn das eine Art zu scherzen?

SCHÖN *auf einen Sessel deutend*   Bitte.

SCHWARZ   Was ist denn?

SCHÖN   Bitte.

SCHWARZ *sich setzend*   Nun?

SCHÖN *sich setzend*   Du hast eine halbe Million geheiratet ...

SCHWARZ   Ist sie weg?

SCHÖN   Nicht ein Pfennig.

SCHWARZ   Erklär' mir den eigentümlichen Auftritt.

SCHÖN   Du hast eine halbe Million geheiratet ...

SCHWARZ   Daraus kann man mir kein Verbrechen machen.

SCHÖN   Du hast dir einen Namen geschaffen. Du kannst unbehelligt arbeiten. Du brauchst dir keinen Wunsch zu versagen ...

SCHWARZ   Was habt ihr denn beide gegen mich?

SCHÖN   Seit sechs Monaten schwelgst du in allen Himmeln. Du hast eine Frau, um deren Vorzüge die Welt dich beneidet und die einen Mann verdient, den sie achten kann . . .

SCHWARZ   Achtet sie mich nicht?

SCHÖN   Nein.

SCHWARZ *beklommen* – Ich komme aus den düstren Tiefen der Gesellschaft. Sie ist von oben her. Ich hege keinen heißeren Wunsch, als ihr ebenbürtig zu werden. *Schön die Hand reichend* Ich danke dir.

SCHÖN *halb verlegen seine Hand drückend* Bitte, bitte.

SCHWARZ *mit Entschlossenheit* Sprich!

SCHÖN   Nimm sie etwas mehr unter Aufsicht.

SCHWARZ   Ich – sie?

SCHÖN   Wir sind keine Kinder! Wir tändeln nicht. Wir leben. – Sie fordert ernst genommen zu werden. Ihr Wert gibt ihr das volle Recht dazu.

SCHWARZ   Was tut sie denn?

SCHÖN   Du hast eine halbe Million geheiratet!

SCHWARZ *erhebt sich, außer sich* Sie . . .

SCHÖN *nimmt ihn bei der Schulter* Nein, das ist der Weg nicht! *Nötigt ihn, sich zu setzen* Wir haben hier sehr ernst miteinander zu sprechen.

SCHWARZ   Was tut sie?!

SCHÖN   Rechne dir erst genau an den Fingern nach, was du ihr zu verdanken hast, und dann . . .

SCHWARZ   Was tut sie – Mensch!!

SCHÖN   Und dann mach' dich für deine Fehler verantwortlich und nicht sonst jemand.

SCHWARZ   Mit wem? Mit wem?

SCHÖN   Wenn wir uns schießen sollen . . .

SCHWARZ   Seit wann denn?!

SCHÖN *ausweichend* Ich komme nicht hierher, um Skandal zu machen. Ich komme, um dich vor dem Skandal zu retten.

SCHWARZ *kopfschüttelnd* Du hast sie mißverstanden.

SCHÖN *verlegen* Damit ist mir nicht gedient. Ich kann dich in deiner Blindheit nicht so weiterleben sehen. Das Mädchen verdient eine anständige Frau zu sein. Sie hat sich, seit ich sie kenne, zu ihrem Besseren entwickelt.

SCHWARZ   Seit du sie kennst? – Seit wann kennst du sie denn?

SCHÖN   Etwa seit ihrem zwölften Jahr.

SCHWARZ *verwirrt* Davon hat sie mir nichts gesagt.

SCHÖN Sie verkaufte Blumen vor dem Alhambra-Café. Sie drückte sich barfuß zwischen den Gästen durch, jeden Abend zwischen zwölf und zwei.

SCHWARZ Davon hat sie mir nichts gesagt.

SCHÖN Daran hat sie recht getan! Ich sage es dir, damit du siehst, daß du es nicht mit moralischer Verworfenheit zu tun hast. Das Mädchen ist im Gegenteil außergewöhnlich gut veranlagt.

SCHWARZ Sie sagte, sie sei bei einer Tante aufgewachsen.

SCHÖN Das war die Frau, der ich sie übergab. Sie war die beste Schülerin. Die Mütter stellten sie ihren Kindern als Vorbild hin. Sie besitzt Pflichtgefühl. Es ist einzig und allein dein Versehen, wenn du bis jetzt versäumt hast, sie bei ihren besten Seiten zu nehmen.

SCHWARZ *schluchzend* O Gott . . .!

SCHÖN *mit Nachdruck* Kein »O Gott«!! An dem Glück, das du gekostet, kann nichts etwas ändern. Geschehen ist geschehen. Du überschätzest dich gegen besseres Wissen, wenn du dir einredest, zu verlieren. Es gilt zu gewinnen. Mit dem »O Gott« ist nichts gewonnen. Einen größeren Freundschaftsdienst habe ich dir noch nicht erwiesen. Ich spreche offen und biete dir meine Hilfe. Zeig' dich dessen nicht unwürdig!

SCHWARZ *von jetzt an mehr und mehr in sich zusammenbrechend* Als ich sie kennen lernte, sagte sie mir, sie habe noch nie geliebt.

SCHÖN Wenn eine Witwe das sagt! Ihr gereicht es zur Ehre, daß sie dich zum Manne gewählt. Stelle die nämliche Anforderung an dich, und dein Glück ist makellos.

SCHWARZ Er habe sie kurze Kleider tragen lassen.

SCHÖN Er hat sie doch geheiratet! – Das war ihr Meisterstreich. Wie sie den Mann dazu gebracht, ist mir unfaßlich. Du mußt es jetzt ja wissen. Du genießt die Früchte ihrer Diplomatie.

SCHWARZ Woher kannte Dr. Goll sie denn?

SCHÖN Durch mich! – Es war nach dem Tode meiner Frau, als ich die ersten Beziehungen zu meiner gegenwärtigen Verlobten anknüpfte. Sie stellte sich dazwischen. Sie hatte sich in den Kopf gesetzt, meine Frau zu werden.

SCHWARZ *wie von einer entsetzlichen Ahnung befallen* Und als ihr Mann dann starb?

SCHÖN – Du hast eine halbe Million geheiratet!!

SCHWARZ *jammernd* Wär' ich geblieben, wo ich war! Wär' ich Hungers gestorben!

SCHÖN *mit Überlegenheit* Glaubst du denn, ich mache keine Zugeständnisse? Wer macht keine Zugeständnisse? Du hast eine halbe Million geheiratet. Du bist heute einer der ersten Künstler.

Dazu kommt man nicht ohne Geld. Du bist nicht derjenige, um über sie zu Gericht zu sitzen. Bei einer Herkunft, wie sie Mignon hat, kannst du unmöglich mit den Begriffen der bürgerlichen Gesellschaft rechnen.

SCHWARZ *ganz wirr*   Von wem sprichst du denn?

SCHÖN   Ich spreche von ihrem Vater. Du bist Künstler, sag' ich. Deine Ideale liegen auf einem andern Gebiete als die eines Lohnarbeiters.

SCHWARZ   Ich verstehe von alledem kein Wort.

SCHÖN   Ich spreche von den menschenunwürdigen Verhältnissen, aus denen sich das Mädchen dank seiner Führung zu dem entwickelt hat, was sie ist!

SCHWARZ   Wer denn?

SCHÖN   Wer denn? – Deine Frau.

SCHWARZ   Eva??

SCHÖN   Ich nannte sie Mignon.

SCHWARZ   Ich meinte, sie hieße Nelli?

SCHÖN   So nannte sie Dr. Goll.

SCHWARZ   Ich nannte sie Eva . . .

SCHÖN   Wie sie eigentlich hieß, weiß ich nicht.

SCHWARZ *geistesabwesend*   Sie weiß es vielleicht.

SCHÖN   Bei einem Vater, wie sie ihn hat, ist sie ja bei allen Fehlern das helle Wunder. Ich verstehe dich nicht . . .

SCHWARZ   Er ist im Irrenhause gestorben . . .?

SCHÖN   Er war ja eben hier!

SCHWARZ   Wer war da?

SCHÖN   Ihr Vater.

SCHWARZ   Hier bei mir?

SCHÖN   Er drückte sich, als ich kam. Da stehen ja noch die Gläser.

SCHWARZ   Sie sagt, er sei im Irrenhause gestorben.

SCHÖN *ermutigend*   Laß sie Autorität fühlen! Sie verlangt nicht mehr, als unbedingt Gehorsam leisten zu dürfen. Bei Dr. Goll war sie wie im Himmel, und mit dem war nicht zu scherzen.

SCHWARZ *kopfschüttelnd*   Sie sagte, sie habe noch nie geliebt . . .

SCHÖN   Aber mach' mit dir selber den Anfang. Raff' dich zusammen.

SCHWARZ   Geschworen hat sie!

SCHÖN   Du kannst kein Pflichtgefühl fordern, bevor du nicht deine eigene Aufgabe kennst.

SCHWARZ   Bei dem Grabe ihrer Mutter!

SCHÖN Sie hat ihre Mutter nicht gekannt. Geschweige das Grab. – Ihre Mutter hat gar kein Grab.

SCHWARZ *verzweifelt* Ich passe nicht hinein in die Gesellschaft.

SCHÖN Was hast du?

SCHWARZ Einen grauenhaften Schmerz.

SCHÖN *erhebt sich, tritt zurück, nach einer Pause* Wahr' sie dir, weil sie dein ist. – Der Moment ist entscheidend. Sie kann morgen für dich verloren sein.

SCHWARZ *auf die Brust deutend* Hier, hier.

SCHÖN Du hast eine halbe ... *sich besinnend* Sie ist dir verloren, wenn du den Augenblick versäumst!

SCHWARZ Wenn ich weinen könnte! – Oh, wenn ich schreien könnte!

SCHÖN *legt ihm die Hand auf die Schulter* Dir ist elend ...

SCHWARZ *sich erhebend, anscheinend ruhig* Du hast recht, ganz recht.

SCHÖN *seine Hand ergreifend* Wo willst du hin?

SCHWARZ Mit ihr sprechen.

SCHÖN Recht so. *Begleitet ihn zur Türe rechts.*

Fünfter Auftritt

Schön. Gleich darauf Lulu.

SCHÖN *zurückkommend* Das war ein Stück Arbeit. *Nach einer Pause, nach links sehend.* Er hatte sie doch vorher ins Atelier gebracht ...?

Fürchterliches Stöhnen von rechts.

SCHÖN *eilt an die Tür rechts, findet sie verschlossen* Mach' auf! Mach' auf!

LULU *links aus der Portiere tretend* Was ist ...

SCHÖN Mach' auf!

LULU *kommt die Stufen herab* Das ist grauenvoll.

SCHÖN Hast du kein Beil in der Küche?

LULU Er wird schon aufmachen ...

SCHÖN Ich mag sie nicht eintreten.

LULU Wenn er sich ausgeweint hat.

SCHÖN *gegen die Tür stampfend* Mach' auf! *Zu Lulu* Hol' mir ein Beil.

LULU Zum Arzt schicken ...

SCHÖN Du bist nicht bei Trost.

LULU   Das geschieht Ihnen recht.

Es läutet auf dem Korridor. Schön und Lulu starren einander an.

SCHÖN *schleicht nach hinten, bleibt in der Tür stehen*   Ich darf mich jetzt hier nicht sehen lassen.

LULU   Vielleicht der Kunsthändler.

Es läutet.

SCHÖN   Aber wenn wir nicht antworten . . .

LULU *schleicht nach der Tür.*

SCHÖN *hält sie auf*   Bleib. Man ist sonst auch nicht immer gleich bei der Hand. *Geht auf den Fußspitzen hinaus.*

LULU *kehrt zu der verschlossenen Tür zurück und horcht.*

Sechster Auftritt

Alwa Schön. Die Vorigen. Später Henriette.

SCHÖN *Alwa hereinführend*   Sei bitte ruhig.

ALWA *sehr aufgeregt*   In Paris ist Revolution ausgebrochen.

SCHÖN   Sei ruhig.

ALWA *zu Lulu*   Sie sind totenbleich.

SCHÖN *an der Tür rüttelnd*   Walter! – Walter! *Man hört röcheln.*

LULU   Gott, erbarm' dich . . .

SCHÖN   Hast du kein Beil geholt?

LULU   Wenn eines da ist . . . *Zögernd nach rechts hinten ab.*

ALWA   Er mystifiziert uns.

SCHÖN   In Paris ist Revolution ausgebrochen?

ALWA   Auf der Redaktion rennen sie sich den Kopf gegen die Wand. Keiner weiß, was er schreiben soll.

Es läutet auf dem Korridor.

SCHÖN *gegen die Tür stampfend*   Walter!

ALWA   Soll ich sie einrennen?

SCHÖN   Das kann ich auch. Wer da noch kommen mag! *Sich emporrichtend* Das freut sich des Lebens und läßt es andere verantworten!

LULU *kommt mit einem Küchenbeil zurück*   Henriette ist nach Hause gekommen.

SCHÖN   Schließ die Tür hinter dir.

ALWA   Geben Sie her. *Nimmt das Beil und stößt es zwischen Pfosten und Türschloß.*

SCHÖN   Du mußt es kräftiger fassen.

ALWA   Es kracht schon. *Die Tür springt aus dem Schloß. Er läßt
das Beil fallen und taumelt zurück. – – Pause.*

LULU *auf die Tür deutend, zu Schön*   Nach Ihnen.

SCHÖN *weicht zurück.*

LULU   Ihnen wird – schwindelig . . .?

SCHÖN *wischt sich den Schweiß von der Stirn und tritt ein.*

ALWA *auf der Chaiselongue*   Gräßlich!

LULU *sich am Türpfosten haltend, die Finger zum Mund erhoben, schreit jäh auf*   Oh! – Oh! *Eilt zu Alwa* Ich kann nicht hier
bleiben.

ALWA   Grauenhaft!

LULU *ihn bei der Hand nehmend*   Kommen Sie.

ALWA   Wohin?

LULU   Ich kann nicht allein sein. *Mit Alwa nach links ab.*

SCHÖN *kommt von rechts zurück, ein Schlüsselbund in der Hand;
die Hand zeigt Blut; zieht die Tür hinter sich zu, geht zum Schreibtisch, schließt auf und schreibt zwei Billetts.*

ALWA *von links kommend*   Sie zieht sich um.

SCHÖN   Sie ist fort?

ALWA   Auf ihr Zimmer. Sie zieht sich um.

SCHÖN *klingelt.*

HENRIETTE *tritt ein.*

SCHÖN   Sie wissen, wo der Doktor Bernstein wohnt.

HENRIETTE   Gewiß, Herr Doktor. Gleich nebenan.

SCHÖN *ihr ein Billett gebend*   Bringen Sie das hinüber.

HENRIETTE   Im Falle, daß der Herr Doktor nicht zu Hause ist?

SCHÖN   Er ist zu Hause. *Ihr das andere Billett gebend* Und das
bringen Sie auf die Polizeidirektion. Nehmen Sie eine Droschke.

HENRIETTE *ab.*

SCHÖN   Ich bin gerichtet.

ALWA   Mir erstarrt das Blut.

SCHÖN *nach rechts*   Der Narr!

ALWA   Es ist ihm wohl ein Licht aufgegangen?

SCHÖN   Er hat sich zuviel mit sich selbst beschäftigt.

LULU *auf den Stufen links in Staubmantel und Spitzenhut.*

ALWA   Wo wollen Sie denn jetzt hin?

LULU   Hinaus. Ich sehe es an allen Wänden.

SCHÖN   Wo hat er seine Papiere?

LULU   Im Schreibtisch.

SCHÖN *am Schreibtisch*   Wo?

LULU   Rechts unten. *Kniet vor dem Schreibtisch nieder, öffnet eine Schublade und leert die Papiere auf den Boden.* Hier. Es ist nichts zu fürchten. Er hatte keine Geheimnisse.

SCHÖN   Jetzt kann ich mich von der Welt zurückziehen.

LULU *kniend* Schreiben Sie ein Feuilleton. Nennen Sie ihn Michel Angelo.

SCHÖN   Was hilft das – *nach rechts deutend* Da liegt meine Verlobung!

ALWA   Das ist der Fluch deines Spiels!

SCHÖN   Schrei es durch die Straßen!!

ALWA *auf Lulu deutend* Hättest du, als meine Mutter starb, an dem Mädchen gehandelt, wie es recht und billig gewesen wäre!

SCHÖN *nach rechts* Da verblutet meine Verlobung!

LULU *sich erhebend* Ich bleibe nicht länger hier.

SCHÖN   In einer Stunde verkauft man die Extrablätter. Ich darf mich nicht auf die Straße wagen.

LULU   Was können denn Sie dafür?

SCHÖN   Deshalb gerade! Mich steinigt man dafür!

ALWA   Du mußt verreisen.

SCHÖN   Um dem Skandal freies Feld zu lassen!

LULU *an der Chaiselongue* Vor zehn Minuten noch lag er hier.

SCHÖN   Das ist der Dank, für das, was ich für ihn getan habe! Wirft mir in einer Sekunde mein ganzes Leben in Trümmer!

ALWA   Mäßige dich, bitte!

LULU *auf der Chaiselongue* Wir sind unter uns.

ALWA   Und wie!

SCHÖN *zu Lulu* Was willst du der Polizei sagen?

LULU   Nichts.

ALWA   Er wollte seinem Geschick nichts schuldig bleiben.

LULU   Er hatte immer gleich Mordgedanken.

SCHÖN   Er hatte, was sich ein Mensch nur erträumen kann!

LULU   Er hat es teuer bezahlt.

ALWA   Er hatte, was wir nicht haben!

SCHÖN *jäh aufbrausend* Ich kenne keine Gründe. Ich habe nicht Ursache, Rücksicht auf dich zu nehmen! Wenn du alles in Bewegung setzt, um keine Geschwister neben dir zu haben, so ist das für mich ein Grund mehr, mir andere Kinder zu erziehen.

ALWA   Du bist ein schlechter Menschenkenner.

LULU   Geben Sie doch selber ein Extrablatt aus.

SCHÖN *im Ton der heftigsten Empörung* Er hatte kein moralisches Gewissen! *Indem er plötzlich seine Fassung wiedergewinnt* Paris revolutioniert –?

ALWA   Unsere Redakteure sind wie vom Schlag getroffen. Alles
stockt.

SCHÖN   Das muß mir darüber hinweghelfen! — — Wenn nun nur
die Polizei käme! Die Minuten sind nicht mit Gold zu bezahlen.

Es läutet auf dem Korridor.

ALWA   Da sind sie . . .

SCHÖN *will zur Tür.*

LULU *aufspringend*   Warten Sie, Sie haben Blut.

SCHÖN   Wo . . .?

LULU   Warten Sie, ich wische es weg. *Besprengt ihr Taschentuch
mit Heliotrop und wischt Schön das Blut von der Hand.*

SCHÖN   Es ist deines Gatten Blut.

LULU   Es läßt keine Flecken.

SCHÖN   Ungeheuer!

LULU   Sie heiraten mich ja doch.

Es läutet auf dem Korridor.

LULU   Nur Geduld, Kinder.

SCHÖN *rechts hinten ab.*

Siebenter Auftritt

Escherich. Die Vorigen.

ESCHERICH *von Schön hereingeleitet, atemlos*   Erlauben Sie, daß
ich – daß ich mich Ihnen – Ihnen vorstelle . . .

SCHÖN   Sie sind gelaufen?

ESCHERICH *seine Karte überreichend*   Von der Polizeidirektion
her. Ein Selbstmord, hör' ich.

SCHÖN *liest*   Fritz Escherich, Korrespondent der Kleinen Neuigkeiten. – Kommen Sie.

ESCHERICH   Einen Moment. *Nimmt Notizbuch und Bleistift vor,
sieht sich im Salon um, schreibt einige Worte, verbeugt sich gegen
Lulu, schreibt, wendet sich zu der erbrochenen Tür, schreibt* Ein
Küchenbeil . . . *Will es aufheben.*

SCHÖN *ihn zurückhaltend*   Bitte.

ESCHERICH *schreibt*   Tür aufgebrochen mit Küchenbeil. *Unter-
sucht das Schloß.*

SCHÖN *die Hand an der Tür*   Sehen Sie sich vor, mein Lieber.

ESCHERICH   Wenn Sie jetzt die Liebenswürdigkeit haben wollen,
die Tür zu öffnen.

SCHÖN *öffnet die Tür.*

ESCHERICH *läßt Buch und Bleistift fallen, fährt sich in die Haare*
O du barmherziger Himmel noch mal ...!

SCHÖN Sehen Sie sich alles genau an!

ESCHERICH Ich kann nicht hinsehen.

SCHÖN *ihn höhnisch anschnauzend* Wozu sind Sie denn her-
gekommen!

ESCHERICH Sich mit dem – Ra – Rasiermesser – den Ha – Hals
abschneiden ...

SCHÖN Haben Sie alles gesehen?

ESCHERICH Das muß ein Gefühl sein!

SCHÖN *zieht die Tür zu, tritt zum Schreibtisch* Setzen Sie sich.
Hier ist Papier und Feder. Schreiben Sie.

ESCHERICH *der mechanisch Platz genommen* Ich kann nicht
schreiben ...

SCHÖN *hinter seinem Stuhl stehend* Schreiben Sie! – Verfolgungswahn ...

ESCHERICH *schreibt* Ver–fol–gungs–wahn ...

Es läutet auf dem Korridor.

DRITTER AUFZUG

Garderobe im Theater, mit rotem Tuch ausgeschlagen. Links hinten die Tür. Rechts hinten eine spanische Wand. In der Mitte, mit der Schmalseite gegen den Zuschauer, ein langer Tisch, auf dem Tanzkostüme liegen. Rechts und links vom Tisch je ein Sessel. Links vorn Tischchen mit Sessel. Rechts vorn ein hoher Spiegel, daneben ein hoher, sehr breiter, altmodischer Armsessel. Vor dem Spiegel ein Puff, Schminkschatulle usw. usw.

Erster Auftritt

Lulu. Alwa, gleich darauf Schön.

ALWA *links vorn, füllt zwei Gläser mit Champagner und Rotwein* Seit ich für die Bühne arbeite, habe ich kein Publikum so außer Rand und Band gesehen.

LULU *unsichtbar, hinter der spanischen Wand* Geben Sie mir nicht zuviel Rotwein. – Sieht er mich heute?

ALWA Mein Vater?

LULU Ja.

ALWA Ich weiß nicht, ob er im Theater ist.

LULU Er will mich wohl gar nicht sehen.

ALWA Er hat so wenig Zeit.

LULU Seine *Braut* nimmt ihn in Anspruch.

ALWA Spekulationen. Er gönnt sich keine Ruhe. –

Da Schön eintritt.

Du? Eben sprechen wir von dir.

LULU Ist er da?

SCHÖN Du ziehst dich um?

LULU *über die spanische Wand wegsehend, zu Schön* Sie schreiben in allen Zeitungen, ich sei die geistvollste Tänzerin, die je die Bühne betreten, ich sei eine zweite Taglioni und was weiß ich, und Sie finden mich nicht einmal geistvoll genug, um sich davon zu überzeugen!

SCHÖN Ich habe so viel zu schreiben. Du siehst, daß ich recht hatte. Es waren kaum mehr Plätze zu haben. – Du mußt dich etwas mehr im Proszenium halten!

LULU Ich muß mich erst an das Licht gewöhnen.

ALWA Sie hat sich strikte an ihre Rolle gehalten.

SCHÖN *zu Alwa* Du mußt deine Darsteller besser ausnützen!

Du verstehst dich noch nicht genug auf die Technik. *Zu Lulu* Als was kommst du jetzt?

LULU   Als Blumenmädchen ...

SCHÖN *zu Alwa* In Trikots?

ALWA   Nein. In fußfreiem Kleid.

SCHÖN   Du hättest dich lieber nicht mit dem Symbolismus einlassen sollen!

ALWA   Ich sehe der Tänzerin auf die Füße.

SCHÖN   Es kommt darauf an, worauf das Publikum sieht! Eine Erscheinung *wie sie* hat deine symbolistischen Hanswurstiaden gottlob nicht nötig.

ALWA   Das Publikum sieht nicht danach aus, als ob es sich langweilte!

SCHÖN   Natürlich! Weil ich in der Presse seit sechs Monaten auf ihren Erfolg hingearbeitet habe. – War der Prinz hier?

ALWA   Es war niemand hier.

SCHÖN   Wer wird eine Tänzerin zwei Akte hindurch in Regenmänteln auftreten lassen!

ALWA   Wer ist denn der Prinz?

SCHÖN   Wir sehen uns noch?

ALWA   Bist du allein?

SCHÖN   Mit Bekannten. – Bei Peters?

ALWA   Um zwölf?

SCHÖN   Um zwölf. *Ab.*

LULU   Ich hatte schon daran verzweifelt, daß er je kommen werde!

ALWA   Lassen Sie sich durch seine griesgrämigen Nörgeleien nicht beirren. Wenn Sie nur ja darauf achten wollen, daß Sie Ihre Kräfte nicht vor Beginn der letzten Nummer vergeuden.

LULU *tritt hinter der spanischen Wand vor in antikem, fußfreiem, ärmellosem weißem Kleid mit rotem Saum, einen bunten Kranz im Haar, einen Korb voll Blumen in den Händen.*

LULU   Er scheint es gar nicht gemerkt zu haben, wie geschickt Sie Ihre Darsteller ausnützen!

ALWA   Ich werde doch im ersten Akt nicht Sonne, Mond und Sterne verpaffen.

LULU *das Glas an den Lippen* Sie enthüllen mich gradatim.

ALWA   Ich wußte doch, daß Sie sich darauf verstehen, Kostüme zu wechseln.

LULU   Hätte ich meine Blumen so vor dem Alhambra-Café verkaufen wollen, man hätte mich schon gleich in der ersten Nacht hinter Schloß und Riegel gesetzt.

ALWA   Warum denn?! Sie waren ein Kind!

LULU   Wissen Sie noch, wie ich zum erstenmal in Ihr Zimmer trat?

ALWA *nickt*   Sie trugen ein dunkelblaues Kleid mit schwarzem Samt.

LULU   Man mußte mich verstecken und wußte nicht, wo.

ALWA   Meine Mutter lag damals schon seit zwei Jahren auf dem Krankenbett ...

LULU   Sie spielten Theater und fragten mich, ob ich mitspielen wolle.

ALWA   Gewiß! Wir spielten Theater!

LULU   Ich sehe Sie noch, wie Sie die Figuren hin und her schoben.

ALWA   Es war mir noch lange die entsetzlichste Erinnerung, wie ich mit einemmal klar in die Verhältnisse sah.

LULU   Da wurden Sie eisig gemessen gegen mich.

ALWA   Ach Gott – ich sah etwas so unendlich hoch über mir Stehendes in Ihnen. Ich hegte vielleicht eine höhere Verehrung für Sie als für meine Mutter. Denken Sie, als meine Mutter starb – ich war siebzehn Jahre alt –, da trat ich vor meinen Vater und forderte ihn auf, daß er Sie augenblicklich zu seiner Frau mache, sonst müßten wir uns duellieren.

LULU   Das hat er mir damals erzählt.

ALWA   Seit ich älter bin, kann ich ihn nur noch bemitleiden. Er wird mich nie begreifen. Da phantasiert er sich eine kleine Diplomatie zusammen, die mich dazu bestimmen soll, seiner Verheiratung mit der Komtesse entgegenzuarbeiten.

LULU   Blickt sie denn immer noch so unschuldig in die Welt hinaus?

ALWA   Sie liebt ihn; das ist meine Überzeugung. Ihre Familie hat alles in Bewegung gesetzt, um sie zum Rücktritt zu veranlassen. Ich glaube nicht, daß ihr ein Opfer auf dieser Welt zu groß wäre um seinetwillen.

LULU *hält ihm ihr Glas hin*   Noch etwas, bitte.

ALWA *ihr einschenkend*   Sie trinken zuviel.

LULU   Er soll an meinen Erfolg glauben lernen! Er glaubt an keine Kunst. Er glaubt nur an Zeitungen.

ALWA   Er glaubt an nichts.

LULU   Er hat mich ans Theater gebracht, damit sich eventuell jemand findet, der reich genug ist, um mich zu heiraten.

ALWA   Nun ja! Was braucht uns das zu kümmern!

LULU   Mich soll es freuen, wenn ich mich in das Herz eines Millionärs hineintanzen kann.

ALWA   Gott verhüte, daß man Sie uns entführt!

LULU   Sie haben doch die Musik dazu komponiert.

ALWA   Sie wissen, daß es immer mein Wunsch war, ein Stück für Sie zu schreiben.

LULU   Ich bin aber gar nicht für die Bühne geschaffen.

ALWA   Sie sind als Tänzerin auf die Welt gekommen.

LULU   Warum schreiben Sie Ihre Stücke denn nicht wenigstens so interessant, wie das Leben ist?

ALWA   Weil uns das kein Mensch glauben würde.

LULU   Wenn ich mich nicht besser aufs Theaterspielen verstände, als man auf der Bühne spielt, was hätte aus mir werden wollen?

ALWA   Ich habe Ihre Rolle doch mit allen erdenklichen Unmöglichkeiten ausgestattet.

LULU   Mit solchem Hokuspokus lockt man in der Wirklichkeit noch keinen Hund vom Ofen.

ALWA   Mir ist es genug, daß sich das Publikum in die wahnsinnigste Aufregung versetzt sieht.

LULU   Ich möchte mich aber gern selbst in die wahnsinnigste Aufregung versetzt sehen! *Trinkt.*

ALWA   Dazu scheint Ihnen auch nicht viel mehr zu fehlen.

LULU   Wie können Sie sich darüber wundern, da mein Auftreten doch einen höheren Zweck hat! Es gehen schon einige da unten ganz ernstlich mit sich zu Rate. – Ich fühle das, ohne daß ich hinsehe.

ALWA   Wie fühlen Sie denn das?

LULU   Keiner ahnt was vom andern. Jeder meint, er sei allein das unglückliche Opfer.

ALWA   Wie können Sie denn das fühlen?

LULU   Es läuft einem so ein eisiger Schauer am Körper herauf.

ALWA   Sie sind unglaublich... *Eine elektrische Klingel tönt über der Tür.*

LULU   Mein Tuch... Ich werde mich im Proszenium halten!

ALWA *ihr einen breiten Schal über die Schultern legend*   Hier ist Ihr Tuch.

LULU   Er soll nichts mehr für seine schamlose Reklame zu fürchten haben.

ALWA   Wahren Sie Ihre Selbstbeherrschung!

LULU   Gebe Gott, daß ich einem den letzten Funken Verstand zum Kopf hinaustanze. *Ab.*

Zweiter Auftritt

ALWA *allein* Über die ließe sich freilich ein interessanteres Stück schreiben. *Setzt sich links, nimmt sein Notizbuch vor und notiert. Aufblickend* Erster Akt: Dr. Goll. Schon faul! Ich kann den Dr. Goll aus dem Fegefeuer zitieren, oder wo er seine Orgien büßt, man wird mich für seine Sünden verantwortlich machen. – *Langanhaltendes, stark gedämpftes Klatschen und Bravorufen wird von außen hörbar* – Das tobt wie in der Menagerie, wenn das Futter vor dem Käfig erscheint. – Zweiter Akt: Walter Schwarz. Noch unmöglicher! Wie die Seelen die letzte Hülle abstreifen im Licht solcher Blitzschläge! – Dritter Akt? – Sollte es wirklich so fortgehen?! – *Die Garderobiere öffnet von außen und läßt Escerny eintreten.*

Dritter Auftritt

Escerny. Alwa.

ESCERNY *tut, als ob er zu Haus wäre, und nimmt, ohne Alwa zu beachten, rechts neben dem Spiegel Platz.*

ALWA *links sitzend, ohne auf Escerny zu achten* Es kann im dritten Akt nicht so fortgehen!

ESCERNY Bis zur Mitte des dritten Aktes schien es heute nicht so gut zu gehen wie sonst.

ALWA Ich war nicht auf der Bühne.

ESCERNY Jetzt ist sie wieder in vollem Zug.

ALWA Sie zieht die Nummer in die Länge.

ESCERNY Ich hatte bei Herrn Dr. Schön einmal das Vergnügen, der Künstlerin zu begegnen.

ALWA Mein Vater hat sie durch einige Besprechungen in seiner Zeitung beim Publikum eingeführt.

ESCERNY *sich leicht verneigend* Ich konferierte mit Herrn Dr. Schön der Herausgabe meiner Forschungen am Tanganjika-See wegen.

ALWA *sich leicht verneigend* Seine Äußerungen lassen keinen Zweifel darüber, daß er das lebhafteste Interesse an Ihrem Werk nimmt.

ESCERNY Wohltuend berührt es an der Künstlerin, daß das Publikum für sie gar nicht vorhanden ist.

ALWA Das Sichumkleiden hat sie schon als Kind gelernt. Aber ich war überrascht, eine so bedeutende Tänzerin in ihr zu entdecken.

ESCERNY Wenn sie ihr Solo tanzt, berauscht sie sich an ihrer eigenen Schönheit – in die sie selber zum Sterben verliebt zu sein scheint.

ALWA   Da kommt sie.

Erhebt sich, öffnet die Tür.

Vierter Auftritt

Lulu. Die Vorigen.

LULU *ohne Kranz und Blumenkorb, zu Alwa* Sie werden herausgerufen. Ich war dreimal vor dem Vorhang. *Zu Escerny* Herr Dr. Schön ist nicht in Ihrer Loge?

ESCERNY   In meiner Loge nicht.

ALWA *zu Lulu* Haben Sie ihn nicht gesehen?

LULU   Er wird wieder fort sein.

ESCERNY   Er hat die letzte Parkettloge links.

LULU   Er scheint sich meiner zu schämen!

ALWA   Er hat keinen guten Platz mehr bekommen.

LULU *zu Alwa* Fragen Sie ihn doch, ob ich ihm jetzt besser gefallen habe.

ALWA   Ich werde ihn heraufschicken.

ESCERNY   Er hat applaudiert.

LULU   Hat er das wirklich?

ALWA   Gönnen Sie sich etwas Ruhe.

Ab.

Fünfter Auftritt

Lulu. Escerny.

LULU   Ich muß mich ja wieder umziehen.

ESCERNY   Aber Ihre Garderobiere ist ja nicht hier?

LULU   Ich kann das rascher allein. Wo sagten Sie, daß Dr. Schön sitzt?

ESCERNY   Ich sah ihn in der hintersten Parkettloge links.

LULU   Jetzt habe ich noch fünf Kostüme vor mir: Dancinggirl, Ballerina, Königin der Nacht, Ariel und Lascaris... *Tritt hinter die spanische Wand zurück.*

ESCERNY   Würden Sie es für möglich halten, daß ich bei unserem ersten Renkontre nicht anders gewärtig war, als mit einer jungen Dame aus der literarischen Welt bekannt zu werden? – – – *Setzt*

*sich rechts neben den Mitteltisch, wo er bis zum Schluß der Szene
sitzen bleibt* Sollte ich mich in der Beurteilung Ihrer Natur irren,
oder habe ich das Lächeln, das die dröhnenden Beifallsstürme auf
Ihren Lippen hervorrufen, richtig gedeutet? – –: daß Sie unter der
Notwendigkeit, Ihre Kunst vor Leuten von zweifelhaften Interessen entwürdigen zu müssen, innerlich leiden? – – – *Da Lulu nicht
antwortet* Daß Sie den Schimmer der Öffentlichkeit jeden Augenblick für ein ruhiges, sonniges Glück in vornehmer Abgeschlossen-
heit eintauschen würden? – *Da Lulu nicht antwortet* Daß Sie Ho-
heit und Würde genug in sich fühlen, einen Mann zu Ihren Füßen
zu fesseln – um sich an seiner vollkommenen Hilflosigkeit zu er-
freuen? – – – *Da Lulu nicht antwortet* Daß Sie sich an einem wür-
digeren Platz als hier in einer mit reichlichem Komfort ausgestatteten Villa fühlen würden – bei unbegrenzten Mitteln – um durchaus als Ihre *eigene Herrin* zu leben?

LULU *in kurzem hellem Plisseeunterrock und weißem Atlas-
korsett, schwarzen Schuhen und Strümpfen, Schellensporen unter
den Absätzen, tritt hinter der spanischen Wand vor, mit dem Schnü-
ren ihres Korsetts beschäftigt* Wenn ich nur einen Abend mal nicht
auftrete, dann träume ich die ganze Nacht hindurch, daß ich tanze,
und fühle mich am folgenden Tag wie gerädert...

ESCERNY   Aber was könnte es Ihnen dabei ausmachen, statt dieses Pöbels nur *einen* Zuschauer, einen Auserwählten, vor sich zu
sehen?

LULU   Das könnte mir gleichgültig sein. Ich sehe ja doch niemanden.

ESCERNY   Ein erleuchteter Gartensaal – das Plätschern vom See
herauf... Ich bin auf meinen Forschungsreisen nämlich zur Ausübung eines ganz unmenschlichen Despotismus gezwungen...

LULU *vor dem Spiegel, sich eine Perlenkette um den Hals legend*
Eine gute Schule!

ESCERNY   Wenn ich mich jetzt danach sehne, mich ohne irgend-
welchen Vorbehalt der Gewalt einer Frau zu überliefern, so ist das
ein natürliches Bedürfnis nach Abspannung... Können Sie sich ein
höheres Lebensglück für eine Frau denken, als einen Mann vollkommen in ihrer Gewalt zu haben?

LULU *mit den Absätzen klirrend* O ja!

ESCERNY *verwirrt* Unter gebildeten Menschen finden Sie nicht
einen, der Ihnen gegenüber nicht den Kopf verliert.

LULU   Ihre Wünsche erfüllt Ihnen aber niemand, ohne Sie dabei
zu hintergehen.

ESCERNY   Von einem Mädchen wie Sie betrogen zu werden, muß noch zehnmal beglückender sein, als von jemand anders aufrichtig geliebt zu werden.

LULU   Sie sind in Ihrem Leben noch von keinem Mädchen aufrichtig geliebt worden! *Sich rücklings gegen ihn stellend, auf ihr Korsett deutend* Würden Sie mir den Knoten auflösen. Ich habe mich zu fest geschnürt. Ich bin immer so aufgeregt beim Ankleiden.

ESCERNY *nach wiederholtem Versuch* Ich bedaure; ich kann es nicht.

LULU   Dann lassen Sie. Vielleicht kann ich es. *Geht nach rechts.*

ESCERNY   Ich gestehe ein, daß es mir an Geschicklichkeit gebricht. Ich war vielleicht im Verkehr mit Frauen nicht gelehrig genug.

LULU   Dazu haben Sie in Afrika wohl auch nicht viel Gelegenheit?

ESCERNY *ernst* Lassen Sie mich Ihnen offen gestehen, daß mir meine Vereinsamung in der Welt manche Stunde verbittert.

LULU   Gleich ist der Knoten auf ...

ESCERNY   Was mich zu Ihnen hinzieht, ist nicht Ihr Tanz. Es ist Ihre körperliche und seelische Vornehmheit, wie sie sich in jeder Ihrer Bewegungen offenbart. Wer sich so sehr wie ich für Kunstwerke interessiert, kann sich darin nicht täuschen. Ich habe während zehn Abenden Ihr Seelenleben aus Ihrem Tanze studiert, bis ich heute, als Sie als Blumenmädchen auftraten, vollkommen mit mir ins klare kam. Sie sind eine großangelegte Natur – uneigennützig. Sie können niemanden leiden sehen. Sie sind das verkörperte Lebensglück. Als Gattin werden Sie einen Mann über alles glücklich machen ... Ihr ganzes Wesen ist Offenherzigkeit. – Sie wären eine schlechte Schauspielerin ...

Die elektrische Klingel tönt über der Tür.

LULU *hat die Schnüre ihres Korsetts etwas gelockert, holt tief Atem, mit den Absätzen klirrend* Jetzt kann ich wieder atmen. Der Vorhang geht auf. *Sie nimmt vom Mitteltisch ein Skirtdancekostüm – Plissee, hellgelbe Seide, ohne Taille, am Hals geschlossen, bis zu den Knöcheln reichend, weite Blusenärmel – und wirft es sich über* Ich muß tanzen.

ESCERNY *erhebt sich und küßt ihr die Hand* Erlauben Sie mir, noch ein wenig hierzubleiben.

LULU   Bitte, bleiben Sie.

ESCERNY   Ich bedarf etwas der Einsamkeit. *Lulu ab.*

Sechster Auftritt

ESCERNY *allein* Was ist Noblesse? – Ist es Verschrobenheit, wie bei mir? – Oder ist es leibliche und geistige Vervollkommnung, wie bei diesem Mädchen? – *Klatschen und Bravorufen wird hörbar* Wer mir den Glauben an die Menschen zurückgibt, gibt mir mein Leben zurück. – Sollten Kinder dieser Frau nicht fürstlicher sein an Leib und Seele als Kinder, deren Mutter nicht mehr Lebensfähigkeit in sich hat, als ich bis heute in mir fühlte? *Er setzt sich links vorn, schwärmerisch* Der Tanz hat ihren Körper geadelt ...

Siebenter Auftritt

Alwa. Escerny.

ALWA Man ist keinen Moment sicher, daß nicht ein armseliger Zufall der Vorstellung den Garaus macht!

Er wirft sich rechts neben dem Spiegel in den Armsessel, so daß die beiden Herren gerade umgekehrt wie vorher placiert sind. Beide führen die Unterhaltung etwas blasiert und apathisch.

ESCERNY So dankbar hat sich das Publikum aber noch nie gezeigt.

ALWA Sie hat den Skirtdance beendet.

ESCERNY Ich höre sie kommen ...

ALWA Sie kommt nicht. – Sie hat keine Zeit. – Sie wechselt das Kostüm hinter der Kulisse.

ESCERNY Sie hat zwei Ballerinakostüme, wenn ich nicht irre?

ALWA Ich finde, daß ihr das weiße besser steht als das in Rosa.

ESCERNY Finden Sie?

ALWA Sie nicht?

ESCERNY Ich finde, sie sieht in dem weißen Tüll zu körperlos aus.

ALWA Ich finde, sie sieht in dem Rosatüll zu animalisch aus.

ESCERNY Ich finde das nicht.

ALWA Der weiße Tüll bringt mehr das Kindliche ihrer Natur zum Ausdruck!

ESCERNY Der Rosatüll bringt mehr das Weibliche ihrer Natur zum Ausdruck!

Die elektrische Klingel tönt über der Tür.

ALWA *aufspringend* Um Gottes willen, was ist da los!

ESCERNY *sich gleichfalls erhebend* Was ist mit Ihnen?

Die elektrische Klingel tönt fort bis zum Schlusse der Szene.

ALWA   Da ist was passiert . . .

ESCERNY   Wie können Sie gleich so erschrecken?

ALWA   Das muß eine höllische Verwirrung sein. *Ab.*

ESCERNY *folgt ihm.*

Die Tür bleibt offen. Man hört gedämpfte Walzerklänge.

Pause.

Achter Auftritt

LULU *in langem Theatermantel, tritt ein und zieht die Tür hinter sich zu. Sie trägt ein rosa Ballettkostüm mit Blumengirlanden, geht quer über die Bühne und nimmt in dem Armsessel neben dem Spiegel Platz.*

Pause

Neunter Auftritt

Alwa. Lulu. – Gleich darauf Schön.

ALWA   Sie hatten einen Ohnmachtsanfall?

LULU   Ich bitte Sie, schließen Sie zu.

ALWA   Kommen Sie wenigstens auf die Bühne.

LULU   Haben Sie ihn gesehen?

ALWA   Wen gesehen?

LULU   Mit seiner Braut??

ALWA   Mit seiner . . . *zu Schön, der eintritt* Den Scherz hättest du dir sparen können!

SCHÖN   Was ist mit ihr? *Zu Lulu* Wie kannst du die Szene gegen mich ausspielen!!

LULU   Ich fühle mich wie geprügelt.

SCHÖN *nachdem er die Tür verriegelt* Du wirst tanzen – so wahr ich mir die Verantwortung für dich aufgeladen!

LULU   Vor Ihrer Braut?

SCHÖN   Hast du ein Recht, dich darum zu kümmern, vor wem? – Du bist hier engagiert. Du erhältst deine Gage . . .

LULU   Ist das Ihre Sache?

SCHÖN   Du tanzt vor jedem, der sein Billett löst. Mit wem ich in meiner Loge sitze, hat keine Beziehung zu deiner Tätigkeit!

ALWA   Wärest du in deiner Loge sitzen geblieben! *Zu Lulu* Sagen Sie mir bitte, was ich tun soll. *Von außen wird gepocht* Da ist der

Direktor. *Ruft* Gleich, gleich. Einen Augenblick *Zu Lulu* Sie werden uns nicht zwingen wollen, die Vorstellung abzubrechen!

Schön *zu Lulu*   Auf die Bühne mit dir!

Lulu   Lassen Sie mir nur einen Augenblick. Ich kann jetzt nicht. Mir ist sterbenselend.

Alwa   Hol' der Henker den ganzen Kulissenkram!

Lulu   Schalten Sie die nächste Nummer ein. Das merkt kein Mensch, ob ich jetzt tanze oder in fünf Minuten. Ich habe keine Kraft in den Füßen.

Alwa   Aber dann tanzen Sie?

Lulu   So gut ich kann ...

Alwa   So schlecht Sie wollen. *Da von außen gepocht wird* Ich komme. *Ab.*

Zehnter Auftritt

Schön. Lulu.

Lulu   Sie haben recht, daß Sie mir zeigen, wo ich hingehöre. Das konnten Sie nicht besser, als wenn Sie mich vor Ihrer Braut den Skirtdance tanzen lassen ... Sie tun mir den größten Gefallen, wenn Sie mich darauf hinweisen, was meine Stellung ist.

Schön *höhnisch*   Bei deiner Herkunft ist es ein Glück sondergleichen für dich, daß du noch Gelegenheit hast, vor anständigen Leuten aufzutreten!

Lulu   Auch wenn Sie über meine Schamlosigkeit nicht wissen, wohin sehen.

Schön   Albernes Geschwätz! – Schamlosigkeit? – Mach' aus der Tugend keine Not! – Deine Schamlosigkeit ist das, was man dir für jeden Schritt mit Gold aufwiegt. Der eine schreit Bravo, der andere schreit Pfui – das heißt für dich das gleiche! – Kannst du dir einen glänzenderen Triumph wünschen, als wenn sich ein anständiges Mädchen kaum in der Loge zurückhalten läßt?!! Hat dein Leben denn ein anderes Ziel?! – Solang du noch einen Funken Achtung vor dir selber hast, bist du keine perfekte Tänzerin! Je fürchterlicher es den Menschen vor dir graut, um so größer stehst du in deinem Beruf da!!

Lulu   Es ist mir ja auch vollkommen gleichgültig, was man von mir denkt. Ich möchte um alles nicht besser sein, als ich bin. Mir ist wohl dabei.

Schön *in moralischer Empörung*   Das ist deine wahre Natur! Das nenne ich aufrichtig. – Eine Korruption!!

LULU   Ich wüßte nicht, daß ich je einen Funken Achtung vor mir gehabt hätte.

SCHÖN *wird plötzlich mißtrauisch*   Keine Harlekinaden ...

LULU   O Gott – ich weiß sehr wohl, was aus mir geworden wäre, wenn Sie mich nicht davor bewahrt hätten.

SCHÖN   Bist du denn heute vielleicht etwas anderes??

LULU   Gott sei Dank, nein!

SCHÖN   Das ist echt!

LULU *lacht*   Und wie überglücklich ich dabei bin!

SCHÖN *spuckt aus*   Wirst du jetzt tanzen?

LULU   Wie und vor wem es ist!

SCHÖN   Also dann auf die Bühne!!

LULU *kindlich bittend*   Nur eine Minute noch. Ich bitte Sie. Ich kann mich noch nicht aufrecht halten. – Man wird klingeln.

SCHÖN   Du bist dazu geworden, trotz allem, was ich für deine Erziehung und dein Wohl geopfert habe!

LULU *ironisch*   Sie hatten Ihren veredelnden Einfluß überschätzt?

SCHÖN   Verschone mich mit deinen Witzen.

LULU   Der Prinz war hier.

SCHÖN   So?

LULU   Er nimmt mich mit nach Afrika.

SCHÖN   Nach Afrika?

LULU   Warum denn nicht? Sie haben mich ja zur Tänzerin gemacht, damit einer kommt und mich mitnimmt.

SCHÖN   Aber doch nicht nach Afrika!

LULU   Warum haben Sie mich denn nicht ruhig in Ohnmacht fallen lassen und im stillen dem Himmel dafür gedankt?

SCHÖN   Weil ich leider keinen Grund hatte, an deine Ohnmacht zu glauben!

LULU *spöttisch*   Sie hielten es unten nicht aus ...?

SCHÖN   Weil ich dir zum Bewußtsein bringen muß, was du bist und zu wem du nicht aufzublicken hast!

LULU   Sie fürchteten, meine Glieder könnten doch vielleicht ernstlich Schaden genommen haben?

SCHÖN   Ich weiß zu gut, daß du unverwüstlich bist.

LULU   Das wissen Sie also doch?

SCHÖN *aufbrausend*   Sehen Sie mich nicht so unverschämt an!!

LULU   Es hält Sie niemand hier.

SCHÖN   Ich gehe, sobald es klingelt.

LULU   Sobald Sie die Energie dazu haben! – Wo ist Ihre Energie? – Sie sind seit drei Jahren verlobt. Warum heiraten Sie nicht? – Sie kennen keine Hindernisse. Warum wollen Sie mir die Schuld geben?

– Sie haben mir befohlen, Dr. Goll zu heiraten. Ich habe Dr. Goll gezwungen, mich zu heiraten. Sie haben mir befohlen, den Maler zu heiraten. Ich habe gute Miene zum bösen Spiel gemacht. – Sie kreieren Künstler, Sie protegieren Prinzen. Warum heiraten Sie nicht?

SCHÖN *wütend* Glaubst du denn vielleicht, daß du mir im Weg stehst?!

LULU *von jetzt an bis zum Schluß triumphierend* Wüßten Sie, wie Ihre Wut mich glücklich macht! Wie stolz ich darauf bin, daß Sie mich mit allen Mitteln demütigen! Sie erniedrigen mich so tief – so tief, wie man ein Weib erniedrigen kann, weil Sie hoffen, Sie könnten sich dann eher über mich hinwegsetzen. Aber Sie haben sich selber unsäglich weh getan durch alles, was Sie mir eben sagten. Ich sehe es Ihnen an. Sie sind schon beinahe am Ende Ihrer Fassung. Gehen Sie! Um Ihrer schuldlosen Braut willen, lassen Sie mich allein! Eine Minute noch, dann schlägt Ihre Stimmung um, und Sie machen mir eine andere Szene, die Sie jetzt nicht verantworten können!

SCHÖN Ich fürchte dich nicht mehr.

LULU Mich? – Fürchten Sie sich selber! – Ich bedarf Ihrer nicht. – Ich bitte Sie, gehen Sie! Geben Sie nicht mir die Schuld. Sie wissen, daß ich nicht ohnmächtig zu werden brauchte, um Ihre Zukunft zu zerstören. Sie haben ein unbegrenztes Vertrauen in meine Ehrenhaftigkeit! Sie glauben nicht nur, daß ich ein bestrickendes Menschenkind bin; Sie glauben auch, daß ich ein herzensgutes Geschöpf bin. Ich bin weder das eine noch das andere. Das Unglück für Sie ist nur, daß Sie mich dafür halten.

SCHÖN *verzweifelt* Laß meine Gedanken gehen! Du hast zwei Männer unter der Erde. Nimm den Prinzen, tanz' ihn in Grund und Boden! Ich bin fertig mit dir. Ich weiß, wo der Engel bei dir zu Ende ist und der Teufel beginnt. Wenn ich die Welt nehme, wie sie geschaffen ist, so trägt der Schöpfer die Verantwortung, nicht ich! Mir ist das Leben keine Belustigung.

LULU Dafür stellen Sie auch Ansprüche an das Leben, wie sie höher niemand stellen kann ... Sagen Sie mir, wer von uns beiden ist wohl anspruchsvoller, Sie oder ich?!

SCHÖN Schweig! Ich weiß nicht, wie und was ich denke. Wenn ich dich höre, denke ich nicht mehr. In acht Tagen bin ich verheiratet. Ich beschwöre dich – bei dem Engel, der in dir ist, komm mir derweil nicht mehr zu Gesicht!

LULU Ich will meine Türe verschließen.

SCHÖN Prahl' noch mit dir! – Ich habe, Gott ist mein Zeuge,

seit ich mit der Welt und dem Leben ringe, noch niemandem so geflucht!

LULU Das kommt von meiner niederen Herkunft.

SCHÖN Von deiner Verworfenheit!!

LULU Mit tausend Freuden nehme ich die Schuld auf mich! Sie müssen sich jetzt rein fühlen. Sie müssen sich jetzt für den sitten-strengen Mustermenschen, für den Tugendbold von unerschütter-lichen Grundsätzen halten – sonst können Sie das Kind in seiner bodenlosen Unerfahrenheit gar nicht heiraten . . .

SCHÖN Willst du, daß ich mich an dir vergreife?

LULU *rasch* Ja! Ja! Was muß ich sagen, damit Sie es tun? Um kein Königreich möchte ich jetzt mit dem unschuldigen Kinde tau-schen! Dabei liebt das Mädchen Sie, wie noch kein Weib Sie je geliebt hat!!

SCHÖN Schweig, Bestie! Schweig!

LULU Heiraten Sie sie – dann tanzt sie in ihrem kindlichen Jammer vor *meinen* Augen statt ich vor ihr!

SCHÖN *hebt die Faust* Verzeih' mir Gott . . .

LULU Schlagen Sie mich! Wo haben Sie Ihre Reitpeitsche! Schla-gen Sie mich an die Beine . . .

SCHÖN *greift sich an die Schläfen* Fort, fort . . .! *Stürzt zur Türe, besinnt sich, wendet sich um* Kann ich jetzt so vor das Kind hintreten? – Nach Hause! – Wenn ich zur Welt hinaus könnte!

LULU Seien Sie doch ein Mann. – Blicken Sie sich einmal ins Gesicht. – Sie haben keine Spur von Gewissen. – Sie schrecken vor keiner Schandtat zurück. – Sie wollen das Mädchen, das Sie liebt, mit der größten Kaltblütigkeit unglücklich machen. – Sie erobern die halbe Welt. – Sie tun, was Sie wollen – und Sie wissen so gut wie ich – daß . . .

SCHÖN *ist völlig erschöpft auf dem Sessel links neben dem Mittel-tisch zusammengesunken* Schweig!

LULU Daß Sie zu schwach sind – um sich von mir loszureißen . . .

SCHÖN *stöhnend* Oh! Oh! Du tust mir weh!

LULU Mir tut dieser Augenblick wohl – ich kann nicht sagen, wie!

SCHÖN Mein Alter! Meine Welt!

LULU Er weint wie ein Kind – der furchtbare Gewaltmensch! – Jetzt gehen Sie so zu Ihrer Braut und erzählen Sie ihr, was ich für eine Seele von einem Mädchen bin – keine Spur eifersüchtig!

SCHÖN *schluchzend* Das Kind! Das schuldlose Kind!

LULU Wie kann der eingefleischte Teufel plötzlich so weich

werden? – – Jetzt gehen Sie aber bitte. Jetzt sind Sie nichts mehr
für mich.

SCHÖN   Ich kann nicht zu ihr.

LULU   Hinaus mit Ihnen! Kommen Sie zu mir zurück, wenn Sie
wieder zu Kräften gelangt sind.

SCHÖN   Sag' mir um Gottes willen, was ich tun soll.

LULU *erhebt sich; ihr Mantel bleibt auf dem Sessel. Auf dem
Mitteltisch die Kostüme beiseiteschiebend*   Hier ist Briefpapier . . .

SCHÖN   Ich kann nicht schreiben . . .

LULU *aufrecht hinter ihm stehend, auf die Lehne seines Sessels
gestützt*   Schreiben Sie! – Sehr geehrtes Fräulein . . .

SCHÖN *zögernd*   Ich nenne Sie Adelheid . . .

LULU *mit Nachdruck*   Sehr geehrtes Fräulein . . .

SCHÖN *schreibend*   – Mein Todesurteil!

LULU   Nehmen Sie Ihr Wort zurück. Ich kann es mit meinem
Gewissen – *da Schön die Feder absetzt und ihr einen flehentlichen
Blick zuwirft* Schreiben Sie Gewissen! – nicht vereinbaren, Sie an
mein unseliges Los zu fesseln . . .

SCHÖN *schreibend*   Du hast recht. – Du hast recht.

LULU   Ich gebe Ihnen mein Wort, daß ich Ihrer Liebe – *da sich
Schön wieder zurückwendet* Schreiben Sie Liebe! – unwürdig bin.
Diese Zeilen sind Ihnen der Beweis. Seit drei Jahren versuche ich
mich loszureißen; ich habe die Kraft nicht. Ich schreibe Ihnen an der
Seite der Frau, die mich beherrscht. – Vergessen Sie mich. – Doktor
Ludwig Schön.

SCHÖN *aufächzend*   O Gott!

LULU *halb erschrocken*   Ja kein »O Gott!« – *Mit Nachdruck*
Doktor Ludwig Schön. – Postskriptum: Versuchen Sie nicht, mich
zu retten.

SCHÖN *nachdem er zu Ende geschrieben, in sich zusammenbrechend*   Jetzt – kommt die – Hinrichtung . . .

VIERTER AUFZUG

Prachtvoller Saal in deutscher Renaissance mit schwerem Plafond in geschnitztem Eichenholz. Die Wände bis zur halben Höhe in dunklen Holzskulpturen. Darüber an beiden Seiten verblaßte Gobelins. Nach hinten oben ist der Saal durch eine verhängte Galerie abgeschlossen, von der links eine monumentale Treppe bis zur halben Tiefe der Bühne herabführt. In der Mitte unter der Galerie die Eingangstür mit gewundenen Säulen und Frontispiz. An der rechten Seitenwand ein geräumiger hoher Kamin. Weiter vorn ein Balkonfenster mit geschlossenen schweren Gardinen. An der linken Seitenwand vor dem Treppenfuße eine geschlossene Portiere in Genueser Samt.

Vor dem Kamin steht als Schirm eine chinesische Klappwand. Vor dem Fußpfeiler des freien Treppengeländers auf einer dekorativen Staffelei Lulus Bild als Pierrot in antiquisiertem Goldrahmen. Links vorn eine breite Ottomane, rechts davor ein Fauteuil. In der Mitte des Saales ein vierkantiger Tisch mit schwerer Decke, um den drei hochlehnige Polstersessel stehen. Auf dem Tisch steht ein weißes Bukett.

Erster Auftritt

Schön. Lulu. Gräfin Geschwitz.

GESCHWITZ *auf der Ottomane, in pelzbesetzter Husaren-Taille, hoher Stehkragen, riesige Manschettenknöpfe, Schleier vor dem Gesicht, die Hände krampfhaft im Muff; zu Lulu* Sie glauben nicht, wie ich mich darauf freue, Sie auf unserem Künstlerinnenball zu sehen.

SCHÖN *links vorn* Sollte denn für unsereinen gar keine Möglichkeit bestehen, sich einzuschmuggeln?

GESCHWITZ Es wäre Hochverrat, wenn jemand von uns einer solchen Intrige Vorschub leistete.

SCHÖN *geht hinter der Ottomane durch zum Mitteltisch.* Die prachtvollen Blumen.

LULU *im Fauteuil, in großblumigem Morgenkleid, das Haar in schlichtem Knoten in goldener Spange* Die hat mir Fräulein von Geschwitz gebracht.

GESCHWITZ O bitte. – Sie werden sich doch jedenfalls als Herr kostümieren?

LULU Glauben Sie denn, daß mich das kleidet?

GESCHWITZ *auf das Bild deutend* Hier sind Sie wie ein Märchen.

LULU Mein Mann mag es nicht.

GESCHWITZ Ist es von einem Hiesigen?

LULU Sie werden ihn kaum gekannt haben.

GESCHWITZ Er lebt nicht mehr?

SCHÖN *rechts vorn, mit tiefer Stimme* Er hatte genug.

LULU Du bist verstimmt.

SCHÖN *beherrscht sich.*

GESCHWITZ *sich erhebend* Ich muß gehen, Frau Doktor. Ich kann nicht länger bleiben. Wir haben heute abend Aktzeichnen, und ich habe noch so viel für den Ball vorzubereiten. – *Grüßend* Herr Doktor. *Von Lulu geleitet, durch die Mitte ab.*

Zweiter Auftritt

SCHÖN *allein, sich umsehend* Der reine Augiasstall. Das mein Lebensabend. Man soll mir einen Winkel zeigen, der noch rein ist. Die Pest im Haus. Der ärmste Tagelöhner hat sein sauberes Nest. Dreißig Jahre Arbeit, und das mein Familienkreis, der Kreis der Meinen... *sich umsehend* Gott weiß, wer mich jetzt wieder belauscht! *Zieht einen Revolver aus der Brusttasche* Man ist ja seines Lebens nicht sicher! *Er geht, den gespannten Revolver in der Rechten haltend, nach rechts und spricht an die geschlossene Fenstergardine hin.* Das mein Familienkreis! Der Kerl hat noch Mut! – Soll ich mich denn nicht lieber selber vor den Kopf schießen? – Gegen Todfeinde kämpft man, aber der... *er schlägt die Gardine in die Höhe; da er niemand dahinter versteckt findet* Der Schmutz – der Schmutz... *er schüttelt den Kopf und geht nach links hinüber* der Irrsinn hat sich meiner Vernunft schon bemächtigt, oder – Ausnahmen bestätigen die Regel! *Er steckt, da er Lulu kommen hört, den Revolver ein.*

Dritter Auftritt

Lulu. Schön. Beide links vorn.

LULU Könntest du dich für heute nachmittag nicht frei machen?

SCHÖN Was wollte diese Gräfin eigentlich?

LULU Ich weiß nicht. Sie will mich malen.

SCHÖN   Das Unglück in Menschengestalt, das einem seine Auf-
wartung macht.

LULU   Könntest du dich denn nicht frei machen? Ich würde so
gerne mit dir durch die Anlagen fahren.

SCHÖN   Gerade der Tag, an dem ich auf der Börse sein muß. Du
weißt, daß ich heute nicht frei bin. Meine ganze Habe treibt auf den
Wellen.

LULU   Lieber wollte ich schon beerdigt sein, als mir mein ganzes
Leben so durch meine Habe verbittern lassen.

SCHÖN   Wem das Leben leicht wird, dem fällt das Sterben nicht
schwer.

LULU   Als Kind hatte ich auch immer die entsetzlichste Angst
vor dem Tod.

SCHÖN   Deswegen habe ich dich ja geheiratet.

LULU *an seinem Hals*   Du bist schlecht gelaunt. Du machst dir
zuviel Sorgen. Seit Wochen und Monaten habe ich nichts mehr von
dir.

SCHÖN *ihr Haar streichelnd*   Dein Frohsinn sollte meine alten
Tage erheitern.

LULU   Du hast mich ja gar nicht geheiratet.

SCHÖN   Wen hätte ich denn sonst geheiratet?

LULU   Ich habe dich geheiratet!

SCHÖN   Was ändert denn das daran?

LULU   Ich fürchtete immer, es werde vieles ändern.

SCHÖN   Es hat auch viel unter die Füße gestampft.

LULU   Nur gottlob eines nicht!

SCHÖN   Darauf wäre ich begierig.

LULU   Deine Liebe zu mir.

SCHÖN *zuckt mit dem Gesicht, winkt ihr, voranzugehen. Beide
nach links vorn ab.*

Vierter Auftritt

GRÄFIN GESCHWITZ *öffnet vorsichtig die Mitteltür, wagt sich
nach vorn und lauscht; schrickt zusammen, da Stimmen auf der
Galerie laut werden* O Gott, da ist jemand ... *Versteckt sich hinter
dem Kaminschirm.*

Fünfter Auftritt

Schigolch. Rodrigo. Hugenberg.

SCHIGOLCH *tritt über der Treppe aus den Gardinen, wendet sich zurück* Der Junge hat sein Herz wohl im Café »Nachtlicht« zurückgelassen?!

RODRIGO *zwischen den Gardinen* Er ist noch zu klein für die große Welt und kann noch nicht so weit zu Fuß gehen. *Verschwindet.*

SCHIGOLCH *kommt die Treppe herunter* Gott sei Dank, daß wir endlich wieder zu Hause sind! Welcher Stinkpeter wohl wieder die Treppe gewichst hat! Wenn ich mir meine Knochen vor der Heimrufung noch mal in Gips gießen lassen muß, dann kann sie mich zwischen den Palmen hier ihren Relationen als mediceische Venus vorstellen. Nichts als Klippen. Nichts als Fallstricke.

RODRIGO *kommt, Hugenberg auf den Armen tragend, die Treppe herunter* Das hat einen königlichen Polizeidirektor zum Vater und nicht soviel Courage im Leib wie der abgerissenste Landstreicher!

HUGENBERG Wenn es auf nichts als auf Tod und Leben ginge, dann solltet ihr mich kennen lernen!

RODRIGO Das Brüderchen wiegt samt seinem Liebeskummer nicht mehr als sechzig Kilo. Darauf will ich mich jede Minute hängen lassen.

SCHIGOLCH Wirf ihn an den Plafond hinauf und fang ihn mit den Füßen auf. Das peitscht ihm sein junges Blut gleich von vornherein in die richtige Wallung.

HUGENBERG *mit den Beinen strampelnd* O je, o je, ich werde von der Schule gejagt!

RODRIGO *ihn am Treppenfuß niedersetzend* Du bist noch auf gar keiner vernünftigen Schule gewesen!

SCHIGOLCH Hier hat sich schon mancher die ersten Sporen verdient. Nur ja keine Schüchternheit! Zuerst werde ich euch einen Tropfen vorsetzen, wie er für Geld nirgends zu haben ist. *Er öffnet ein Schränkchen unter der Treppe.*

HUGENBERG Wenn sie jetzt aber nicht unverzüglich angetanzt kommt, dann verhaue ich euch beide, daß ihr euch noch im Jenseits den Buckel reibt.

RODRIGO *hat sich rechts an den Tisch gesetzt* Den stärksten Mann der Welt will das Brüderchen verhaun! *Zu Hugenberg* Laß dir von Mutterchen erst lange Hosen anziehen.

HUGENBERG *sich links an den Tisch setzend* Ich wünschte lieber, du borgtest mir deinen Schnurrbart.

RODRIGO Willst du vielleicht, daß sie dich gleich zur Türe hinauswirft?

HUGENBERG Zum Henker noch mal, wenn ich nur schon wüßte, was ich ihr sagen soll!

RODRIGO Das weiß sie schon selber am besten.

SCHIGOLCH *setzt zwei Flaschen und drei Gläser auf den Tisch* Die eine habe ich gestern schon angebrochen. *Er füllt die Gläser.*

RODRIGO *Hugenbergs Glas schützend* Gib ihm nicht zuviel, sonst müssen wir beide es ausbaden.

SCHIGOLCH *sich mit beiden Händen auf die Tischplatte stützend* Rauchen die Herren?

HUGENBERG *sein Zigarettenetui öffnend* Da sind Habanna-Importen!

RODRIGO *sich bedienend* Von Papa Polizeidirektor?

SCHIGOLCH *sich setzend* Ich habe alles im Hause. Braucht nur zu befehlen.

HUGENBERG Ich habe ihr gestern ein Gedicht gemacht.

RODRIGO Was hast du ihr gemacht?

SCHIGOLCH Was hat er ihr gemacht?

HUGENBERG Ein Gedicht.

RODRIGO *zu Schigolch* Ein Gedicht.

SCHIGOLCH Einen Taler hat er mir versprochen, wenn ich auskundschafte, wo er mit ihr allein zusammentreffen kann.

HUGENBERG Wer wohnt denn eigentlich hier?

RODRIGO Hier wohnen wir!

SCHIGOLCH Jour fixe – jeden Börsentag! – Zum Wohl! *Sie stoßen an.*

HUGENBERG Soll ich es ihr vielleicht zuerst vorlesen?

SCHIGOLCH *zu Rodrigo* Was meint er?

RODRIGO Sein Gedicht. Er will sie gerne zuerst ein wenig auf die Folter spannen.

SCHIGOLCH *Hugenberg fixierend* Die Augen! Die Augen!

RODRIGO Die Augen, ja! Die haben sie seit acht Tagen um ihren Schlaf gebracht.

SCHIGOLCH *zu Rodrigo* Du kannst dich einpökeln lassen.

RODRIGO Wir beide können uns einpökeln lassen! Zum Wohl, Gevatter Tod.

SCHIGOLCH *anstoßend* Zum Wohl, Springfritze! Wenn es später noch besser kommt, dann bin ich jeden Augenblick zum Aufbruch bereit; aber ... aber ...

Sechster Auftritt

Lulu. Die Vorigen. Später Ferdinand.

LULU *von links, in eleganter Pariser Balltoilette, weit dekolletiert, mit Blumen vor der Brust und im Haar* Aber Kinder, Kinder, ich erwarte Besuch.

SCHIGOLCH Aber das kann ich euch sagen, die müssen es sich da drüben was kosten lassen!

HUGENBERG *hat sich erhoben.*

LULU *sich auf die Armlehne seines Sessels setzend* Sie sind in eine nette Gesellschaft geraten. Ich erwarte Besuch, Kinder.

SCHIGOLCH Da muß ich mir wohl auch was vorstecken. *Sucht in dem Bukett, das auf dem Tische steht.*

LULU Sehe ich gut aus?

SCHIGOLCH Was sind das, was du da vorhast?

LULU Orchideen. *Sich mit der Brust über Hugenberg neigend* Riechen Sie.

RODRIGO Sie erwarten wohl den Prinzen Escerny?

LULU *schüttelt den Kopf* Gott bewahre!

RODRIGO Also wieder jemand anders!

LULU Der Prinz ist verreist.

RODRIGO Sein Königreich auf Auktion bringen?

LULU Er kundschaftet eine frische Völkerschaft in der Gegend von Afrika aus. *Erhebt sich, eilt die Treppe hinauf und tritt in die Galerie ein.*

RODRIGO *zu Schigolch* – Er hat sie nämlich ursprünglich heiraten wollen.

SCHIGOLCH *sich eine Lilie vorsteckend* Ich habe sie ursprünglich auch heiraten wollen.

RODRIGO Du hast sie ursprünglich heiraten wollen?

SCHIGOLCH Hast du sie nicht auch ursprünglich heiraten wollen?

RODRIGO Jawohl habe ich sie ursprünglich heiraten wollen!!

SCHIGOLCH Wer hat sie nicht ursprünglich heiraten wollen!

RODRIGO – So gut hätte ich's nie gekriegt!

SCHIGOLCH Sie hat es keinen bereuen lassen, daß er sie nicht geheiratet hat.

RODRIGO – Sie ist also nicht dein Kind?

SCHIGOLCH Fällt ihr nicht ein.

HUGENBERG Wie heißt denn ihr Vater?

SCHIGOLCH Sie hat mit mir renommiert!

HUGENBERG Wie heißt denn ihr Vater?

SCHIGOLCH Was meint er?

RODRIGO Wie ihr Vater heißt.

SCHIGOLCH Sie hat nie einen gehabt.

LULU *kommt von der Galerie herunter und setzt sich wieder zu Hugenberg auf die Armlehne* Was habe ich nie gehabt?

ALLE DREI Einen Vater.

LULU Ja gewiß, ich bin ein Wunderkind. *Zu Hugenberg* Wie sind Sie denn mit Ihrem Vater zufrieden?

RODRIGO Er raucht wenigstens eine anständige Zigarre, der Herr Polizeidirektor.

SCHIGOLCH Hast oben zugeschlossen?

LULU Da ist der Schlüssel.

SCHIGOLCH Hättest ihn lieber stecken lassen.

LULU Warum denn?

SCHIGOLCH Damit man von außen nicht aufschließen kann.

RODRIGO Ist er denn nicht auf der Börse?

LULU O doch, aber er leidet an Verfolgungswahn.

RODRIGO Ich nehme ihn auf die Füße und jupp – daß er oben an der Decke klebenbleibt.

LULU Sie jagt er mit einem Viertelseitenblick durch ein Mausloch.

RODRIGO Was jagt er? Wen jagt er? *Seinen Arm entblößend* Sehen Sie sich bitte den Bizeps an.

LULU Zeigen Sie. *Geht nach rechts.*

RODRIGO *sich auf den Arm schlagend* Granit. – Schmiedeeisen.

LULU *befühlt abwechselnd Rodrigos Oberarm und ihren eigenen* Wenn Sie nur nicht so lange Ohren hätten ...

FERDINAND *durch die Mitte eintretend* Herr Doktor Schön.

RODRIGO *aufspringend* Der Lumpenkerl *Will hinter den Kaminschirm, fährt zurück* Gott behüte einen! *Versteckt sich rechts vorn hinter den Gardinen.*

SCHIGOLCH Gib mir den Schlüssel her! *Nimmt Lulu den Schlüssel ab und schleppt sich die Treppe zur Galerie hinauf.*

HUGENBERG *ist vom Sessel unter den Tisch geglitten.*

LULU Ich lasse bitten.

FERDINAND *ab.*

HUGENBERG *lauscht vorn unter dem Saum der Tischdecke vor, für sich* Er bleibt hoffentlich nicht – dann sind wir allein ...

LULU *berührt ihn mit der Fußspitze.*

HUGENBERG *verschwindet.*

Siebenter Auftritt

Die Vorigen. Alwa.

FERDINAND *läßt Alwa eintreten. Ab.*

ALWA *in Soireetoilette* Die Matinee wird, wie ich mir denke, bei brennenden Lampen stattfinden. Ich habe... *Schigolch bemerkend, der sich mühsam die Treppe hinaufschleppt* Was ist denn das?

LULU Ein alter Freund deines Vaters.

ALWA Mir völlig unbekannt.

LULU Sie haben den Feldzug zusammen mitgemacht. Es geht ihm entsetzlich...

ALWA Ist denn mein Vater hier?

LULU Er hat ein Glas mit ihm getrunken. Er mußte auf die Börse. – Wir dejeunieren aber doch vorher?

ALWA Wann geht es denn an?

LULU Nach zwei. *Da Alwa Schigolch mit dem Blick folgt* Wie findest du mich...?

SCHIGOLCH *über die Galerie ab.*

ALWA Sollte ich dir das nicht lieber verschweigen?

LULU Ich meine ja nur die Toilette.

ALWA Deine Schneiderin kennt dich offenbar besser als ich – mir erlauben darf dich zu kennen.

LULU Als ich mich im Spiegel sah, hätte ich ein Mann sein wollen... *sich unterbrechend* mein Mann! –

ALWA Du scheinst deinen Mann um das Glück zu beneiden, das du ihm bietest. *Lulu links, Alwa rechts vom Mitteltisch. Er betrachtet sie mit scheuem Wohlgefallen.*

FERDINAND *durch die Mitte mit Service, deckt den Tisch und legt zwei Kuverts auf; Flasche Pommery, Hors-d'œuvres.*

ALWA Haben Sie Zahnschmerzen?

LULU *zu Alwa hinüber* Nicht.

FERDINAND Herr Doktor...?

ALWA Er scheint mir heute so weinerlich.

FERDINAND *durch die Zähne* Man ist auch nur ein Mensch. – – *Ab.*

Beide setzen sich zu Tisch.

LULU – Was ich immer am höchsten an dir schätzte, ist deine Charakterfestigkeit. Du bist deiner so vollkommen sicher! Wenn du auch fürchten mußtest, dich deshalb mit deinem Vater zu überwerfen, du bist trotzdem immer wie ein Bruder für mich eingetreten.

ALWA Lassen wir das. Es ist nun einmal mein Los ... *will vorn die Tischdecke heben.*

LULU *rasch* Das war ich.

ALWA Nicht möglich! – Es ist nun einmal mein Los, bei den leichtsinnigsten Gedanken immer das Allerbeste zu erzielen.

LULU Du redest dir etwas ein, wenn du dich vor dir selber schlecht machst.

ALWA Warum schmeichelst du mir so? – Es ist wahr, es lebt vielleicht kein so schlechter Mensch wie ich – der so viel Gutes zuwege gebracht hätte.

LULU Auf jeden Fall bist du der einzige Mann auf dieser Welt, der mich beschützt hat, ohne mich vor mir selbst zu erniedrigen!

ALWA Hältst du das für so leicht ...?

Achter Auftritt

Schön. Die Vorigen.

SCHÖN *erscheint auf der Galerie zwischen den beiden mittleren Säulen, indem er vorsichtig den Vorhang teilt. Über die Bühne wegsprechend* Mein eigener Sohn!

ALWA ... Mit deinen Gottesgaben macht man seine Umgebung zu Verbrechern, ohne sich's träumen zu lassen. – Ich bin auch nur Fleisch und Blut, und wenn wir nicht wie Geschwister nebeneinander aufgewachsen wären ...

LULU Deshalb gebe ich mich auch nur dir allein ganz ohne Rückhalt. Von dir habe ich nichts zu fürchten.

ALWA Ich versichere dir, es gibt Augenblicke, wo man gewärtig ist, sein ganzes Innere einstürzen zu sehen. – Je mehr Selbstüberwindung ein Mann sich aufbürdet, um so leichter bricht er zusammen. Darüber hilft nichts hinweg als ... *er will unter den Tisch sehen.*

LULU *rasch* Was suchst du denn?!

ALWA Ich beschwöre dich, laß mich mein Glaubensbekenntnis für mich behalten! Als unantastbares Heiligtum warst du mir mehr, als du in deinem Leben mit all deinen Gaben irgend sonst jemandem sein konntest!

LULU Wie denkst du darin doch so ganz anders als dein Vater!

FERDINAND *kommt durch die Mitte, wechselt die Teller und serviert Brathähnchen mit Salat.*

ALWA *zu Ferdinand* Sind Sie krank?

LULU *zu Alwa* Laß ihn doch!

ALWA   Er zittert wie im Fieber.

FERDINAND   Ich bin das Servieren noch nicht so gewohnt.

ALWA   Sie müssen sich was verschreiben lassen.

FERDINAND *durch die Zähne*   Ich kutschiere gewöhnlich. – – *Ab.*

SCHÖN *auf der Galerie, über die Bühne wegsprechend* Der also auch. *Nimmt hinter der Brüstung Platz, sich nach Erfordernis mit dem Vorhang deckend.*

LULU   Was sind das für Augenblicke, von denen du sprachst, wo man gewärtig ist, sein ganzes Innere zusammenstürzen zu sehen?

ALWA   Ich *wollte* nicht davon sprechen. – Ich möchte nicht gern über einem Glas Champagner verscherzen, was mir während zehn Jahren mein höchstes Lebensglück gewesen.

LULU   Ich habe dir weh getan. Ich will nicht wieder davon anfangen.

ALWA   Versprichst du mir das für immer?

LULU   Meine Hand darauf. *Reicht ihm ihre Hand über den Tisch.*

ALWA *ergreift sie zögernd, preßt sie in der seinigen, drückt sie lang und innig an seine Lippen.*

LULU   Was tust du ...

RODRIGO *steckt rechts den Kopf aus den Gardinen.*

LULU *wirft ihm über Alwa hinweg einen wütenden Blick zu.*

RODRIGO *zieht sich zurück.*

SCHÖN *auf der Galerie, über die Bühne wegsprechend*   Und da ist noch einer!

ALWA *ihre Hand haltend*   Eine Seele – die sich im Jenseits den Schlaf aus den Augen reibt ... O diese Hand ...

LULU *harmlos*   Was findest du daran ...

ALWA   Ein Arm ...

LULU   Was findest du daran ...

ALWA   Einen Körper ...

LULU *unschuldig*   Was findest du daran ...

ALWA *erregt*   Mignon!

LULU *völlig verständnislos*   Was findest du daran ...

ALWA *leidenschaftlich*   Mignon! Mignon!

LULU *wirft sich auf die Ottomane*   Sieh mich nicht so an – um Gottes willen! Laß uns lieber gehen, ehe es zu spät ist. Du bist ein verworfener Mensch!

ALWA   Ich sagte dir ja, ich bin der niederträchtigste Schurke ...

LULU   Das sehe ich!!

ALWA   Ich habe kein Ehrgefühl – keinen Stolz ...

LULU   Du hältst mich für deinesgleichen!

ALWA   Du? – du stehst so himmelhoch über mir wie – wie die Sonne über dem Abgrund ... *Kniend* Richte mich zugrunde! – Ich bitte dich, mach' ein Ende mit mir! – Mach' ein Ende mit mir!

LULU   *Liebst du mich denn?*

ALWA   Ich bezahle dich mit allem, was mein war!

LULU   Liebst du mich?!

ALWA   Liebst du mich – Mignon ...?

LULU   Ich? – Keine Seele.

ALWA   Ich *liebe* dich. *Birgt seinen Kopf in ihrem Schoß.*

LULU   *beide Hände in seinen Locken* Ich habe deine Mutter vergiftet ...

RODRIGO   *steckt rechts den Kopf aus den Gardinen, sieht Schön auf der Galerie sitzen und macht ihn durch Zeichen auf Lulu und Alwa aufmerksam.*

SCHÖN   *richtet seinen Revolver gegen Rodrigo.*

RODRIGO   *bedeutet ihn, den Revolver auf Alwa zu richten.*

SCHÖN   *spannt den Revolver und zielt auf Rodrigo.*

RODRIGO   *fährt hinter die Gardinen zurück.*

LULU   *sieht Rodrigo zurückfahren, sieht Schön auf der Galerie sitzen, erhebt sich*   Sein Vater!

SCHÖN   *erhebt sich, läßt den Vorhang vor sich nieder.*

ALWA   *bleibt regungslos auf den Knien.*

Pause

SCHÖN   *eine Zeitung in der Hand, nimmt Alwa bei der Schulter* Alwa!

ALWA   *erhebt sich wie schlaftrunken.*

SCHÖN   In Paris ist Revolution ausgebrochen.

ALWA   Nach Paris ... laß mich nach Paris ...

SCHÖN   Auf der Redaktion rennen sie sich den Kopf gegen die Wand. Keiner weiß, was er schreiben soll ... *Entfaltet das Zeitungsblatt, geleitet Alwa durch die Mitte hinaus.*

RODRIGO   *stürzt rechts aus den Gardinen, will die Treppe hinan.*

LULU   *vertritt ihm den Weg* Sie können hier nicht hinaus.

RODRIGO   Lassen Sie mich durch!

LULU   Sie rennen ihm in die Arme.

RODRIGO   Er jagt mir sein Pistol durch den Kopf.

LULU   Er kommt.

RODRIGO   *zurücktaumelnd* Himmel, Tod und Wolkenbruch! *Hebt die Tischdecke.*

HUGENBERG   Kein Platz!

RODRIGO   Verdammt und zugenäht! *Sieht sich um, verbirgt sich links hinter der Portiere.*

SCHÖN *durch die Mitte, verschließt die Tür, geht, den Revolver in der Hand, auf das Fenster rechts vorn zu, schlägt die Gardine in die Höhe* – Wo ist denn der hin?

LULU *auf den untersten Treppenstufen*   Hinaus.

SCHÖN   Über den Balkon hinunter??

LULU   Er ist Kunstturner.

SCHÖN   Das war nicht vorauszusehen. – *Sich gegen Lulu wendend* Du Kreatur, die mich durch den Straßenkot zum Martertode schleift!

LULU   Warum hast du mich nicht besser erzogen?

SCHÖN   Du Würgengel! Du unabwendbares Verhängnis! Mörder werden oder im Schmutz ertrinken; mich einschiffen wie ein entlassener Sträfling oder mich über dem Morast aufhängen. Du Freude meines Alters! Du Henkerstrick!

LULU *kaltblütig*   Schweig doch und bring mich um!

SCHÖN   Ich habe dir Hab und Gut verschrieben und nichts gefordert als die Achtung, die meinem Haus jeder Dienstbote zollt. Dein Kredit ist erschöpft!

LULU   Ich kann noch auf Jahre für meine Rechnung einstehen. *Von der Treppe nach vorn kommend* Wie gefällt dir mein neues Kleid?

SCHÖN   Weg mit dir, sonst schlägt's mir morgen über den Kopf, und mein Sohn schwimmt in seinem Blute. Du haftest mir als unheilbare Seuche an, an der ich bis in mein Grab meine Lebenszüge verächzen soll. Ich will mich heilen. Begreifst du mich? *Ihr den Revolver aufdrängend* Das ist dein Spezifikum. – Brich nicht in die Knie! – Du sollst es dir selbst applizieren. Du oder ich, wir messen uns.

LULU *hat sich, da die Kräfte sie zu verlassen drohen, auf den Diwan niedergelassen; den Revolver hin und her drehend* Das geht ja nicht los.

SCHÖN   Weißt du noch, wie ich dich der Korrektionspolizei aus den Krallen riß?

LULU   Du hast viel Zutrauen ...

SCHÖN   Weil ich eine Dirne nicht fürchte? Soll ich dir die Hand führen? Hast du selbst kein Erbarmen mit dir? *Da Lulu den Revolver gegen ihn richtet* Keinen blinden Lärm!

LULU *knallt einen Schuß gegen den Plafond.*

RODRIGO *springt aus der Portiere, die Treppe hinauf, über die Galerie ab.*

SCHÖN   Was war das ...?

LULU *harmlos*   Nichts.

Schön *die Portiere hebend* Was kam da herausgeflattert?

Lulu Du leidest an Verfolgungswahn.

Schön Hältst du noch mehr Männer hier versteckt? *Ihr den Revolver entreißend* Ist sonst noch ein Mann bei dir zu Besuch? *Nach rechts gehend* Ich will deine Männer regalieren! *Schlägt die Fenstergardinen in die Höhe, wirft den Kaminschirm zurück, packt die Geschwitz am Kragen und schleppt sie nach vorn* Kommen Sie durch den Rauchfang herunter?

Geschwitz *in Todesangst zu Lulu* Retten Sie mich vor ihm.

Schön *sie schüttelnd* Oder sind Sie auch Kunstturner?

Geschwitz *wimmernd* Sie tun mir weh.

Schön *sie schüttelnd* Jetzt müssen Sie notwendig noch zum Diner bleiben. *Schleppt sie nach links, stößt sie ins Nebenzimmer, verschließt die Tür hinter ihr* Wir wollen keine Ausrufer. *Setzt sich neben Lulu, drängt ihr den Revolver auf* Es ist noch genug für dich drin. – Sieh mich an! Ich kann in meinem Haus meinem Kutscher nicht helfen, mir die Stirn zu verzieren. Sieh mich an! Ich bezahle meinen Kutscher. Sieh mich an! Vergönne ich meinem Kutscher was, wenn ich den infamen Stallgeruch nicht verschnupfen kann?

Lulu Laß anspannen. Bitte. Wir fahren in die Oper.

Schön Wir fahren zum Teufel! Jetzt kutschiere ich. *Den Revolver in ihrer Hand von sich ab und auf Lulus Brust wendend* Glaubst du, man läßt sich mißhandeln, wie du mich mißhandelst, und besinnt sich zwischen einer Galeerenschande und dem Verdienst, die Welt von dir zu befreien? *Hält sie am Arm nieder* Komm zu Ende. Es soll mir die glücklichste Erinnerung meines Lebens sein. Drück los!

Lulu – Du kannst dich scheiden lassen.

Schön *sich erhebend* Das war noch übrig. Damit morgen ein Nächster seinen Zeitvertreib findet, wo ich von Abgrund zu Abgrund geschaudert, den Selbstmord im Nacken und dich vor mir. Das wagt sich dir über die Lippen? Was ich von meinem Leben in dich hineingelebt, soll ich wilden Tieren vorgeworfen sehen? Siehst du dein Bett mit dem Schlachtopfer darauf? Der Junge hat Heimweh nach dir. – Hast du dich scheiden lassen? Du hast ihn unter die Füße getreten, ihm das Gehirn ausgeschlagen, sein Blut in Goldstücken aufgefangen. Ich mich scheiden lassen! Läßt man sich scheiden, wenn die Menschen ineinander hineingewachsen und der halbe Mensch mitgeht? *Nach dem Revolver langend* Gib her.

Lulu Erbarmen!

Schön Ich will dir die Mühe abnehmen.

Lulu *reißt sich von ihm los, den Revolver niederhaltend, in ent-*

schiedenem selbstbewußten Ton – Wenn sich die Menschen um
meinetwillen umgebracht haben, so setzt das meinen Wert nicht
herab. – Du hast so gut gewußt, weswegen du mich zur Frau
nimmst, wie ich gewußt habe, weswegen ich dich zum Manne
nehme. – Du hattest deine besten Freunde mit mir betrogen, du
konntest nicht gut auch noch dich selber mit mir betrügen. – Wenn
du mir deinen Lebensabend zum Opfer bringst, so hast du meine
ganze Jugend dafür gehabt. Du verstehst dich zehnmal besser als
ich darauf, was höher im Wert steht. Ich habe nie in der Welt etwas
anderes scheinen wollen, als wofür man mich genommen hat, und
man hat mich nie in der Welt für etwas anderes genommen, als was
ich bin. – Du willst mich dazu zwingen, mir eine Kugel ins Herz zu
jagen. Ich bin keine sechzehn Jahre mehr; aber um mir eine Kugel
ins Herz zu jagen, dafür bin ich mir doch noch zu jung!

SCHÖN *auf sie eindringend*   Nieder, Mörderin! Nieder mit dir!
In die Knie, Mörderin! *Er drängt sie bis vor die Treppe. Die Hand
erhebend* Nieder – und wage nicht wieder aufzustehen!

LULU *ist in die Knie gesunken.*

SCHÖN   Bete zu Gott, Mörderin, daß er dir Kraft gibt! Flehe
zum Himmel, daß er dir die Kraft dazu verleiht!

HUGENBERG *unter dem Tisch aufspringend, den Sessel beiseite-
stoßend* Hilfe!

SCHÖN *wendet sich gegen Hugenberg, Lulu den Rücken kehrend.*

LULU *feuert fünf Schüsse gegen Schön und hört nicht auf, den
Revolver abzudrücken.*

SCHÖN *vornüberstürzend, von Hugenberg aufgefangen, der ihn
in den Sessel niederläßt* Und – da – ist – noch – einer …

LULU *auf Schön zustürzend* Allbarmherziger …

SCHÖN   Aus meinen Augen! – – – Alwa!

LULU *auf den Knien* Der einzige, den ich geliebt!

SCHÖN   Dirne! Mörderin! – Alwa! Alwa! – Wasser!

LULU   Wasser; er verdurstet. *Füllt ein Glas mit Champagner
und setzt es Schön an die Lippen.*

ALWA *kommt über die Galerie, die Treppe herunter* Mein Vater!
Um Gottes willen, mein Vater!

LULU   Ich habe ihn erschossen.

HUGENBERG   Sie ist unschuldig.

SCHÖN *zu Alwa* Du bist es. Es ist mißglückt.

ALWA *will ihn aufheben* Du mußt zu Bett. Komm.

SCHÖN   Faß mich nicht so an. – Ich verdorre …

LULU *kommt mit dem Champagnerkelch.*

SCHÖN *zu Lulu* Du bleibst dir gleich. *Nachdem er getrunken, zu Alwa* Laß sie nicht entkommen. – Du bist der Nächste ...

ALWA *zu Hugenberg* Helfen Sie mir ihn aufs Bett bringen.

SCHÖN Nein, nein, bitte, nein. Sekt, Mörderin ...

ALWA *zu Hugenberg* Fassen Sie mit an. *Nach links deutend* Ins Schlafzimmer. *Beide richten Schön empor und führen ihn nach rechts. Lulu bleibt neben dem Tisch, das Glas in der Hand.*

SCHÖN *stöhnend* O Gott, o Gott, o Gott ...

ALWA *findet die Tür verschlossen, dreht den Schlüssel und öffnet.* GRÄFIN GESCHWITZ *tritt heraus.*

SCHÖN *sich bei ihrem Anblick steif emporrichtend* Der Teufel – *schlägt rücklings auf den Teppich.*

LULU *wirft sich neben ihn, nimmt seinen Kopf auf den Schoß, küßt ihn* Er hat es überstanden. *Richtet sich auf, will die Treppe hinan.*

ALWA Nicht von der Stelle! –

GESCHWITZ *zu Lulu* Ich glaubte, du wärest es.

LULU *sich vor Alwa niederwerfend* Du kannst mich nicht dem Gericht ausliefern. Es ist *mein* Kopf, den man mir abschlägt. Ich habe ihn erschossen, weil er mich erschießen wollte. Ich habe keinen Menschen auf der Welt geliebt als *ihn*. Alwa, verlang, was du willst. Laß mich nicht der Gerechtigkeit in die Hände fallen. Es ist schade um mich! Ich bin noch jung. Ich will dir treu sein mein Leben lang. Ich will nur dir allein gehören. Sieh mich an, Alwa. – Mensch, sieh mich an! Sieh mich an! *Von außen wird an die Tür gepoltert.*

ALWA Die Polizei. *Geht, um zu öffnen.*

HUGENBERG Ich werde von der Schule gejagt.

DIE BÜCHSE DER PANDORA

Tragödie in drei Aufzügen

Nach dem Wortlaut
der Erstausgabe (1904)

AUS DER VORREDE
ZUR DRITTEN AUFLAGE
(1906)

Bei der Umarbeitung dieses Stückes leiteten mich folgende Beweggründe, die mich auch dazu veranlassen, es in seiner neuen Form herauszugeben:

Nachdem die Anklage das Drama als ein jeden sittlichen und künstlerischen Wertes bares Machwerk bezeichnet hatte, wurden von sämtlichen drei Instanzen, die ein Urteil über das Stück zu fällen hatten, gerade seine sittlichen und künstlerischen Qualitäten anerkannt. Die Instanzen waren: das Königliche Landgericht I in Berlin, das Reichsgericht in Leipzig und das Königliche Landgericht II in Berlin.

Das Landgericht I war auf Grund dieser Anerkennung zur Freisprechung der Angeklagten und zur Freigabe des Buches gelangt. Das Reichsgericht stellte sich auf den Standpunkt, daß sittliche und künstlerische Qualitäten nicht ausreichten, um einer Schrift den Charakter des Unzüchtigen zu nehmen, und hob auf Grund dieser Anschauung das erste Urteil auf. Das Landgericht II schloß sich der Auffassung des Reichsgerichts an und verfügte, während es die Angeklagten freisprach, die Vernichtung des Buches in seiner ehemaligen Form, wobei es aber seinen sittlichen und künstlerischen Qualitäten eine unvergleichlich sorgfältigere Würdigung zuteil werden ließ, als wie es bis dahin je in öffentlichen Besprechungen geschehen war.

Diese sittlichen und künstlerischen Qualitäten des Buches zu erhalten und sie von allen Schlacken zu säubern, die bei der ersten, immerhin nicht leichten Bewältigung des Stoffes künstlerischer Übermut und Schaffensfreudigkeit mit unterlaufen ließen, ist der Zweck dieser Aufgabe. Werte zu unterschlagen und verschwinden zu lassen, die von zwanzig deutschen Richtern, von ernsten gereiften Männern als vorhanden anerkannt wurden, vermag ich nicht zu verantworten. Bevor ich die Urteile der drei Instanzen veröffentliche, seien mir nur noch einige kurze, rein sachliche Bemerkungen erlaubt.

Die tragische Hauptfigur dieses Stückes ist nicht Lulu, wie von den Richtern irrtümlich angenommen wurde, sondern die Gräfin Geschwitz. Lulu spielt, von einzelnen Intrigen abgesehen, in allen drei Akten eine rein passive Rolle; die Gräfin Geschwitz dagegen gibt im ersten Akt den Beweis einer, ich darf getrost sagen, übermenschlichen Selbstaufopferung. Im zweiten Akt wird sie durch den Gang der Handlung zu dem Versuch gezwungen, das auf ihr lastende furchtbare Verhängnis der Unnatürlichkeit unter Aufbietung aller seelischen Energie zu überwinden, worauf sie im dritten Akt, nachdem sie die entsetzlichsten Seelenqualen mit stoischer Fassung ertragen, als Verteidigerin ihrer Freundin den Opfertod stirbt.

Das furchtbare Verhängnis der Unnatürlichkeit, das auf diesem Menschenkind lastet, zum Gegenstand ernster dramatischer Gestaltung zu wählen, wurde in keinem der drei über das Stück gefällten Urteile für unzulässig erklärt. Tatsächlich stehen ja auch in der alten griechischen Tragödie die Hauptfiguren fast immer außerhalb der Natürlichkeit. Sie sind aus Tantalus' Geschlecht; von den Göttern ward ihnen ein eherner Reif um die Stirn geschmiedet. Das heißt: trotz der gewaltigsten seelischen Evolutionen, die jedem, der ihrem Kampf beiwohnt, zum höchsten menschlichen Glück verhelfen würden, gelingt es ihnen nicht, den Fluch, der sie als ein unseliges Erbteil beherrscht, abzuschütteln, sondern sie gehen, unbrauchbar für die menschliche Gemeinschaft, unter den größten Qualen elend an ihrem Verhängnis zugrunde. Abschreckender kann für das Empfinden des Zuschauers die Unnatürlichkeit als solche nicht gebrandmarkt werden. Wenn der Zuschauer aus dieser Vorführung auch noch ästhetischen Genuß und einwandfreien seelischen Gewinn davonträgt, so erhebt das die Darstellung aus dem Gebiete der Moral in das Gebiet der Kunst.

Trotzdem hätte mich der Fluch der Unnatürlichkeit allein nicht dazu verlockt, ihn zum Gegenstand dramatischer Gestaltung zu wählen. Ich tat das vielmehr, weil ich dieses Verhängnis, wie es uns in unserer heutigen Kultur entgegentritt, tragisch noch nicht behandelt fand. Mich beseelte der Trieb, die gewaltige menschliche Tragik außergewöhnlich großer, völlig fruchtloser Seelenkämpfe dem Geschick der Lächerlichkeit zu entreißen und sie der Teilnahme und der Barmherzigkeit aller nicht von ihr Betroffenen näherzubringen. Als eines der wirksamsten Mittel zur Erreichung dieses Zieles schien es mir nötig, das niedrige Gespött und das gellende Hohngelächter, das der ungebildete Mensch für diese Tragik bereit hat, in einer möglichst ausdrucksvollen Form zu verkörpern. Zu diesem Zweck schuf ich die Figur des Kraftmenschen Rodrigo Quast. Rodrigo

Quast ist der Gegenspieler der Gräfin Geschwitz. Während der Arbeit war ich mir der Aufgabe vollkommen bewußt, daß sich die seelischen Evolutionen, in die die Gräfin Geschwitz durch ihr Unglück gepeitscht wird, in sittlicher Hinsicht um so höher erheben mußten, je brutaler ich die Witze dieses Kraftmenschen gestaltete. Ich war mir völlig klar, daß die Witze durch den Ernst, mit dem ich das Geschick der Gräfin Geschwitz behandelte, immer und immer wieder entkräftet und überflügelt werden mußten, und daß zum Schluß der tragische Ernst als bedingungslos anerkannter Sieger den Kampfplatz behaupten mußte, wenn das Werk seinen Zweck erfüllen sollte.

Daß es mir mit dem letzten Akt des Stückes gelungen ist, diesen Eindruck hervorzurufen, haben sämtliche Aufführungen bestätigt. Aber auch die über das Drama in seiner ehemaligen Form gefällten Urteile würdigen diese Tatsache. Das Urteil des Reichsgerichts und mit ihm das des Königlichen Landgerichts II in Berlin bestreiten nur, daß der beabsichtigte Eindruck der Tragik auch im »normalen Leser« hervorgerufen werde. Natürlich nicht unbedingt! Denn zu der großen Masse »normaler Leser« gehört in erster Linie auch der ungebildete Mensch, der in dem Drama selber als Athlet auftritt und gegen dessen gellendes Hohngelächter die Tendenz des Stückes gerichtet ist. Der durch die Satire Gegeißelte empfindet deren Wirkung aber natürlich nicht durch die Lektüre allein, sondern erst dann, wenn er zu seiner größten Überraschung sieht, wie gebildete Menschen das von ihm entworfene Charakterbild lächerlich und verächtlich finden. Übrigens reichen die Unflätigkeiten, die ich diesem Kraftmenschen in den Mund legte, nicht im entferntesten an diejenigen eines Falstaff, Mephisto oder Spiegelberg heran.

Als ich dieses Drama in seiner ehemaligen Form veröffentlichte, war ich in tiefster Seele von der Überzeugung durchdrungen, damit einer Forderung höchster menschlicher Sittlichkeit zu genügen. Ebenso klar war ich mir über die Tatsache, daß die Veröffentlichung eine Anklage wegen Vergehens gegen die Sittlichkeit oder wegen Verbreitung unzüchtiger Schriften zur Folge haben könnte. Daß die von mir erwartete Folge eintrat, ist mir so wenig ein Beweis gegen wie für die Richtigkeit meiner Überzeugung. Aber es lag von jeher im Wesen unserer geistigen Entwicklung, daß ein Mensch, der auf irgendeinem geistigen Gebiet einen entscheidenden Schritt vorwärts tut, wegen Verletzung dieses selben Gebietes vor den Richter gestellt wird. Ein Arzt, der im Vertrauen auf seine Forschung eine vorher noch nicht erprobte Exstirpation vornimmt, setzt sich dadurch von vornherein und mit vollem Bewußtsein der Gefahr aus, wegen Körperverletzung oder fahrlässiger Tötung angeklagt zu werden. Erfahrungsgemäß berühren sich ja auch alle diejenigen Gebiete in ihren äußersten Konsequenzen, die sich in ihren gewohnten Erscheinungsformen als stärkste Gegensätze gegenüberstehen. Heilmittel und Gift unterscheiden sich nur durch die Art ihrer Verwendung. Erhabenheit und Lächerlichkeit werden von der Mitwelt selten zuverlässig unterschieden. Das wahrhaft Erhabene wurde in seinen Anfängen fast immer als lächerlich empfunden, und wie manches Gebaren, das von allen Beteiligten als erhaben empfunden wurde, entpuppte sich im Handumdrehen als größte Lächerlichkeit! Summum jus und summa injuria sind Begriffe, die sich bis ans Ende aller Zeiten decken werden.

Die Norm, die unsere Kultur für die in diesem Gedankengang erwähnten Tatsachen seit zwei Jahrtausenden festgehalten hat und die ihre Geltung voraussichtlich in alle Ewigkeit behalten wird, ist das Schicksal unseres Religionsstifters, der vom Synedrium in Jerusalem wegen Gotteslästerung zum Tode verurteilt wurde. Dabei ergibt sich aus der Darstellung der Evangelien, daß sich das Synedrium erst nach langem Zögern und mit äußerstem Widerstreben des Falles annahm, gezwungen durch eine Herausforderung, die ihm gar keine Wahl mehr übriglie2, nämlich durch das im Vorhof des Allerheiligsten ausgesprochene Gleichnis von der Zerstörung des Tempels und seinem nicht mehr als drei Tage in Anspruch nehmenden Wiederaufbau. Ebenso ergibt sich aus den Evangelien, daß das Synedrium seines Richteramtes mit einer Würde waltete, die von keinem Richter der Welt übertroffen werden kann. Trotzdem ist in solchen Fällen das Verhängnis, gerichtet zu werden, besser als das Verhängnis, richten zu müssen.

Der letzte Grund, weshalb ich diesen als Norm bezeichneten Fall bei der Besprechung der über mein Stück in seiner damaligen Form gefällten Urteile erwähne, ist der Unterschied zwischen bürgerlicher Moral, zu deren Schutz der Richter berufen ist, und menschlicher Moral, die sich jeder irdischen Gerichtsbarkeit entzieht. In allen drei über das Drama gefällten Urteilen wurde die käufliche Liebe ohne weiteres als Unsittlichkeit und ihre Ausübung als Unzucht bezeichnet. Diese Bezeichnung ist vom Standpunkt der bürgerlichen Moral aus vollkommen zutreffend.

Nun haben sich aber ehrwürdige Dichter aller Zeiten von König Cudraka (»Das irdene Wägelchen«) bis auf Goethe (»Der Gott und die Bajadere«) berufen gefühlt, die käufliche Liebe gegen diese Verurteilung in Schutz zu nehmen. Und Jesus Christus sagt zu den Geistlichen und Richtern seiner Zeit, wie ich schon an einer anderen

Stelle einmal hervorhob: »Wahrlich, ich sage euch, die Steuereintreiber und die Huren werden eher in das Reich Gottes kommen als ihr.« (Evangelium Matthäi, Kap. 21, V. 31.) Von seinem Standpunkte aus kann Jesus Christus gar nicht logischer, gar nicht folgerichtiger sprechen, denn er baut das Reich Gottes für die Mühseligen und Beladenen, nicht für die Reichen, für die Kranken, nicht für die Gesunden, für die Sünder, nicht für die Gerechten.

Aber, höre ich den Richter fragen, geht denn die Kultur nicht jämmerlich daran zugrunde, daß die Mühseligen, die Kranken und die Sünder in dieser Moral ihre Rechtfertigung finden? – Auf diese Frage weiß ich Antworten vollauf, die jede Besorgnis beschwichtigen; denn wenn die menschliche Moral höher als die bürgerliche stehen will, dann muß sie allerdings auch auf eine tiefere, umfassendere Kenntnis vom Wesen der Welt und des Menschen gegründet sein. Aber ich dränge mich ohne ausdrückliche Aufforderung nicht zu der Aufgabe, die Aussprüche unseres Religionsstifters vor dem Richter zu verteidigen.

Ich lasse nun die drei über das Stück in seiner ehemaligen Form gefällten Urteile folgen. [...]

Die hier vorliegende Neubearbeitung des Stückes entstand auf folgende Weise: Im Herbst 1903 veranstaltete *Emil Meßthaler,* der Leiter des Intimen Theaters in Nürnberg, einen Zyklus von Aufführungen meiner Dramen und redete mir bei der Gelegenheit dringend zu, eine Bühnenbearbeitung der »Büchse der Pandora« herzustellen. Da ich das Stück, ohne im Traum an eine Bühnenaufführung zu denken, geschrieben hatte, zögerte ich, darauf einzugehen, bis mir Meßthaler eine vom Dramaturgen seines Theaters vorgenommene Umarbeitung mit der Anfrage zuschickte, ob ich mit deren Aufführung einverstanden sei. Als ich daraufhin selbst an die Arbeit ging, ergab sich für mich als selbstverständliche Bedingung, daß jedes herausfordernde Wort, das nicht unbedingt zum Verständnis der Handlung notwendig war, wegfallen mußte, weil das Theaterpublikum nicht wie der Leser in der Lage ist, die Absichten des Autors Schritt für Schritt prüfen zu können. Wenn ich als Ethiker die Arme frei haben wollte, mußte ich als Künstler jedem Widerspruch aus dem Wege gehen. Am 1. Februar 1904 fand dann die Uraufführung im Intimen Theater in Nürnberg statt. Ich habe nun den Text, der bei dieser Aufführung Verwendung fand, von den Gesichtspunkten aus geprüft, die in der Verhandlung vor dem Königlichen Landgericht II in Berlin für den Richter maßgebend waren, als er die Vernichtung der Druckschrift verfügte, in der das Drama in seiner früheren Form erschienen war. Ich habe alles, was mir, von diesen

Gesichtspunkten aus beurteilt, noch als unzulässig erschien, sorgfältig vermieden; und ich habe, wie ich hier mit allem Vorbehalt gestehen möchte, den Eindruck, daß meine Arbeit dadurch nicht nur an sittlicher, sondern auch an künstlerischer Würde gewonnen hat. In diesem Bewußtsein übergebe ich dieses Buch der Öffentlichkeit.

An Stelle eines Personenverzeichnisses lasse ich den drei Akten den Theaterzettel der von *Karl Kraus* vor einem Jahr in Wien veranstalteten Aufführung vorausgehen.

Berlin, den 1. Mai 1906   Frank Wedekind

Trianon-Theater

(Nestroyhof)

Wien, 29. Mai 1905

Einleitende Vorlesung von Karl Kraus

Hierauf:

DIE BÜCHSE DER PANDORA

Tragödie in drei Aufzügen von Frank Wedekind.

Regie: Albert Heine.

Lulu	Tilly Newes
Alwa Schön, Schriftsteller	O. D. Potthof
Rodrigo Quast, Athlet	Alexander Rottmann
Schigolch	Albert Heine
Alfred Hugenberg, Zögling einer Korrektionsanstalt	Tony Schwanau
Die Gräfin Geschwitz	Adele Sandrock
Marquis Casti-Piani	Anton Edthofer
Bankier Puntschu	Gustav d'Olbert
Journalist Heilmann	Wilhelm Appelt
Magelone	Adele Nova
Kadidja di Santa Croce, ihre Tochter	Iduschka Orloff
Bianetta Gazil	Dolores Stadlon
Ludmilla Steinherz	Claire Sitty
Bob, Groom	Irma Karczewska
Ein Polizeikommissär	Egon Fridell
Herr Hunidei	Ludwig Ströb
Kungu Poti, kaiserlicher Prinz von Uahubee	Karl Kraus
Dr. Hilti, Privatdozent	Arnold Korff
Jack	Frank Wedekind

Der erste Akt spielt in Deutschland, der zweite in Paris, der dritte in London.

———

Anfang präzise $^1/_2$8 Uhr.

PROLOG IN DER BUCHHANDLUNG

Nach dem Wortlaut
der »Gesammelten Werke« (1913)

Personen

Der normale Leser
Der rührige Verleger
Der verschämte Autor
Der hohe Staatsanwalt

Der Prolog kann in entsprechenden Überkleidern und Kopfbedeckungen
von den Darstellern des Rodrigo, des Casti-Piani, des Alwa und des
Schigolch gesprochen werden. Rodrigo in hellem Sommerüberzieher und
Lodenhütchen, Casti-Piani in Schlafrock und Samtkäppchen, Alwa in
Havelock und Schlapphut, Schigolch in Talar und Barett.
Szenerie: Ein Zwischenvorhang, ein primitives Büchergestell.

Der normale Leser
schwankt herein

Ich möchte gern ein Buch bei Ihnen kaufen.
Was drin steht, ist mir gänzlich einerlei.
Der Mensch lebt, heißt es, nicht allein vom Saufen.
Auch wünsch' ich dringend, daß es billig sei.
Die älteste Tochter will ich zum Gedenken
Der ersten Kommunion damit beschenken.

Der rührige Verleger

Da kann ich Ihnen warm ein Buch empfehlen,
Bei dem das Herz des Menschen höher schlägt.
Heut lesen es schon fünf Millionen Seelen,
Und morgen wird's von neuem aufgelegt.
Für jeden bleibt's ein dauernder Gewinn,
Steht doch für niemand etwas Neues drin.

Der verschämte Autor
schleicht herein

Ein Buch möcht' ich bei Ihnen drucken lassen;
Zehn Jahre meines Lebens schrieb ich dran.
Das Weltall hofft' ich brünstig zu umfassen
Und hab's kaum richtig mit dem Weib getan.

Was lernend ich dabei als wahr empfand,
Hab' ich in schlottrig schöne Form gebannt.

Der hohe Staatsanwalt
stürmt herein

Ich muß ein Buch bei Ihnen konfiszieren,
Vor dem die Haare mir zu Berge stehn.
Erst sah den Kerl man alle Scham verlieren,
Nun läßt er öffentlich für Geld sich sehn.
Drum werden wir ihn nach dem Paragraphen
Einhundertvierundachtzig streng bestrafen.

Der verschämte Autor
lächelnd

Mich strafen? Nein! Des Schaffens Götterfreuden
Raubt mir auch nicht die härteste Strafe mehr.
Wer sträubt sich jemals, für sein Kind zu leiden?
An solchem Glück läßt dein Beruf dich leer.
Mich kannst du foltern, würgen, schinden, henken,
Mein Werk wird das an keinem Worte kränken!

Der hohe Staatsanwalt

Dir schwör' ich's zu, daß du mit frechen Witzen
Nicht länger der Verdammnis Opfer wirbst.
Normale Leser muß ich davor schützen.
Daß du sie grinsend bis ins Mark verdirbst.
Zwei Jahr Gefängnis sind dein sichrer Lohn;
Für Ehrverlust sorgst du ja selber schon.

Der normale Leser

Jetzt möcht' ich stracks mein Buch bei Ihnen kaufen.
Ich finde dies Betragen unerhört.
Laß ich die eignen Kinder christlich taufen,
Damit mich Hunger umbringt, Durst verzehrt?
Wenn ihr die Zänkerei nicht bald beendet,
Dann wird das Geld auf Eierpunsch verwendet.

Der hohe Staatsanwalt
schließt ihn in die Arme, worauf der normale Leser in Tränen ausbricht

Bejammernswürdiges Opfer! Abgetötet
In deinem Busen starb die heilige Scheu.

Ward diesem Wicht nur erst sein Maul verlötet,
Dann keimen Zucht und Frömmigkeit aufs neu.
Zwei Jahr Gefängnis! Ich behaupte dreist,
Daß er dann ewig keinen Witz mehr reißt.

Der verschämte Autor

Wie sollte mich wohl ein Gerichtshof schrecken!
Wer weiß, ob mir nicht gar sein Eifer nützt,
Die Schwächen meines Schauspiels aufzudecken,
So wahr, wie echte Kunst sich selbst beschützt.
Ich bin's gewiß: Man kann sich nicht entbrechen,
Von jeder Schuld mich freundlich freizusprechen.

Der hohe Staatsanwalt

Spricht man dich frei – womit uns Gott verschone! –
Noch selbigen Tags leg' ich Berufung ein.
Nicht jeder Richter trägt der Weisheit Krone,
Um so verständiger wird ein nächster sein.
Und zeigt auch der sich für den Autor sanft,
Dein Schauspiel sicherlich wird eingestampft.

Der verschämte Autor

Dann laß ich es zum zweiten Male drucken,
Und zwar in ernsterer, edlerer Gestalt,
Nicht mehr im Gaunerwelsch der Mamelucken,
Im klarsten Deutsch und ohne Hinterhalt.
Ich bin's gewiß: Dann muß es ihm gelingen,
Sich unbehelligt selber durchzuringen.

Der hohe Staatsanwalt

Grundgütiger Galgen! Dann fehlt nichts auf Erden,
Als daß dies Stück noch auf die Bühne kommt.
Doch vorher soll es so geläutert werden,
Daß es dir nicht mehr zur Reklame frommt.
Der Weg für deinen giftgen Höllenkrater
Führt über meinen Leichnam zum Theater.

Der verschämte Autor

Was schiert mich das Theater! Unsere kühne
Tagtäglichkeit erreicht's bekanntlich nie.
Das menschliche Gehirn sei meine Bühne,

Mein Lieblingsregisseur die Phantasie.
Zum hohen Staatsanwalt

Und dir wird nichts Geringres übrigbleiben,
Als selbst mir den Prolog dafür zu schreiben.

Der rührige Verleger
sich zwischen beide drängend

Prolog ist herrlich! Druckt ihn eine Zeitung,
Dann sind wir schon so gut wie aufgeführt.
Nun sorg' ich hurtig für des Buchs Verbreitung,
Prospekte werden schleunigst expediert.
Und eh' das Publikum noch Platz genommen,
Bin ich gewiß, daß keine Krebse kommen.

Der normale Leser
gleichfalls die Mitte nehmend

Dann pflanz' ich breit mich in die erste Reihe
Mit meinem Freibillett und schnarche laut.
Das ahnt kein Mensch, wie ich mich dran erfreue,
Wenn so wer Schnitzler oder Shakespeare kaut.
Ist's nicht genug, daß christlich ich verzeihe
Und niemand merkt, wie sehr mir davor graut?

Chorus:
Der hohe Staatsanwalt
hält den Arm um den normalen Leser geschlungen

So pflegen wir gemeinsam das Gehege
Dramatischer Dichtung mit verteilter Kraft.

Der normale Leser

Wenn ich auch meinen Wanst am liebsten pflege,
Mir fehlt doch nie die große Leidenschaft.

Der rührige Verleger
hält den Arm um den verschämten Autor geschlungen

Ich freue mich, wenn sich die Menschen freuen,
Am ehrlichsten am Funkelnagelneuen.

Der verschämte Autor

Wenn's not tut, geb' ich meine Freiheit hin
Für dich, o Muse, meine Herrscherin.

PERSONEN

Lulu
Alwa Schön, *Schriftsteller*
Rodrigo Quast, *Athlet*
Schigolch
Alfred Hugenberg, *Zögling einer Korrektionsanstalt*
Die Gräfin Geschwitz
Graf Casti-Piani
Bankier Puntschu
Journalist Heilmann
Madelaine de Marelle
Kadéga di Santa Croce, *ihre Tochter*
Bianetta Gazil
Ludmilla Steinherz
Armande, *Zimmermädchen*
Bob, *Liftjunge*
Ein Polizeikommissär
Mr. Hopkins
Kungu Poti, *kaiserlicher Prinz von Uahube*
Dr. Hilti, *Privatdozent*
Jack

Der erste Akt spielt in einer deutschen Großstadt, der zweite in
Paris, der dritte in London.

ERSTER AUFZUG

Prachtvoller Saal in deutscher Renaissance mit schwerem Plafond aus geschnitztem Eichenholz. Die Wände sind bis zur halben Höhe mit dunklen Holzskulpturen bekleidet; darüber an beiden Seiten verblaßte Gobelins. Nach hinten oben ist der Saal durch eine verhängte Galerie abgeschlossen, von der rechts eine monumentale Treppe bis zur halben Tiefe der Bühne herabführt. In der Mitte unter der Galerie befindet sich die Eingangstür mit gewundenen Säulen und Frontispiz. An der linken Seitenwand ein geräumiger hoher Kamin, weiter vorne ein Balkonfenster mit geschlossenen schweren Gardinen; an der rechten Seitenwand vor dem Treppenfuß eine geschlossene Portière.
Vor dem Fußpfeiler des freien Treppengeländers steht eine leere dekorative Staffelei; rechts vorne befindet sich eine breite Ottomane, in der Mitte des Saales ein vierkantiger Tisch, um den drei hochlehnige Polstersessel stehen. Links vorn ein kleiner Serviertisch, daneben ein Lehnsessel. Der Saal ist durch eine auf dem Mitteltisch stehende, tiefverschleierte Petroleumlampe matt erhellt. Alwa Schön geht vor der Eingangstür auf und nieder. Auf der Ottomane sitzt Rodrigo, als Bedienter gekleidet. Links in dem Lehnsessel, in schwarzem enganliegenden Kleid, tief in Kissen gebettet, einen Plaid über den Knien, sitzt die Gräfin Geschwitz. Neben ihr auf dem Tisch steht eine Kaffeemaschine und eine Tasse mit schwarzem Kaffee.

RODRIGO   Er läßt auf sich warten wie ein Konzertmeister!

DIE GESCHWITZ   Ich beschwöre Sie, sprechen Sie nicht!

RODRIGO   Es soll einer die Klappe halten, wenn er den Kopf so voll Gedanken hat wie ich! – Es will mir ganz und gar nicht einleuchten, daß sie sich dabei sogar noch zu ihrem Vorteil verändert haben soll!

DIE GESCHWITZ   Sie ist herrlicher anzuschauen, als ich sie je gekannt habe!

RODRIGO   Behüte mich der Himmel davor, daß ich mein Lebensglück auf Ihre Geschmacksrichtungen gründe! Wenn ihr die Krankheit ebenso gut angeschlagen hat wie Ihnen, dann bin ich pleite! Sie verlassen die Isolierbaracke wie eine verunglückte Kautschukdame, die sich aufs Kunsthungern geworfen hat. Sie können sich kaum mehr die Nase schneuzen. Erst brauchen Sie eine Viertelstunde, um Ihre Finger zu sortieren, und dann bedarf es der größten Vorsicht, damit Sie die Spitze nicht abbrechen.

DIE GESCHWITZ   Was uns unter die Erde bringt, gibt ihr Kraft und Gesundheit wieder.

RODRIGO   Das ist alles schön und gut. Ich werde aber doch vermutlich heute abend noch nicht mitfahren.

DIE GESCHWITZ   Sie wollen Ihre Braut am Ende gar allein reisen lassen?

RODRIGO   Erstens fährt doch der Alte mit, um sie im Ernstfalle zu verteidigen. Meine Begleitung kann sie nur verdächtigen. Und zweitens muß ich hier noch abwarten, bis meine Kostüme fertig sind. – Ich komme immer noch früh genug nach Paris. Hoffentlich legt sie sich derweil auch noch etwas Embonpoint zu. Dann wird geheiratet, vorausgesetzt, daß ich sie vor einem anständigen Publikum produzieren kann. Ich liebe an einer Frau das Praktische; welche Theorien sich die Weiber machen, ist mir vollkommen egal. Ihnen nicht auch, Herr Doktor?

ALWA   Ich habe nicht gehört, was Sie sagten.

RODRIGO   Ich hätte meine Person gar nicht in das Komplott verwickelt, wenn sie mir nicht vor ihrer Verurteilung schon immer die Plauze gekitzelt hätte. Wenn sie sich in Paris nur nicht gleich wieder zuviel Bewegung macht! Wenn ich nicht in die »Folies Bergère« engagiert wäre, nähme ich sie auf ein halbes Jahr mit nach London und ließe sie Plumkakes futtern. In London geht man schon allein durch die Seeluft auf. Außerdem fühlt man in London auch nicht bei jedem Schluck Bier immer gleich die Schicksalshand an der Gurgel.

ALWA   Ich frage mich seit acht Tagen, ob sich jemand, der zu Zuchthausstrafe verurteilt war, wohl noch zur Hauptfigur in einem modernen Drama eignen würde.

DIE GESCHWITZ   Käme der Mensch nur endlich mal!

RODRIGO   Ich muß hier auch meine Requisiten noch aus dem Pfandleihhaus auslösen; sechshundert Kilo vom besten Eisen. Der Transport kostet mich immer dreimal mehr als mein eigenes Billett. Dabei ist die ganze Ausrüstung keinen Hosenknopf wert. Als ich schweißtriefend damit im Pfandhaus ankam, fragten sie mich, ob die Sachen auch echt seien. – Die Kostüme hätte ich mir eigentlich richtiger in Paris anfertigen lassen sollen. Der Pariser zum Beispiel merkt auf den ersten Blick, wo man seine Vorzüge hat. Da dekolletiert er tapfer drauflos. Aber das lernt sich nicht mit untergeschlagenen Beinen; das will an klassisch gebildeten Menschen studiert sein. Hier haben sie eine Angst vor der bloßen Haut wie in Paris vor den Dynamitbomben. Vor zwei Jahren wurde ich im Alhambra-Theater zu fünfzig Mark Strafe verknallt, wie man sah, daß ich ein paar Haare auf der Brust habe, nicht so viel wie zu einer anständigen Zahnbürste nötig sind. Aber der Kultusminister meinte, die kleinen

Schulmädchen könnten darüber die Freude am Strümpfestricken verlieren. Seitdem lasse ich mich jeden Monat einmal rasieren.

ALWA Wenn ich jetzt nicht meine ganze geistige Spannkraft zu dem »Weltbeherrscher« nötig hätte, möchte ich das Problem wohl auf seine Tragfähigkeit erproben. Das ist der Fluch, der auf unserer jungen deutschen Literatur lastet, daß wir Dichter viel zu literarisch sind. Wir kennen keine anderen Fragen und Probleme als solche, die unter Schriftstellern und Gelehrten auftauchen. Unser Gesichtskreis reicht über die Grenzen unserer Zunftinteressen nicht hinaus. Um wieder auf die Fährte einer großen gewaltigen Kunst zu gelangen, müßten wir uns möglichst viel unter Menschen bewegen, die nie in ihrem Leben ein Buch gelesen haben, denen die einfachsten animalischen Instinkte bei ihren Handlungen maßgebend sind. In meinem »Totentanz« habe ich schon aus voller Kraft nach diesen Prinzipien zu arbeiten gesucht. Das Weib, das mir zu der Hauptfigur des Stükkes Modell stehen mußte, atmet heute seit einem vollen Jahr hinter vergitterten Fenstern. Dafür wurde das Drama sonderbarerweise allerdings auch nur von der freien literarischen Gesellschaft zur Aufführung gebracht. Solange mein Vater noch lebte, standen meinen Schöpfungen sämtliche Bühnen Deutschlands offen. Das hat sich gewaltig geändert.

RODRIGO Ich habe mir Trikots im zartesten Blau-Grün anfertigen lassen. Wenn die im Ausland keinen Sukzeß haben, dann will ich Mausefallen verkaufen. Die Trußhöschen sind so graziös, daß ich mich damit auf keine Tischkante setzen kann. Der vorteilhafte Eindruck wird nur durch meine fürchterliche Plauze gestört, die ich meiner tätigen Mitwirkung in dieser großartigen Verschwörung zu danken habe. Bei gesunden Gliedern drei Monate lang im Krankenhaus liegen, das muß den heruntergekommensten Landstreicher zum Mastschwein machen. Seit ich heraus bin, futtere ich nichts als Karlsbader Pastillen; Tag und Nacht habe ich Orchesterprobe in den Gedärmen. Bis ich nach Paris komme, werde ich so ausgeschwemmt sein, daß ich keinen Flaschenstöpsel mehr hochheben kann.

DIE GESCHWITZ Wie ihr gestern im Krankenhaus das Wachtpersonal aus dem Wege ging, das war ein erquickender Anblick. Der Garten war ausgestorben. In der herrlichsten Mittagssonne wagten sich die Rekonvaleszenten nicht aus den Haustüren. Ganz hinten bei der Isolierbaracke trat sie unter den Maulbeerbäumen vor und wiegte sich auf dem Kies in den Knöcheln. Der Portier hatte mich wiedererkannt, und ein Assistenzarzt, der mir im Korridor begegnete, fuhr zusammen, als hätte ihn ein Revolverschuß getroffen. Die Krankenschwestern huschten in die Säle oder blieben an den

Wänden kleben. Als ich zurückkam, war weder im Garten noch unter dem Portal eine Seele zu sehen. Die Gelegenheit hätte ich nicht schöner finden können, wenn wir die verfluchten Pässe gehabt hätten. Und jetzt sagt der Mensch, er fahre nicht mit!

RODRIGO Ich verstehe die armen Spitalbrüder. Der eine hat einen wehen Fuß, der andere hat eine geschwollene Backe; da taucht die leibhaftige Todesversicherungsagentin mitten unter ihnen auf. In den Rittersälen – so heißt die gesegnete Abteilung, von der aus ich meine Spionage organisierte –, als sich da die Kunde verbreitete, daß die Schwester Theophila mit Tod abgegangen sei, da war keiner der Kerle im Bett zu halten. Sie kletterten an den Fenstergittern hinauf, und wenn sie ihre Leiden zentnerweise mitschleppten. Im Leben habe ich kein solches Fluchen gehört.

ALWA Erlauben Sie mir, Fräulein von Geschwitz, noch einmal auf meinen Vorschlag zurückzukommen. Die Frau hat in diesem Zimmer meinen Vater erschossen; trotzdem kann ich in dem Morde wie in der Strafe nichts anderes als ein entsetzliches Unglück sehen, das sie betroffen hat. Ich glaube auch, mein Vater hätte, wäre er mit dem Leben davongekommen, seine Hand nicht vollständig von ihr abgezogen. Ob Ihnen Ihr Befreiungsplan gelingen wird, scheint mir immer noch zweifelhaft, obschon ich Sie nicht entmutigen möchte. Aber ich finde keine Worte für die Bewunderung, die mir Ihre Aufopferung, Ihre Tatkraft, Ihre übermenschliche Todesverachtung einflößen. Ich glaube nicht, daß je ein Mann soviel für eine Frau, geschweige denn für einen Freund aufs Spiel gesetzt hat. Ich weiß nicht, Fräulein von Geschwitz, wie reich Sie sind; aber die Ausgaben für diese Bewerkstelligungen müssen Ihre Vermögensverhältnisse zerrüttet haben. Darf ich Ihnen ein Darlehen von zwanzigtausend Mark anbieten, dessen Herbeischaffung in barem Geld für mich mit keinerlei Schwierigkeiten verbunden wäre?

DIE GESCHWITZ Wie wir gejubelt haben, als die Schwester Theophila glücklich tot war! Von dem Tage an waren wir ohne Aufsicht. Wir wechselten nach Belieben die Betten. Ich hatte ihr meine Frisur gemacht und ahmte in jedem Laut ihre Stimme nach. Wenn der Professor kam, redete er sie per gnädiges Fräulein an und sagte zu mir: »Hier lebt sich's besser als im Gefängnis!« – Als die Schwester plötzlich ausblieb, sahen wir einander gespannt an; wir beide waren fünf Tage krank; jetzt mußte es sich entscheiden. Am nächsten Morgen kam der Assistenzarzt. – »Wie geht es der Schwester Theophila?« – »Tot.« – Wir verständigten uns hinter seinem Rücken, und als er hinaus war, sanken wir uns in die Arme: »Gott sei Dank! Gott sei Dank!« – Welche Mühe es kostete, damit mein

Liebling nicht verriet, wie gesund er schon war! – »Du hast neun Jahre Gefängnis vor dir!« rief ich von früh bis spät. – Man läßt sie jetzt auch wohl keine drei Tage mehr in der Isolierbaracke.

RODRIGO Ich habe volle drei Monate im Krankenhaus gelegen, um das Terrain zu sondieren, nachdem ich mir die Qualitäten zu einem so ausgedehnten Aufenthalt auch erst mühsam zusammenhausiert hatte. Jetzt spiele ich hier bei Ihnen, Herr Doktor, den Kammerdiener, damit keine fremde Bedienung ins Haus kommt. Wo hat je ein Bräutigam mehr für seine Braut getan? Meine Vermögensverhältnisse sind auch zerrüttet.

ALWA Wenn es Ihnen gelingt, die Frau zu einer anständigen Künstlerin auszubilden, dann haben Sie sich um Ihre Mitwelt verdient gemacht. Mit dem Temperament und der Schönheit, die sie aus dem Innersten ihrer Natur heraus zu geben hat, kann sie das blasierteste Publikum in Atem halten. Dabei wäre sie durch die Wiedergabe der Leidenschaft davor geschützt, zum zweitenmal in Wirklichkeit zur Verbrecherin zu werden.

RODRIGO Ich will ihr ihre Zicken schon austreiben!

DIE GESCHWITZ Da kommt er!

Auf der Galerie werden Schritte laut; dann teilt sich der Vorhang über die Treppe, und Schigolch im langen, schwarzen Gehrock, einen weißen Entoutcas in der Rechten, tritt heraus.

SCHIGOLCH Vermaledeite Finsternis! – Draußen brennt einem die Sonne die Augen aus.

DIE GESCHWITZ *sich mühsam aus der Decke wickelnd* Ich komme schon!

RODRIGO Gräfliche Gnaden haben seit drei Tagen kein Tageslicht mehr gesehen. Wir leben hier wie in einer Schnupftabaksdose.

SCHIGOLCH Seit heute früh um neun fahre ich bei allen Lumpensammlern herum. Drei nagelneue Koffer, vollgestopft mit alten Hosen, habe ich über Bremerhaven nach Amerika spediert. Die Beine baumeln mir wie Glockenschwengel am Leib. Das soll ein anderes Leben in Paris werden!

RODRIGO Wo wollt ihr denn in Paris absteigen?

SCHIGOLCH Hoffentlich nicht gleich wieder im Hotel »Ochsenbutter«!

RODRIGO Ich kann euch das Hotel »Montespant« am Boulevard Rochechouart empfehlen. Ich wohnte dort mit einer Löwenbändigerin. Die Leute sind geborene Berliner.

DIE GESCHWITZ *sich im Rohrstuhl aufrichtend* Helfen Sie mir doch!

RODRIGO *eilt herbei und stützt sie*   Dabei seid ihr dort sicherer vor der Polizei als auf dem hohen Turmseil!

DIE GESCHWITZ   Er will Sie nämlich heute nachmittag allein mit ihr reisen lassen.

SCHIGOLCH   Er leidet wohl noch an seinen Frostbeulen!

RODIRGO   Verlangt ihr denn von mir, daß ich in den »Follies-Bergère« in Schlafrock und Pantoffeln debütiere?

SCHIGOLCH   Hm – die Schwester Theophila wäre auch nicht so prompt gen Himmel gefahren, wenn sie sich für unsere Patientin nicht so liebevoll erwärmt hätte.

RODRIGO   Wenn einer den Honigmond bei ihr abzudienen hat, wird sie sich noch ganz anders zur Geltung bringen. Es kann ihr jedenfalls nicht schaden, wenn sie sich vorher noch etwas auslüftet.

ALWA *eine Brieftasche in der Hand, zur Geschwitz, die auf eine Stuhllehne gestützt am Mitteltisch steht*   Diese Tasche enthält zehntausend Mark.

DIE GESCHWITZ   Ich danke, nein.

ALWA   Ich bitte Sie, sie zu nehmen.

DIE GESCHWITZ *zu Schigolch*   Kommen Sie doch endlich.

SCHIGOLCH   Geduld, mein Fräulein. Es ist ja nur der Katzensprung über die Spitalstraße. – In fünf Minuten bin ich mit ihr hier.

ALWA   Sie bringen sie her?

SCHIGOLCH   Ich bringe sie her. – Oder fürchten Sie für Ihre Gesundheit?

ALWA   Das sehen Sie doch, daß ich nichts fürchte.

RODRIGO   Der Herr Doktor ist nach dem letzten Drahtbericht auf der Reise nach Konstantinopel begriffen, um seinen »Totentanz« von Haremsdamen und Kastrierten vor dem Sultan zur Aufführung bringen zu lassen.

ALWA *die Mitteltür unter der Galerie öffnend*   Sie gehen hier näher. *Schigolch und die Gräfin Geschwitz verlassen den Saal. Alwa verschließt die Türe hinter ihnen.*

RODRIGO   Sie wollten der verrückten Rakete noch Geld geben.

ALWA   Was geht Sie das an?!

RODRIGO   Mich honoriert man wie einen Lampenputzer, obschon ich sämtliche Schwestern im Spital habe demoralisieren müssen. Dann kamen die Herren Assistenten und Geheimräte an die Reihe. Und dann . . .

ALWA   Wollen Sie mir im Ernste weismachen, daß sich die Assistenzärzte durch Sie haben beeinflussen lassen?

RODRIGO   Mit dem Gelde, das mich diese Hunde gekostet haben, könnte ich in Amerika Präsident der Vereinigten Staaten werden.

ALWA Fräulein von Geschwitz hat Ihnen doch jeden Pfennig, den Sie ausgegeben haben, zurückerstattet. Soviel ich weiß, beziehen Sie außerdem noch ein monatliches Salär von fünfhundert Mark von ihr. Es fällt einem manchmal ziemlich schwer, an Ihre Liebe zu der unglücklichen Gefangenen zu glauben. Wenn ich eben Fräulein von Geschwitz darum bat, meine Hilfe anzunehmen, so geschah es gewiß nicht, um Ihre unersättliche Goldgier aufzustacheln. Die Bewunderung, die ich vor Fräulein von Geschwitz in dieser Sache hegen gelernt, empfinde ich Ihnen gegenüber noch lange nicht. Es ist mir überhaupt unklar, was Sie an mich für Ansprüche geltend machen. Daß Sie zufällig bei der Ermordung meines Vaters zugegen waren, hat zwischen Ihnen und mir noch nicht die geringsten verwandtschaftlichen Bande geschaffen. Dagegen bin ich fest davon überzeugt, daß Sie, wenn Ihnen das heroische Unternehmen der Gräfin Geschwitz nicht zugute gekommen wäre, heute ohne einen Pfennig irgendwo betrunken im Rinnstein lägen.

RODRIGO Und wissen Sie, was aus Ihnen geworden wäre, wenn Sie das Käseblatt, das Ihr Vater redigierte, nicht um zwei Millionen veräußert hätten? – Sie hätten sich mit dem ausgemergeltsten Ballettmädchen zusammengetan und wären heute Stallknecht im Zirkus Humpelmeier. Was arbeiten Sie denn? – Sie haben ein Schauerdrama geschrieben, in dem die Waden meiner Braut die beiden Hauptfiguren sind und das kein anständiges Theater zur Aufführung bringt. Sie Nachtjacke Sie! Ich habe auf diesem Brustkasten noch vor zwei Jahren zwei gesattelte Kavalleriepferde balanciert. Wie das jetzt mit der Plauze werden soll, ist mir allerdings rätselhaft. Die Französinnen bekommen einen schönen Begriff von der deutschen Kunst, wenn sie mir bei jedem Kilo mehr den Schweiß aus den Trikots tröpfeln sehen. Ich werde den ganzen Zuschauerraum verpesten mit meiner Ausdünstung.

ALWA Sie sind ein Waschlappen.

RODRIGO Wollte Gott, Sie hätten recht! Oder wollten Sie mich vielleicht beleidigen? – Dann setze ich Ihnen die Fußspitze unter die Kinnlade, daß Ihnen Ihre Zunge an der Tapete spazierengeht.

ALWA Versuchen Sie das doch!

Tritte und Stimmen werden von außen hörbar.

ALWA Was ist das . . .?

RODRIGO Es ist ein Glück für Sie, daß wir hier kein Publikum haben.

ALWA Wer kann das sein?

RODRIGO Das ist meine Geliebte! Seit einem vollen Jahre haben wir uns jetzt nicht mehr gesehen.

ALWA Wie wollten denn die schon zurück sein! – Wer mag da kommen! – Ich erwarte niemanden.

RODRIGO Zum Henker, so schließen Sie doch auf!

ALWA Verstecken Sie sich!

RODRIGO Ich stelle mich hinter die Portière. Da habe ich vor einem Jahr auch schon einmal gestanden.

Rodrigo verschwindet hinter der Portière rechts vorn. Alwa öffnet die Mitteltüre, worauf Alfred Hugenberg, den Hut in der Hand, eintritt.

ALWA Mit wem habe ich . . . Sie? – Sind Sie nicht . . .?

HUGENBERG Alfred Hugenberg.

ALWA Was wünschen Sie?

HUGENBERG Ich komme von Münsterberg. Ich bin heute morgen geflüchtet.

ALWA Ich bin augenleidend. Ich bin gezwungen, die Jalousien geschlossen zu halten.

HUGENBERG Ich brauche Ihre Hilfe, Sie werden sie mir nicht versagen. Ich habe einen Plan vorbereitet. – Hört man uns?

ALWA Wovon sprechen Sie? – Was für einen Plan?

HUGENBERG Sind Sie allein?

ALWA Ja. – Was wollten Sie mir mitteilen?

HUGENBERG Ich habe zwei Pläne nacheinander wieder fallen lassen. Was ich Ihnen jetzt sage, ist bis auf jeden möglichen Zwischenfall durchgearbeitet. Wenn ich Geld hätte, würde ich Sie nicht ins Vertrauen ziehen. Ich dachte zuerst lange daran – – Wollen Sie mir nicht erlauben, Ihnen meinen Entwurf auseinanderzusetzen?

ALWA Wollen Sie mir bitte sagen, wovon Sie denn eigentlich sprechen?

HUGENBERG Die Frau kann Ihnen unmöglich so gleichgültig sein, daß ich Ihnen das sagen muß. Was Sie vor dem Untersuchungsrichter zu Protokoll gaben, hat ihr mehr genützt als alles, was der Verteidiger sagte.

ALWA Ich verbitte mir eine derartige Unterstellung.

HUGENBERG Das sagen Sie so; das verstehe ich natürlich. Aber Sie waren doch ihr bester Entlastungszeuge.

ALWA Sie waren der! Sie sagten, mein Vater habe sie zwingen wollen, sich selbst zu erschießen.

HUGENBERG Das wollte er auch. Aber man glaubte mir nicht; ich wurde nicht vereidigt.

ALWA Wo kommen Sie jetzt her?

HUGENBERG Aus einer Besserungsanstalt, aus der ich heute morgen ausgebrochen bin.

ALWA Und was beabsichtigen Sie?

HUGENBERG Ich erschleiche mir das Vertrauen eines Gefängnisschließers.

ALWA Wovon wollen Sie denn leben?

HUGENBERG Ich wohne bei einer Prostituierten, die ein Kind von meinem Vater hat.

ALWA Wer ist Ihr Vater?

HUGENBERG Er ist Polizeidirektor. Ich kenne das Gefängnis, ohne daß ich jemals drin war; und mich wird, so wie ich jetzt bin, kein Aufseher erkennen. Aber darauf rechne ich gar nicht. Ich weiß eine eiserne Leiter, von der man vom ersten Hof aus aufs Dach und durch eine Dachluke unter den Dachboden gelangt. Vom Innern aus führt kein Weg dorthin. Aber in allen fünf Flügeln liegen Bretter und Latten unter den Dächern und große Haufen Späne. Ich schleppe die Bretter und Latten und Späne an fünf Enden zusammen und zünde sie an. Ich habe alle Taschen voll Zündmaterial, wie es zum Feuermachen gebraucht wird.

ALWA Dann verbrennen Sie doch!

HUGENBERG Natürlich, wenn ich nicht gerettet werde. Aber um in den ersten Hof zu kommen, muß ich den Schließer in meiner Gewalt haben, und dazu brauche ich Geld. Nicht daß ich ihn bestechen will; das würde nicht gelingen. Ich muß ihm das Geld vorher leihen, damit er seine drei Kinder in die Sommerfrische schicken kann. Dann drücke ich mich morgens um vier, wenn die Sträflinge aus geachteten Familien entlassen werden, zur Tür hinein. Er schließt hinter mir ab. Er fragt mich, was ich vorhabe; ich bitte ihn, mich am Abend wieder hinauszulassen. Und eh' es hell wird, bin ich unter dem Dachboden.

ALWA Wie sind Sie aus der Besserungsanstalt entkommen?

HUGENBERG Ich bin zum Fenster hinausgesprungen. Ich brauche zweihundert Mark, damit der Kerl seine Familie in die Sommerfrische schicken kann.

RODRIGO *aus der Portière tretend* Wünschen der Herr Baron den Kaffee im Musikzimmer oder auf der Veranda serviert?

HUGENBERG Wo kommt der Mensch her?! – Aus derselben Türe! – Er sprang aus derselben Türe heraus!

ALWA Ich habe ihn in Dienst genommen. Er ist zuverlässig.

HUGENBERG *sich an die Schläfen greifend* Ich Dummkopf! – Ich Dummkopf!

RODRIGO   Ja, ja, wir haben uns hier schon gesehen! Scheren Sie sich zu Ihrer Frau Vize-Mama! Ihr Brüderchen möchte seinen Geschwistern gerne Onkel werden. Machen Sie Ihren Herrn Papa zum Großvater seiner Kinder. Sie haben uns gefehlt! Wenn Sie mir in den nächsten vierzehn Tagen noch einmal unter die Augen kommen, dann schlage ich Ihnen den Kürbis zu Brei zusammen.

ALWA   Seien Sie doch ruhig!

HUGENBERG   Ich Dummkopf!

RODRIGO   Was wollen Sie mit Ihren Brennmaterialien! – Wissen Sie denn nicht, daß die Frau seit drei Wochen tot ist?

HUGENBERG   Hat man ihr den Kopf abgeschlagen?

RODRIGO   Nein, den hat sie noch. Sie ist an der Cholera krepiert.

HUGENBERG   Das ist nicht wahr.

RODRIGO   Was wollen Sie denn wissen! – Da, lesen Sie; hier! *Zieht ein Zeitungsblatt hervor und deutet auf eine Notiz darin* »Die Mörderin des Dr. Schön . . .« *Gibt das Blatt an Hugenberg.*

HUGENBERG *liest*   »Die Mörderin des Dr. Schön ist im Gefängnis auf unbegreifliche Weise an der Cholera erkrankt.« – Da steht nicht, daß sie gestorben ist.

RODRIGO   Was will sie denn sonst getan haben? Sie liegt seit drei Wochen auf dem Kirchhof. In der Ecke links hinten, hinter den Müllhaufen, wo die kleinen Kreuze sind, an denen kein Name steht, da liegt sie unter dem ersten. Sie erkennen den Platz daran, daß kein Gras darauf wächst. Hängen Sie einen Blechkranz hin, und dann machen Sie, daß Sie wieder in Ihre Kinderbewahranstalt kommen, sonst denunziere ich Sie bei der Polizei. Ich kenne das Frauenzimmer, das sich durch Sie ihre Mußestunden versüßen läßt.

HUGENBERG   Ist es wahr, daß sie tot ist?

ALWA   Gott sei Dank, ja! – Ich bitte Sie, mich nicht länger in Anspruch zu nehmen. Mein Arzt verbietet mir, Besuche zu empfangen.

HUGENBERG   Meine Zukunft ist so wenig mehr wert! Ich hätte das letzte bißchen, das mir das Leben noch gilt, gerne an ihr Glück hingegeben. Pfeif drein! Auf irgendeine Art werde ich nun doch wohl zum Teufel gehen!

RODRIGO   Wenn Sie sich unterstehen und mir oder dem Herrn Doktor hier oder meinem ehrenwerten Freund Schigolch noch in irgendwelcher Weise zu nahe treten, dann verklage ich Sie wegen beabsichtigter Brandstifterei. Ihnen tun drei Jahre Zuchthaus not, damit Sie wissen, wo Ihre Finger nicht hineingehören. – Und jetzt hinaus!

HUGENBERG   Ich Dummkopf!

RODRIGO Hinaus!! *Wirft Hugenberg zur Tür hinaus. Nach vorne kommend* Nimmt mich wunder, daß Sie dem Lümmel nicht auch Ihr Portemonnaie zur Verfügung gestellt haben.

ALWA Ich verbitte mir Ihre Unflätigkeiten! Der Junge ist im kleinen Finger mehr wert als Sie!

RODRIGO Ich habe an dieser Geschwitz schon Genossenschaft genug. Soll meine Braut eine Gesellschaft mit beschränkter Haftpflicht werden, dann mag ein anderer vorangehen. Ich gedenke die pompöseste Luftgymnastikerin aus ihr zu machen und setze deshalb gerne meine Gesundheit aufs Spiel. Aber dann bin ich Herr im Hause und bezeichne selber die Kavaliere, die sie bei sich zu empfangen hat.

ALWA Der Junge hat das, was unserem Zeitalter fehlt. Er ist eine Heldennatur. Er geht deshalb natürlich zugrunde. Erinnern Sie sich, wie er vor Verkündigung des Urteils aus der Zeugenbank sprang und dem Vorsitzenden zurief: »Woher wollen Sie wissen, was aus Ihnen geworden wäre, wenn Sie sich als zehnjähriges Kind die Nächte barfuß hätten in den Cafés herumtreiben müssen?!«

RODRIGO Hätte ich ihm nur gleich eine dafür in die Fresse hauen können! – Gottlob gibt es Zwangserziehungsanstalten, in denen man solchem Pack Respekt vor dem Gesetz einflößt.

ALWA Er wäre so einer, der mir in meinem »Weltbeherrscher« Modell stehen könnte. Seit zwanzig Jahren bringt die dramatische Literatur nichts als Halbmenschen zustande; Männer, die keine Kinder machen, und Weiber, die keine gebären können. Das nennt man »modernes Problem«. Wenn ich bedenke, mit welch traurigen Jammergestalten sich mein Jugendfreund die Ehre erkämpft hat, der größte deutsche Dichter zu sein, dann wird es mir schwer, ihn um seinen Lorbeer zu beneiden. Seine Helden begehen Selbstmord, weil sie im Lauf von fünf Akten nicht bis drei zählen lernen. Und dafür begeistert sich ein in Gummiwäsche und Jägerhemden gekleidetes, von Schmutz starrendes Publikum von Klavierlehrerinnen, das an Häßlichkeit jeden Kehrichthaufen überbietet, der sich an den Hinterpforten eines Palastes aufstaut. Ich müßte nicht unter Exemplaren, wie es mein Vater und seine zweite Frau waren, groß geworden sein, wenn ich ihm seinen Lorbeer nicht sachte vom Haupte nehme.

RODRIGO Ich habe mir eine zwei Zoll dicke Nilpferdpeitsche bestellt. Wenn die keinen Sukzeß bei ihr hat, dann will ich Kartoffelsuppe im Hirnkasten haben. Ist es Liebe oder sind es Prügel, danach fragt kein Weiberfleisch; hat es nur Unterhaltung, dann bleibt es stramm und frisch. Sie steht jetzt im zwanzigsten Jahr, war dreimal verheiratet, hat eine kolossale Menge Liebhaber befriedigt, da melden sich auch schließlich die Herzensbedürfnisse. Aber dem Kerl müssen die sieben Todsünden auf der Stirn geschrieben stehen, sonst verehrt sie ihn nicht. Wenn der Mensch so aussieht, als hätte ihn ein Hundefänger auf die Straße gespuckt, dann hat er bei solchen Frauenspersonen keinen Prinzen zu fürchten. Ich miete eine Remise an der Rue Lafontaine; da wird sie dressiert; und hat sie den ersten Tauchersprung exekutiert, ohne den Hals zu brechen, dann ziehe ich meinen schwarzen Frack an und rühre bis an mein Lebensende keinen Finger mehr. Bei ihrer praktischen Einrichtung kostet es die Frau nicht halb soviel Mühe, ihren Mann zu ernähren, wie umgekehrt. Wenn ihr der Mann nur die geistige Arbeit besorgt und den Familiensinn nicht in die Puppen gehen läßt.

ALWA   Ich habe die Menschheit beherrschen und als eingefahrenen Viererzug vor mir im Zügel führen gelernt – aber der Junge will mir nicht aus dem Kopf. Ich kann bei diesem Gymnasiasten wirklich noch Privatunterricht in der Weltverachtung nehmen.

RODRIGO   Sie soll sich das Fell getrost mit Tausendmarkscheinen tapezieren lassen! Den Direktoren zapfe ich die Gagen mit der Zentrifugalpumpe ab. Ich kenne die Bande. Brauchen sie einen nicht, dann darf man ihnen die Stiefel putzen, und wenn sie eine Künstlerin nötig haben, dann schneiden sie sie mit den verbindlichsten Komplimenten eigenhändig vom lichten Galgen herunter.

ALWA   In meinen Verhältnissen habe ich außer dem Tod nichts mehr in dieser Welt zu fürchten – im Reich der Empfindungen bin ich der ärmste Bettler! Aber ich bringe den moralischen Mut nicht mehr auf, meine befestigte Position gegen die Aufregungen des wilden Abenteurerlebens einzutauschen.

RODRIGO   Sie hatte Papa Schigolch und mich zusammen auf den Strich geschickt, damit wir ihr ein kräftiges Mittel gegen Schlaflosigkeit aufstöbern. Jeder bekam ein Zwanzigmarkstück für Reiseunkosten. Da sehen wir den Jungen im Café »Nachtlicht« sitzen. Er saß wie ein Verbrecher auf der Anklagebank. Schigolch beroch ihn von allen Seiten und sagte: »Der ist noch Jungfrau.«

Oben auf der Galerie werden schleppende Schritte hörbar.

RODRIGO   Da ist sie! – Die zukünftige pompöseste Luftgymnastikerin der Jetztzeit!

Über der Treppe teilt sich der Vorhang, und Lulu, im schwarzen Kleid, auf Schigolchs Arm gestützt, schleppt sich langsam die Treppe herunter.

SCHIGOLCH   Hü, alter Schimmel! Wir müssen heute noch nach Paris.

RODRIGO *Lulu mit blöden Augen anglotzend* Himmel, Tod und Wolkenbruch!

LULU Langsam! Du klemmst mir den Arm ein!

RODRIGO Woher nimmst du die Schamlosigkeit, mit einem solchen Wolfsgesicht aus dem Gefängnis auszubrechen?!

SCHIGOLCH Halt die Schnauze!

RODRIGO Ich laufe nach der Polizei! Ich mache Anzeige! Diese Vogelscheuche will sich in Paris in Trikots sehen lassen. Da kosten schon die Wattons zwei Monatsgagen. – Du bist die perfideste Hochstaplerin, die je im Hotel »Ochsenbutter« Logis bezogen hat!

ALWA Ich bitte Sie, die Frau nicht zu beschimpfen!

RODRIGO Beschimpfen nennen Sie das?! – Ich habe mir dieser abgenagten Knochen wegen meinen Wanst angefressen! Ich bin erwerbsunfähig! Ich will ein Hanswurst sein, wenn ich noch einen Besenstiel hochstemmen kann! Aber mich soll hier auf dem Platze der Blitz erschlagen, wenn ich mir nicht eine Lebensrente von zehntausend Mark jährlich aus Ihren Gemeinheiten herausknoble! Das kann ich Ihnen sagen! Glückliche Reise! Ich laufe nach der Polizei! – *Ab.*

SCHIGOLCH Lauf, lauf!

LULU Der wird sich hüten!

SCHIGOLCH Den sind wir los. – Und jetzt schwarzen Kaffee für die Dame!

ALWA *am Tisch links vorn* Hier ist Kaffee; man braucht nur einzuschenken.

SCHIGOLCH Ich muß noch die Schlafwagenbillette besorgen.

LULU O Freiheit! Herrgott im Himmel!!

SCHIGOLCH In einer halben Stunde hol' ich dich. Abschied feiern wir im Bahnhofsrestaurant. Ich bestelle ein Souper, das bis Paris vorhält. – Guten Morgen, Herr Doktor!

ALWA Guten Abend!

SCHIGOLCH Angenehme Ruhe! – Danke, ich kenne hier jede Türklinke. Auf Wiedersehen! Viel Vergnügen! – *Durch die Mitteltür ab.*

LULU Ich habe seit anderthalb Jahren kein Zimmer gesehen – Gardinen, Sessel, Bilder . . .

ALWA Willst du nicht trinken?

LULU Ich habe seit fünf Tagen schwarzen Kaffee genug geschluckt. Hast du keinen Schnaps?

ALWA Ich habe Elixir de Spa.

LULU Das erinnert an alte Zeiten. *Sieht sich, während Alwa zwei Gläschen füllt, im Saal um* Wo ist denn mein Bild?

ALWA   Das habe ich in meinem Zimmer, damit man es hier nicht sieht.

LULU   Hol doch das Bild her.

ALWA   Hast du deine Eitelkeit auch im Gefängnis nicht verloren?

LULU   Wie angstvoll einem ums Herz wird, wenn man monatelang sich selbst nicht mehr gesehen hat! Dann bekam ich eine nagelneue Kehrichtschaufel. Wenn ich morgens um sieben ausfegte, hielt ich sie mir mit der Rückseite vors Gesicht. Das Blech schmeichelt nicht, aber ich hatte doch meine Freude. – Hol das Bild aus deinem Zimmer. Soll ich mitkommen?

ALWA   Um Gottes willen, du mußt dich schonen!

LULU   Ich habe mich jetzt lang genug geschont.

ALWA *geht durch die Türe rechts ab, um das Bild zu holen.*

LULU *allein*   Er ist herzleidend; aber sich vierzehn Monate mit der Einbildung plagen müssen – wer erträgt das! Er küßt mit Todesbangen, und seine beiden Knie schlottern wie bei einem ausgefrorenen Handwerksburschen. Aber in Gottes Namen! – – Hätte ich in diesem Zimmer nur seinen Vater nicht in den Rücken geschossen!

ALWA *kommt zurück mit Lulus Bild im Pierrotkostüm*   Es ist ganz verstaubt. Ich hatte es mit der Vorderseite gegen den Kamin gelehnt.

LULU   Du hast es nicht angesehen, während ich fort war?

ALWA   Ich hatte infolge des Verkaufs unserer Zeitung so viel geschäftliche Dinge zu erledigen. Die Geschwitz würde es gerne bei sich in ihrer Wohnung aufgehängt haben, aber sie hatte Haussuchungen zu gewärtigen. *Er hebt das Bild auf die Staffelei.*

LULU   Nun lernt das arme Ungeheuer das Freudenleben im Hotel »Ochsenbutter« auch aus eigener Erfahrung kennen.

ALWA   Ich begreife noch jetzt nicht, wie die Ereignisse eigentlich zusammenhängen.

LULU   Sie war als Diakonissin nach Hamburg gereist und hatte die Unterwäsche einer Cholerakranken nach deren Tod gegen ihre eigene gewechselt. Sie schickte sie mir, als sie zurück war. Wir verständigten uns durch Briefe, in denen immer nur das letzte Wort auf jeder Seite galt. Ich wurde ins Lazarett transportiert und lag schon nach zwei Tagen mit ihr zusammen in der Isolierbaracke. Da machte sie sich mir in allem so ähnlich wie möglich und wurde dann als geheilt entlassen. Heute kam sie noch einmal, um mich zu besuchen. Jetzt liegt sie dort als die Mörderin des Doktor Schön.

ALWA   Mit dem Bilde kannst du es, soweit es die äußere Erscheinung betrifft, immer noch aufnehmen.

LULU   Im Gesicht bin ich etwas schmal, aber sonst habe ich nichts verloren. Man wird nur unglaublich nervös im Gefängnis.

ALWA   Du sahst schrecklich elend aus, als du hereinkamst.

LULU   Das mußte ich, um uns den Springfritzen vom Halse zu schaffen. – Und du, was hast du in den anderthalb Jahren getan?

ALWA   Ich hatte mit einem Stück, das ich über dich geschrieben, einen Achtungserfolg in der literarischen Gesellschaft.

LULU   Wer ist dein Schatz?

ALWA   Eine Schauspielerin, der ich eine Wohnung in der Karlstraße gemietet habe.

LULU   Liebt sie dich?

ALWA   Wie soll ich das wissen! Ich habe die Frau seit sechs Wochen nicht gesehen.

LULU   Erträgst du das?

ALWA   Das wirst du nie begreifen. Bei mir besteht die intimste Wechselwirkung zwischen meiner Sinnlichkeit und meinem geistigen Schaffen. So z. B. bleibt mir dir gegenüber nur die Wahl, dich künstlerisch zu gestalten oder dich zu lieben.

LULU   Mir träumte alle paar Nächte einmal, ich sei einem Lustmörder unter die Hände geraten. Komm, gibt mir einen Kuß!

ALWA   In deinen Augen schimmert es wie der Wasserspiegel in einem tiefen Brunnen, in den man einen Stein geworfen hat.

LULU   Komm!

ALWA   *küßt sie* Deine Lippen sind allerdings etwas schmal geworden.

LULU   Komm! *Sie drängt ihn in einen Sessel und setzt sich ihm aufs Knie* Graut dir vor mir? – Im Hotel »Ochsenbutter« bekamen wir alle vier Wochen ein lauwarmes Bad. Die Aufseherinnen benutzten dann die Gelegenheit, um uns, sobald wir im Wasser waren, die Taschen zu durchsuchen.

ALWA   Oh, oh!

LULU   Du fürchtest, du könntest, wenn ich fort bin, kein Gedicht mehr über mich machen?

ALWA   Im Gegenteil, ich werde einen Dithyrambus über deine Herrlichkeit schreiben.

LULU   Ich ärgere mich nur über das scheußliche Schuhwerk, das ich trage.

ALWA   Das beeinträchtigt deine Reize nicht. Laß uns der Gunst des Augenblickes dankbar sein.

LULU   Mir ist heute gar nicht danach zumut. – Erinnerst du dich des Kostümballes, auf dem ich als Knappe gekleidet war? Wie mir damals die betrunkenen Frauen nachrannten! Die Geschwitz kroch mir um die Füße herum und bat mich, ich möchte ihr mit meinen Zeugschuhen ins Gesicht treten.

ALWA   Komm, süßes Herz!

LULU   Ruhig; ich habe deinen Vater erschossen.

ALWA   Deswegen liebe ich dich nicht weniger. Einen Kuß!

LULU   Beug den Kopf zurück.

ALWA   Du hältst meine Seelenglut durch die geschicktesten Künste zurück. Dabei atmet deine Brust so keusch. Und trotzdem, wenn deine beiden großen dunklen Kinderaugen nicht wären, müßte ich dich für die abgefeimteste Dirne halten, die je einen Mann ins Verderben gestürzt hat.

LULU   Wollte Gott, ich wäre das! Komm heute mit nach Paris. Dort können wir uns sehen, so oft wir wollen, und werden mehr Vergnügen als jetzt aneinander haben.

ALWA   Durch dieses Kleid empfinde ich deinen Wuchs wie eine Symphonie. Diese schmalen Knöchel, dieses Cantabile; dieses entzückende Anschwellen; und diese Knie, dieses Capriccio; und das gewaltige Andante der Wollust. – Wie friedlich sich die beiden schlanken Rivalen in dem Bewußtsein aneinanderschmiegen, daß keiner dem andern an Schönheit gleichkommt – bis die launische Gebieterin erwacht und die beiden Nebenbuhler wie zwei feindliche Pole auseinanderweichen! Ich werde dein Lob singen, daß dir die Sinne vergehn!

LULU   Derweil vergrabe ich meine Hände in deinem Haar. Aber hier stört man uns.

ALWA   Du hast mich um meinen Verstand gebracht!

LULU   Kommst du nicht mit nach Paris?

ALWA   Der Alte fährt doch mit dir!

LULU   Der kommt nicht mehr zum Vorschein. – Ist das noch der Diwan, auf dem sich dein Vater verblutet hat?

ALWA   Schweig – Schweig . . .

ZWEITER AUFZUG

Paris. Ein geräumiger Salon in weißer Stukkatur mit breiter Flügeltür in der Hinterwand. Zu beiden Seiten derselben hohe Spiegel. In beiden Seitenwänden je zwei Türen; dazwischen rechts eine Rokokokonsole mit weißer Marmorplatte, darüber Lulus Bild als Pierrot in schmalem Goldrahmen in der Wand eingelassen. In der Mitte des Salons ein schmächtiges, hellgepolstertes Sofa Louis XV. Breite hellgepolsterte Fauteuils mit dünnen Beinen und schmächtigen Armlehnen. Links vorn ein kleiner Tisch. Die Mitteltür steht offen und läßt im Hinterzimmer einen breiten Bakkarattisch, von türkischen Polstersesseln umstellt, sehen.

Alwa Schön, Rodrigo Quast, der Marquis Casti-Piani, Bankier Puntschu, Journalist Heilmann, Lulu, die Gräfin Geschwitz, Madelaine de Marelle, Kadéga di Santa Croce, Bianetta Gazil, Ludmilla Steinherz bewegen sich im Salon in lebhafter Konversation.

Die Herren sind in Gesellschaftstoilette. – Lulu trägt eine weiße Directoirerobe mit mächtigen Puffärmeln und einer vom oberen Taillensaum frei auf die Füße fallenden weißen Spitze; die Arme in weißen Glacés, das Haar hochfrisiert mit einem kleinen weißen Federbusch. – Die Geschwitz in hellblauer, mit weißem Pelz verbrämter, mit Silberborten verschnürter Husarentaille. Weißer Schlips, enger Stehkragen und steife Manschetten mit riesigen Elfenbeinknöpfen. – Madelaine de Marelle in hellem regenbogenfarbigen Changeantkleid mit sehr breiten Ärmeln, langer schmaler Taille und drei Volants aus spiralförmig gewundenen Rosabändern und Veilchenbuketts. Das Haar in der Mitte gescheitelt, tief über die Schläfen fallend, an den Seiten gelockt. Auf der Stirn ein Perlmutterschmuck, von einer feinen, unter das Haar gezogenen Kette gehalten. – Kadéga di Santa Croce, ihre Tochter, zwölf Jahre alt, in hellgrünen Atlasstiefeletten, die den Saum der weißseidenen Socken freilassen; der Oberkörper in weißen Spitzen; hellgrüne, enganliegende Ärmel; perlgraue Glacés; offnes schwarzes Haar unter einem großen hellgrünen Spitzenhut mit weißen Federn. – Bianetta Gazil in dunkelgrünem Samt; perlenbesetzter Göller, Blusenärmel, faltenreicher Rock ohne Taille, der untere Saum mit großen, in Silber gefaßten falschen Topasen besetzt. – Ludmilla Steinherz in einer grellen, blau und rot gestreiften Seebadtoilette. – Armande und Bob reichen Champagner. – Armande in knappem schwarzen Kleid, rechtwinklig ausgeschnitten, mit weißem Fichu Maria Antoinette. – Bob, vierzehn Jahre alt, in rotem Jackett, prallen Lederhosen und blinkenden Stulpstiefeln.

RODRIGO *das volle Glas in der Hand* Mesdames et Messieurs – excusez – Mesdames et Messieurs – vous me permettez – soyez tranquilles – c'est le – *zu Ludmilla Steinherz* Was heißt Geburtstagsfest?

LUDMILLA STEINHERZ   L'anniversaire!

RODRIGO Heißen Dank. C'est le – c'est l'anniversaire de notre bien aimable hôtesse – comtesse, qui nous a réuni ici – ce soir. Permettez, Mesdames et Messieurs – c'est à la santé de la comtesse Adélaïde d'Oubra – Verdammt und zugenäht! – que je bois, à la santé de notre bien aimable hôtesse, la comtesse Adélaïde – dont c'est aujourd'hui l'anniversaire . . . *Alle umringen Lulu und stoßen mit ihr an.*

ALWA *zu Rodrigo* Ich gratuliere dir.

RODRIGO Ich schwitze von oben bis unten. – Il vous faut bien m'excuser que je ne parle pas mieux le Français parce que je ne suis pas Parisien.

BIANETTA GAZIL De quel pays êtes-vous?

RODRIGO Je suis Autrichien.

BIANETTA GAZIL Vous maniez les poids, Monsieur?

RODRIGO Parfaitement, Madame.

MADELAINE DE MARELLE Moi, en général, je n'aime pas les athlètes. Je préfère les tireurs. Il y avait un tireur, il y a quinze mois, au Casino, chaque fois, qu'il faisait boum, moi je faisais . . . *Sie zuckt mit dem Leib.*

CASTI-PIANI Dites donc, chère belle, comment se fait-il que ce soit la première fois qu'on ait le plaisir de rencontrer votre charmante petite princesse?

MADELAINE DE MARELLE Vous la trouvez tellement charmante? – Elle vit dans son convent. Elle n'est à Paris que pour vingt-quatre heures. Elle rentrera demain soir.

KADÉGA DI SANTA CROCE Tu dis, petite mère?

MADELAINE DE MARELLE Mon bijou – je viens de raconter à ces messieurs que l'autre semaine tu as eu le premier prix de géométrie.

HEILMANN Quels jolis cheveux elle a!

CASTI-PIANI Regardez ces pieds! Cette manière de marcher! –

PUNTSCHU Certes, elle est de râce!

MADELAINE DE MARELLE Ayez donc pitié, Messieurs! Elle est encore tellement enfant.

PUNTSCHU Voilà ce qui ne me gênerait pas! Je donnerais dix ans de ma vie si je pouvais introduire mademoiselle dans les grands mystères de notre évangile.

MADELAINE DE MARELLE Eh bien, Monsieur, je ne consentirais pas pour un million. Je ne veux pas lui gâter son heureuse enfance comme on a gâté la mienne.

CASTI-PIANI Belle âme! Vous n'y consentiriez pas non plus pour une petite parure en vrais diamants?

MADELAINE DE MARELLE Pas de blagues! Vous ne m'achèterez

pas de vrais diamants ni à moi ni à ma fille. Vous n'en êtes que trop sûr.

Ludmilla Steinherz *zur Gräfin Geschwitz* Die Pariser Malerschulen, wissen Sie, sind alle gut. Dafür sind wir schließlich in Paris. Ich rate Ihnen zu Julian. Wenn Sie in die Passage Panorama eintreten, der erste Seitengang links. Da sehen Sie dann gleich mit großen Buchstaben angeschrieben »Ecole Julian«.

Die Geschwitz Ich weiß noch nicht, ob ich in eine Schule gehen werde. Es nimmt so viel Zeit weg.

Bianetta Gazil Est-ce qu'on ne joue pas ce soir?

Ludmilla Steinherz Mais si, Madame, on jouera; je l'espère bien!

Bianetta Gazil Allons donc prendre nos places. Je voudrais gagner.

Die Geschwitz Une petite seconde, Mesdames; j'ai à dire deux mots à mon amie.

Casti-Piani *der Gazil den Arm bietend* Madame – vous m'accorderez la faveur d'être de moitié avec vous. Vous avez la main si heureuse. *Er führt sie ins Spielzimmer, Ludmilla Steinherz folgt ihnen.*

Rodrigo Au déjeûner, ce matin, la servante me demande: »Désirez-vous du pissenlit, Monsieur?«

Heilmann Eh bien, mon cher; qu'est-ce que vous lui avez répondu?

Rodrigo Je disais: »Merci, ma belle; je n'en ai pas l'habitude.«

Lulu Ce qu'il est bête!

Madelaine de Marelle Vous faites de l'esprit, Monsieur.

Puntschu Ce serait à peu près, comme si vous me demandiez des actions de la Société du Funiculaire de la Jung-Frau et si je vous répondais, moi: »Elle ne l'est plus maintenant!«

Madelaine de Marelle Je ne comprends pas, Monsieur.

Puntschu Parce que vous ne savez pas l'Allemand, Madame. Jung-Frau, c'est un mot allemand, qui veut dire Vierge.

Madelaine de Marelle Est-ce que vous en avez encore, de ces actions là?

Puntschu J'en ai quelques milles, moi; mais je les garde. Il n'y aura guère d'occasion semblable pour se faire une petite fortune.

Heilmann Moi, je n'en ai qu'une seul jusqu'à present. Je voudrais en avoir d'autres.

Puntschu Si vous voulez, Monsieur, j'essayerai de vous les procurer. Mais je vous en préviens, vous les payerez des prix exorbitants.

MADELEINE DE MARELLE   J'ai eu de la chance, moi, dans cette affaire. Je m'y suis prise de bonne heure. J'y ai mis toutes mes économies. – Si ça ne réussit pas, gare à vous!

PUNTSCHU   Je suis tout-à-fait sur de moi. Un jour, Madame, vous me baiserez les mains. Vous ferez un petit pélérinage en Suisse, avec Mademoiselle votre fille, vous monterez avec ce Funiculaire et vous bénirez du haut de la montagne ce pays fertile, la source de vos richesses.

ALWA   Vous n'avez rien à craindre, Madame. Moi aussi, j'y ai engagé ma fortune jusqu'au dernier sou. Je les ai payées fort cher, mes actions, mais je ne le regrette pas. Elles montent d'un jour à l'autre; c'est extraordinaire.

MADELAINE DE MARELLE   Eh bien, tant mieux. *Seinen Arm nehmend* Allons au jeu!

Madelaine de Marelle, Alwa, Puntschu, Lulu, Heilmann und Kadéga gehen ins Spielzimmer. Armande und Bob nach links ab. – Rodrigo und die Gräfin Geschwitz bleiben zurück.

RODRIGO *kritzelt etwas auf einen Zettel und faltet denselben zusammen; die Geschwitz bemerkend* Hm, gräfliche Gnaden ... *Da die Geschwitz zusammenzuckt* Seh' ich denn so gefährlich aus? *Für sich* Ich muß ein Bonmot machen. *Laut* Darf ich mir vielleicht etwas herausnehmen?

DIE GESCHWITZ   Scheren Sie sich zum Henker!

CASTI-PIANI *Lulu in den Salon führend* Sie erlauben mir nur zwei Worte.

LULU *während ihr Rodrigo unbemerkt einen Zettel in die Hand drückt* Bitte, soviel Sie wollen.

RODRIGO   Ich habe die Ehre, mich zu empfehlen. *Ins Spielzimmer ab.*

CASTI-PIANI *zur Geschwitz* Lassen Sie uns allein!

LULU *zu Casti-Piani* Habe ich Sie wieder durch irgend etwas gekränkt?

CASTI-PIANI *da sich die Geschwitz nicht vom Fleck rührt* Sind Sie taub?

Die Geschwitz geht tief aufseufzend ins Spielzimmer ab.

LULU   Sag es nur gleich heraus, wieviel du haben willst.

CASTI-PIANI   Mit Geld kannst du mir nicht mehr dienen.

LULU   Wie kommst du auf den Gedanken, daß wir kein Geld mehr haben?

CASTI-PIANI Weil du mir gestern euren letzten Rest ausgehändigt hast.

LULU Wenn du dessen sicher bist, wird es ja wohl so sein.

CASTI-PIANI Ihr seid auf dem trocknen, du und dein Schriftsteller.

LULU Wozu denn die vielen Worte? – Wenn du mich bei dir haben willst, brauchst du mir nicht erst mit dem Henkerbeil zu drohen.

CASTI-PIANI Das weiß ich. Ich habe dir aber schon mehrmals gesagt, daß du gar nicht mein Fall bist. Ich habe dich nicht ausgeraubt, weil du mich liebtest, sondern ich habe dich geliebt, um dich ausrauben zu können. Bianetta ist mir von oben bis unten angenehmer als du. Du stellst die ausgesuchtesten Leckerbissen zusammen, und wenn man seine Zeit verplempert hat, ist man hungriger als vorher. Du liebst schon zu lang, auch für unsere Pariser Verhältnisse. Einem gesunden jungen Menschen ruinierst du nur das Nervensystem. Um so vorteilhafter eignest du dich für die Stellung, die ich dir ausgesucht habe.

LULU Du bist verrückt! – Habe ich dich gebeten, mir eine Stellung zu verschaffen?

CASTI-PIANI Ich sagte dir doch, daß ich Stellenvermittlungsagent bin.

LULU Du sagtest mir, du seiest Polizeispion.

CASTI-PIANI Davon kann man nicht leben. Ursprünglich war ich Stellenvermittlungsagent, bis ich über ein Pfarrerstöchterchen stolperte, dem ich eine Stellung in Val Paraiso verschafft hatte. Das Holdchen hatte sich in seinen kindlichen Träumen das Leben noch berauschender vorgestellt und beklagte sich bei Mama. Darauf wurde ich festgesetzt. Durch charaktervolles Benehmen gewann ich mir aber rasch das Vertrauen der Kriminalpolizei. Mit einem Monatswechsel von hundertfünfzig Mark schickte man mich hierher, weil man wegen der ewigen Bombenattentate unser hiesiges Kontingent verdreifachte. Aber wer kommt hier mit hundertfünfzig Mark im Monat aus? – Meine Kollegen lassen sich von Kokotten aushalten. Mir lag es natürlich näher, meinen früheren Beruf wiederaufzunehmen. Die Französin geht, wenn sie das Herz auf dem rechten Fleck hat, allerdings nicht ins Ausland. Aber von den unzähligen Abenteuerinnen, die sich hier aus den besten Familien der ganzen Welt zusammenfinden, habe ich schon manches lebenshungrige junge Geschöpf an den Ort seiner natürlichen Bestimmung befördert.

LULU Ich tauge nicht für diesen Beruf.

CASTI-PIANI   Deine Ansichten über diese Frage sind mir vollkommen gleichgültig. Die Staatsanwaltschaft bezahlt demjenigen, der die Mörderin des Doktor Schön der Polizei in die Hand liefert, tausend Mark. Ich brauche nur den Sergeant de ville heraufzupfeifen, der unten an der Ecke steht, dann habe ich tausend Mark verdient. Dagegen bietet das Etablissement Oikonomopulos in Kairo sechzig Pfund für dich. Das sind fünfzehnhundert Francs, das sind zwölfhundert Mark, also zweihundert Mark mehr, als der Staatsanwalt bezahlt. Übrigens bin ich immerhin noch soweit Philanthrop, um meinen Lieben lieber zum Glücke zu verhelfen, als daß ich sie ins Unglück stürze.

LULU   Das Leben in einem solchen Haus kann ein Weib von meinem Schlag nie und nimmer glücklich machen. Als ich fünfzehn Jahre alt war, hätte mir das gefallen können. Damals verzweifelte ich daran, daß ich jemals glücklich werden würde. Ich kaufte mir einen Revolver und lief nachts barfuß durch den tiefen Schnee über die Brücke in die Anlagen hinaus, um mich zu erschießen. Dann lag ich aber glücklicherweise drei Monate im Spital, ohne einen Mann zu Gesicht zu bekommen. In jener Zeit gingen mir die Augen über mich auf, und ich erkannte mich. In meinen Träumen sah ich Nacht für Nacht den Mann, für den ich geschaffen bin und der für mich geschaffen ist. Und als ich dann wieder auf die Männer losgelassen wurde, da war ich kein dummes Gänschen mehr. Seither sehe ich es jedem bei stockfinsterer Nacht auf hundert Schritt Entfernung an, ob wir füreinander bestimmt sind. Und wenn ich mich gegen meine Erkenntnis versündige, dann fühle ich mich am nächsten Tage an Leib und Seele beschmutzt und brauche Wochen, um den Ekel, den ich vor mir empfinde, zu überwinden. Und nun bildest du dir ein, ich werde mich jedem Lumpenkerl hingeben!

CASTI-PIANI   Lumpenkerle verkehren bei Oikonomopulos in Kairo nicht. Seine Kundschaft setzt sich aus schottischen Lords, aus russischen Würdenträgern, indischen Gouverneuren und unseren flotten rheinischen Großindustriellen zusammen. Ich muß nur dafür garantieren, daß du Französisch sprichst. Bei deinem eminenten Sprachtalent wirst du übrigens auch rasch genug so viel Englisch lernen, wie du zu deiner Tätigkeit nötig hast. Dabei residierst du in einem fürstlich ausgestatteten Appartement mit dem Ausblick auf die Minaretts der El-Azhar-Moschee, wandelst den ganzen Tag auf faustdicken persischen Teppichen, kleidest dich jeden Abend in eine märchenhafte Pariser Balltoilette, trinkst so viel Sekt, wie deine Kunden bezahlen können; und schließlich bleibst du ja auch bis zu einem gewissen Grad deine eigene Herrin. Wenn dir der Mann nicht gefällt, dann brauchst du ihm keinerlei Empfindung entgegenzubringen. Du läßt ihn seine Karte abgeben, und damit holla! Wenn sich die Luder darauf nicht einübten, dann wäre die ganze Sache überhaupt unmöglich, weil jede nach den ersten vier Wochen mit Sturmschritt zum Teufel ginge.

LULU   Ich glaube wirklich, seit gestern ist in deinem Gehirn irgend etwas nicht mehr, wie es sein soll! Soll ich mir einreden lassen, daß der Ägypter für eine Person, die er gar nicht kennt, fünfzehnhundert Francs bezahlt?

CASTI-PIANI   Ich habe mir erlaubt, ihm deine Bilder zu schicken!

LULU   Die Bilder hast du ihm geschickt, die ich dir gab?

CASTI-PIANI   Du siehst, daß er sie besser zu würdigen weiß als ich. Das Bild, auf dem du als Eva vor dem Spiegel stehst, wird er, wenn du dort bist, wohl unter der Haustür aufhängen. Dann kommt für dich noch eins in Betracht. Bei Oikonomopulos in Kairo bist du vor deinen Henkern sicherer, als wenn du dich in einen kanadischen Urwald verkriechst. Man überführt so leicht keine ägyptische Kurtisane in ein deutsches Gefängnis, erstens schon aus Sparsamkeitsrücksichten und zweitens aus Furcht, man könnte dadurch der ewigen Gerechtigkeit zu nahe treten.

LULU   Was schert mich eure ewige Gerechtigkeit! Du kannst dir an deinen fünf Fingern abzählen, daß ich mich nicht in ein solches Vergnügungslokal sperren lasse.

CASTI-PIANI   Dann erlaubst du, daß ich den Polizisten heraufpfeife.

LULU   Warum bittest du mich nicht einfach um fünfzehnhundert Francs, wenn du das Geld nötig hast?

CASTI-PIANI   Ich habe gar kein Geld nötig! – Übrigens bitte ich dich deshalb nicht darum, weil du auf dem trocknen bist.

LULU   Wir haben noch dreißigtausend Mark.

CASTI-PIANI   In Jungfrau-Aktien! Ich habe mich nie mit Aktien abgegeben. Der Staatsanwalt bezahlt in deutscher Reichswährung, und Oikonomopulos zahlt in englischem Gold. Du kannst morgen früh in Marseille sein. Die Mittelmeerfahrt dauert nicht viel mehr als fünf Tage. In spätestens vierzehn Tagen bist du in Sicherheit. Hier in Paris stehst du dem Gefängnis näher als irgendwo. Es ist ein Wunder, das ich als Polizeiorgan nicht fasse, daß ihr hier ein volles Jahr unbehelligt habt leben können. Aber so gut, wie ich euren Antezedentien auf die Spur kam, kann bei deinem starken Verbrauch an Männern jeden Tag einer meiner Kollegen die glückliche Entdeckung machen. Dann darf ich mir den Mund wischen, und du verbringst deine genußfähigsten Lebensjahre in der Einsamkeit. Willst

du dich bitte gleich entscheiden. Um halb ein Uhr fährt der Zug nach
Marseille. Sind wir bis elf Uhr nicht handelseinig, dann pfeife ich
den Sergeant de ville herauf. Andernfalls packe ich dich, so wie du
dastehst, in einen Fiacre, fahre dich nach der Gare de Lyon und be-
gleite dich morgen abend aufs Schiff.

LULU   Es kann dir damit doch unmöglich ernst sein?!

CASTI-PIANI   Begreifst du nicht, daß es mir nur um deine leibliche Rettung zu tun ist?

LULU   Ich gehe mit dir nach Amerika, nach China; aber ich
kann mich selbst nicht verkaufen lassen! Das ist schlimmer als Gefängnis.

CASTI-PIANI   Lies einmal diesen Herzenserguß! *Er zieht einen
Brief aus der Tasche*   Ich werde ihn dir vorlesen. Hier ist der
Poststempel »Kairo«, damit du nicht glaubst, ich arbeite mit ge-
fälschten Dokumenten. Das Mädchen ist Berlinerin, war zwei
Jahre verheiratet, und das mit einem Mann, um den du sie beneidet hättest, einem ehemaligen Kameraden von mir. Er reist jetzt
in Diensten einer Hamburger Kolonialgesellschaft.

LULU *munter*   Dann besucht er seine Frau ja vielleicht gelegent-
lich.

CASTI-PIANI   Das ist nicht ausgeschlossen. Aber höre diesen im-
pulsiven Ausdruck ihrer Seligkeit! Mein Mädchenhandel erscheint
mir durchaus nicht ehrenvoller, als ihn der erste beste Richter
taxieren würde; aber solch ein Freudenschrei läßt mich für den
Augenblick eine gewisse sittliche Genugtuung empfinden. Ich bin
stolz darauf, mein Geld damit zu verdienen, daß ich das Glück
mit vollen Händen ausstreue. *Er liest*   »Lieber Herr Meier!« –
So heiße ich als Mädchenhändler – »Wenn Sie nach Berlin kommen, gehen Sie bitte sofort in das Konservatorium an der Pots-
damer Straße und fragen Sie nach Gusti von Rosenkron – das
schönste Weib, das ich je in Natur gesehen habe; entzückende
Hände und Füße, von Natur schmale Taille, gerader Rücken,
strotzender Körper, große Augen und Stumpfnase – ganz so, wie
Sie es bevorzugen. Ich habe ihr schon geschrieben. Mit der Singerei
hat sie keine Aussicht. Die Mutter hat keinen Pfennig. Leider
schon zweiundzwanzig, aber verschmachtend nach Liebe. Kann
nicht heiraten, weil vollkommen mittellos. Habe mit Madame gesprochen. Man nimmt mit Vergnügen noch eine Deutsche, wenn gut
erzogen und musikalisch. Italienerinnen und Französinnen können
mit uns nicht wetteifern, weil zu wenig Bildung. Wenn Sie Fritz
sehen sollten . . .« – Fritz ist der Mann; er läßt sich natürlich scheiden – ». . . dann sagen Sie ihm, alles war Langeweile. Er wußte es

nicht besser, ich wußte es auch nicht . . .« – Jetzt folgt die Aufzählung ihrer Glückseligkeiten . . .

LULU Ich kann nicht das einzige verkaufen, das je mein eigen war.

CASTI-PIANI Laß mich doch weiterlesen!

LULU Ich liefere dir heute abend noch unser ganzes Vermögen aus.

CASTI-PIANI Glaub mir doch um Gottes willen, daß ich euren letzten Sou schon bekommen habe. Wenn wir nicht bis elf Uhr das Haus verlassen haben, dann transportiert man dich morgen mit deiner Sippschaft per Schub nach Deutschland.

LULU Du kannst mich nicht ausliefern!

CASTI-PIANI Meinst du, das wäre das Schlimmste, was ich in meinem Leben gekonnt habe? – Ich muß für den Fall, daß wir heute nacht nach Marseille fahren, nur rasch noch ein Wort mit Bianetta reden.

Casti-Piani geht ins Spielzimmer, die Tür hinter sich auf lassend. Lulu starrt vor sich hin, das Billett, das ihr Rodrigo zusteckte und das sie während des ganzen Gesprächs zwischen den Fingern hielt, mechanisch zerknitternd. Alwa erhebt sich hinter dem Spieltisch, ein Wertpapier in der Hand, und kommt in den Salon.

ALWA *zu Lulu* Brillant! Es geht brillant! Die Geschwitz setzt eben ihr letztes Hemd. Puntschu hat mir noch zehn Jungfrau-Aktien versprochen. Die Steinherz macht ihre kleinen Profitchen. *Er geht nach links vorne ab.*

LULU *allein* Ich soll in ein Bordell? – – *Sie liest den Zettel, den sie in der Hand hält, und lacht wie toll.*

ALWA *kommt von links zurück, eine Kassette in der Hand* Machst du denn nicht mit?

LULU Gewiß, gewiß. Warum nicht!

ALWA Apropos, im »Berliner Tageblatt« steht heute, daß sich der Alfred Hugenberg im Gefängnis aus dem dritten Stockwerk ins Treppenhaus hinuntergestürzt hat.

LULU Ist denn der auch im Gefängnis?

ALWA Nur in einer Art von Präventivhaft. Gerüchtweise verlautet, sein Vater, der Polizeidirektor, habe, während der Junge beerdigt wurde, Selbstmordversuch gemacht.

Alwa geht ins Spielzimmer ab. Lulu will ihm folgen. In der Tür tritt ihr die Gräfin Geschwitz entgegen.

DIE GESCHWITZ Du gehst, weil ich komme?

LULU   Weiß Gott, nein. Aber wenn du kommst, dann gehe ich.

DIE GESCHWITZ   Du hast mich um alles betrogen, was ich an Glücksgütern auf dieser Welt noch besaß. Du könntest in deinem Verkehr mit mir zum allerwenigsten die äußerlichen Anstandsformen wahren.

LULU   Ich bin gegen dich so anständig wie gegen jede andere Frau. Ich bitte dich nur, es auch mir gegenüber zu sein.

DIE GESCHWITZ   Hast du die leidenschaftlichen Beteuerungen vergessen, durch die du mich, während wir zusammen im Krankenhaus lagen, dazu verführtest, daß ich mich für dich ins Gefängnis sperren ließ?!

LULU   Wozu hast du mir denn vorher die Cholera angehängt?! Ich habe während des Prozesses noch ganz andere Dinge beschworen, als was ich dir versprechen mußte. Mich schüttelt der Ekel bei dem Gedanken, daß das jemals Wirklichkeit werden sollte!

DIE GESCHWITZ   Dann betrogst du mich also mit vollem Bewußtsein?!

LULU   Um was bist du denn betrogen? Deine körperlichen Vorzüge haben hier einen so begeisterten Bewunderer gefunden, daß ich mich frage, ob ich nicht noch einmal Klavierunterricht geben muß, um mein Dasein zu fristen. Kein siebzehnjähriges Kind macht einen Mann liebestoller, als du Ungeheuer den braven Kerl durch deine Widerspenstigkeit machst!

DIE GESCHWITZ   Von wem sprichst du? Ich verstehe kein Wort.

LULU   Ich spreche von deinem Kunstturner, von Rodrigo Quast. Er ist Athlet; er balanciert zwei gesattelte Kavalleriepferde auf seinem Brustkasten. Kann sich eine Frau etwas Herrlicheres wünschen? Er sagte mir eben noch, daß er diese Nacht in die Seine springe, wenn du dich seiner nicht erbarmst.

DIE GESCHWITZ   Ich beneide dich nicht um deine Geschicklichkeit, die hilflosen Opfer, die dir durch unerforschliche Bestimmung überantwortet sind, zu martern. Ich kann dich überhaupt nicht beneiden. Ein Bedauern, wie ich es mit dir fühle, hat mir mein eigener Jammer noch nicht abgerungen. Ich fühle mich frei wie ein Gott bei dem Gedanken, welcher Kreaturen Sklavin du bist!

LULU   Von wem sprichst du denn?

DIE GESCHWITZ   Ich spreche von Casti-Piani, dem die verworfenste Niederträchtigkeit in lebenden Buchstaben auf der Stirn geschrieben steht.

LULU   Schweig! Ich gebe dir Tritte in den Leib, wenn du schlecht von dem Jungen sprichst. Er liebt mich mit einer Aufrichtigkeit, gegen die deine abenteuerlichsten Aufopferungen die reine Bettelei

sind. Er gibt mir Beweise von Selbstverleugnung, die mir deine Zu-
mutungen erst in ihrer ganzen Abscheulichkeit zeigen. Was gibt man
nicht hin, wenn man Gelüste hat wie du! Du bist im Leib deiner
Mutter nicht ganz fertig geworden, weder als Weib noch als Mann.
Du bist kein Mensch wie wir anderen. Für einen Mann war der vorhandene Stoff nicht ausreichend, und zum Weib hast du zuviel Hirn
in den Schädel bekommen. Deshalb bist du verrückt! Wende dich mit
deinen Gefühlen an Fräulein Bianetta Gazil. Die ist gegen Bezah-
lung zu allem zu haben. Drück ihr zwanzig Francs in die Hand,
dann gehört sie dir.

Bianetta Gazil, Madelaine de Marelle, Ludmilla Steinherz, Rod-
rigo, Casti-Piani, Puntschu, Heilmann und Alwa kommen aus dem
Spielzimmer in den Salon.

LULU   Um Gottes willen, was ist passiert?

PUNTSCHU   Mais rien du tout, ma chère. On va se rafraîchir.

MADELAINE DE MARELLE   Tout le monde a gagné, c'est épatant!

BIANETTA   Moi, j'ai gagné au moins quarante louis . . .

LUDMILLA STEINHERZ   Il ne faut pas s'en vanter, mon amie!

MADELEINE DE MARELLE   C'est vrai; ça ne porte pas bonheur.

BIANETTA GAZIL   Mais la Banque aussi a gagné!

ALWA   Es ist pyramidal, wo das Geld herkommt!

CASTI-PIANI   Tant mieux; on n'a pas besoin de se priver de
Champagne.

HEILMANN   J'ai au moins, moi, de quoi me payer un diner au
Café de Paris.

ALWA   Venez, Mesdames, au buffet!

Die ganze Gesellschaft begibt sich nach rechts ins Spielzimmer. – Lulu
wird von Rodrigo zurückgehalten.

RODRIGO   Une petite seconde, Madame. – Hast du mein Billetdoux schon gelesen?

LULU   Droh mir mit Anzeigen, soviel du Lust hast! Ich habe
keine zwanzigtausend Francs mehr.

RODRIGO   Lüg mich nicht an, du Kanaille! Ihr habt noch vierzig-
tausend Mark; der Lämmerschwanz hat mir das eben noch bestätigt.

LULU   Dann wende dich mit deinen Erpressungen doch an ihn!
Mir ist es egal, was er mit seinem Gelde tut.

RODRIGO   Ich danke dir! Bei dem Hornochsen brauche ich zweimal vierundzwanzig Stunden, bis er begreift, wovon die Rede ist.
Und dann kommen seine Erläuterungen und Auseinandersetzungen,
denen gegenüber einem sterbensübel wird. Derweil schreibt mir

meine Braut: »Tout est fini entre nous!«, und ich kann den Leier-
kasten umhängen.

LULU   Hast du dich denn hier in Paris verlobt?

RODRIGO   Ich hätte dich wohl erst um Erlaubnis fragen sollen?
Was war hier mein Dank dafür, daß ich dich auf Kosten meiner Gesundheit aus dem Gefängnis befreit habe? – La misère noire! Ihr
habt mich preisgegeben! Ich hätte Packträger werden können, wenn
mich dieses Mädchen nicht aufgenommen hätte. In den Folies-Bergère
warf man mir gleich am ersten Abend einen Sammetfauteuil an den
Kopf. Die französische Nation ist zu heruntergekommen, um noch
gediegene Kraftleistungen zu würdigen. Wäre ich ein boxendes
Känguruh, dann hätten sie mich interviewt und in allen Journalen
abgebildet. Gott sei Dank hatte ich auf der Toilette schon die Bekanntschaft meiner Célestine gemacht. Als ich ihr meine zwei Sous in
die Hand drückte, erklärte sie mir, sie beabsichtige, sich aus der
Öffentlichkeit zurückzuziehen. Sie hat die Ersparnisse zwanzigjäh-
riger Arbeit auf dem Crédit Lyonnais deponiert. Dabei liebt sie mich
um meiner selbst willen. Sie geht nicht wie du nur auf Gemeinheiten
aus. Sie hat drei Kinder von einem englischen Bischof, die alle zu
den schönsten Hoffnungen berechtigen. Übermorgen früh werden
wir uns auf der Mairie des ersten Arrondissements standesamtlich
trauen lassen.

LULU   Meinen Segen hast du dazu.

RODRIGO   Dein Segen kann mir gestohlen werden! Ich habe meiner Braut gesagt, ich hätte zwanzigtausend Francs auf der Bank
liegen.

LULU   Dabei prahlt der Kerl noch, daß ihn das Mädchen um seiner selbst willen liebt!

RODRIGO   Meine Célestine verehrt den Gemütsmenschen in mir,
und nicht den Kraftmenschen, wie du das getan hast und all die
anderen. Das ist jetzt überstanden! Erst rissen sie einem die Kleider vom Leib, und dann wälzten sie sich mit der Femme de chambre
herum. Ich will ein Totengerippe sein, wenn ich mich noch jemals auf
solche Belustigungen einlasse!

LULU   Warum zum Henker verfolgst du denn die unglückliche
Geschwitz mit deinen schmutzigen Anträgen?

RODRIGO   Weil das Frauenzimmer von Adel ist. Ich bin Homme
du monde und verstehe mich besser als irgendeiner von euch auf den
Pariser Konversationston. – Aber jetzt bitte ich um eine bündige
Antwort. Wirst du mir bis morgen abend das Geld verschaffen oder
nicht?

LULU   Ich habe kein Geld.

RODRIGO   Ich will Hühnerdreck im Kopf haben, wenn ich mich damit abspeisen lasse! Er gibt dir den letzten Sou, den er hat, wenn du nur einmal deine verdammte Pflicht und Schuldigkeit tust und ihn nicht umsonst vor deiner Tür winseln läßt. Du hast den armen Jungen hierher gelockt, und jetzt kann er sehen, wo er ein passendes Engagement für seine Vervollkommnung auftreibt.

LULU   Was schert es dich, ob er das Geld mit Weibern oder am Spieltisch vertut?!

RODRIGO   Wollt ihr denn mit Gewalt den letzten Pfennig, den sich sein Vater an der Zeitung verdient hat, diesem wildfremden Pack in den Rachen jagen?! Du machst vier Menschen glücklich, wenn du fünfe gerad sein läßt und dich einem wohltätigen Zweck opferst! Muß es denn immer und immer nur Casti-Piani sein!

LULU   Soll ich ihn vielleicht bitten, daß er dir die Treppe hinunterleuchtet?

RODRIGO   Comme vous voulez, ma chère! Wenn ich bis morgen abend die zwanzigtausend Francs nicht habe – du kannst sie auf dem Postbureau an der Avenue de l'Opéra deponieren –, dann erstatte ich Anzeige bei der Polizei, und euer Luderleben hat ein Ende. – Au plaisir de vous revoir!

Journalist Heilmann kommt atemlos von links hinten.

LULU   Sie suchen Madelaine de Marelle? – Sie ist nicht hier.

HEILMANN   Nein, ich suche etwas anderes.

RODRIGO *ihm den Weg weisend*   Die zweite Tür rechts, bitte.

LULU *zu Rodrigo*   Hast du das schon von deiner Braut gelernt?

HEILMANN *stößt in der Tür links auf Bankier Puntschu*   Pardon, mein Engel.

PUNTSCHU   Ach, Sie sind's! Madame de Marelle erwartet Sie im Lift.

HEILMANN   Fahren Sie bitte mit ihr hinauf. Ich bin gleich zurück.

Heilmann eilt nach links ab. Lulu geht ins Speisezimmer; Rodrigo folgt ihr.

PUNTSCHU *allein*   Quelle chaleur! – – Schneid' ich dir die Ohren nicht ab, schneidst du sie mir! – – Muß man sich durchquetschen zwischen Juden, Christen und Sirenen! – – Kann ich nicht vermieten mein Josaphat, muß ich mir helfen mit meinem Verstand! – Wird er nicht runzlig, mein Verstand; wird er nicht avachi; braucht er sich nicht zu baden in Eau de Cologne!

Bob überbringt ein Telegramm.

BOB   A Monsieur Puntschu!

PUNTSCHU *erbricht es und murmelt*   Les actions du Funiculaire de la Jung-Frau tombées . . . Attends! *Gibt Bob ein Trinkgeld* Comment t'appelles-tu?

BOB   Gaston Tarnaud, Monsieur; mais on m'a baptisé Bob parce que ça se prononce plus court comme ça.

PUNTSCHU   Es-tu né à Paris?

BOB   Oui, Monsieur.

PUNTSCHU   Quel âge? . . .

Kadéga di Santa Croce tritt von rechts hinten ein.

KADÉGA   Maman n'est pas ici?

PUNTSCHU   Non. – Quelle charmante fille, mon dieu!

KADÉGA   Je la cherche partout; je ne puis pas la trouver.

PUNTSCHU   Attendez donc; Maman va revenir. – Ist sie weiß Gott . . . *Auf Bob sehend* Und das Paar Kniehosen! – Weiß man nicht – Gott der Gerechte! – Wird mir unheimlich . . . *Nach rechts hinten ab.*

KADÉGA   Ecoutez, Monsieur, vous n'avez pas vu ma mère?

BOB   Non, Mademoiselle; je ne l'ai pas vue.

KADÉGA   J'ai tellement peur.

BOB   Madame doit être montée. Si Mademoiselle veut me suivre?

KADÉGA   Qu'est-ce qu'il y a là haut?

BOB   Vous allez voir. Nous nous cacherons dans l'escalier. Venez! Vous ne voulez pas?

KADÉGA   A quoi faire; dites?

BOB   Ça vous amusera.

KADÉGA   Eh bien, faites voir.

BOB   Pas ici.

KADÉGA   Je n'y monte pas. On va me gronder.

BOB   Eh bien, Mademoiselle.

KADÉGA   Après vous, Monsieur!

Madelaine de Marelle stürzt in heilloser Aufregung herein und bemächtigt sich Kadégas.

MADELAINE DE MARELLE   La voilà, mon Dieu! N'a-tu pas honte, vilaine garce, hein?

KADÉGA   Oh, maman; je t'ai cherchée!

MADELAINE DE MARELLE   Tu m'as cherchée! – T'ai-je envoyée me chercher? – Qu'as-tu à faire avec ce haiduck là?! – Ah, tu me connaîtras!

Alwa, Heilmann, Ludmilla Steinherz, Puntschu, die Gräfin Ge-
schwitz und Lulu treten aus dem Speisezimmer ein. – Bob hat sich
gedrückt.

MADELAINE DE MARELLE *zu Kadéga*   Ne pleure pas; tu sais!

LULU *zu Kadéga*   Qu'est-ce que tu as? Pourquoi pleures-tu, mon enfant?

PUNTSCHU *zu Kadéga*   Vous avez pleuré, Mademoiselle?

LUDMILLA STEINHERZ   La pauvre petite!

MADELAINE DE MARELLE   Ce sont les nerfs. Il n'y faut pas faire attention.

PUNTSCHU   Mais vous êtes trop sévère, Madame! Voilà l'âge le plus difficile.

DIE GESCHWITZ   Je voudrais bien qu'on retournât au jeu.

Die Gesellschaft begibt sich ins Spielzimmer. Lulu wird an der Tür
von Bob zurückgehalten, der ihr etwas zuflüstert.

LULU   Eh bien, qu'il entre.

Bob öffnet die Tür zum Korridor und läßt Schigolch eintreten.
Schigolch trägt Frack, weiße Halsbinde, schiefgetretene Lackstiefel
und einen schäbigen Klapphut, den er aufbehält.

SCHIGOLCH *mit einem Blick auf Bob*   Wo hast du den her?

LULU   Aus dem Nouveau Cirque.

SCHIGOLCH   Er ist etwas breit in den Hüften.

LULU   Er ist breiter als ich. – Gefällt dir das nicht?

SCHIGOLCH   Wieviel Lohn bekommt er bei dir?

LULU   Frag ihn, wenn dich das so interessiert.

SCHIGOLCH   Dazu reichen meine französischen Sprachkenntnisse noch nicht aus.

LULU *zu Bob*   Allez fermer les portes.

Bob geht ins Spielzimmer und schließt die Tür hinter sich.

SCHIGOLCH   Ich brauche nämlich notwendig fünfhundert Francs. Ich habe meiner Geliebten ein Appartement gemietet. Elle veut se mettre dans ses meubles.

LULU   Hast du dir hier auch noch eine Geliebte genommen?

SCHIGOLCH   Sie ist Münchnerin. In ihrer Jugend war sie die Frau des Königs von Neapel. Sie sagt mir jeden Tag, daß sie früher einmal sehr hübsch gewesen sei.

LULU   Braucht sie die fünfhundert Francs sehr nötig?

SCHIGOLCH Elle veut se mettre dans ses meubles. Solche Summen spielen doch bei dir keine Rolle.

LULU *in einen Sessel zusammenbrechend* O du allmächtiger Gott!

SCHIGOLCH Nun? – Was gibt es denn wieder?

LULU *schluchzt krampfhaft* Es ist zu grauenhaft!

SCHIGOLCH Hm – du übernimmst dich, mein Kind. – Du mußt dich zuweilen mit einem Roman zu Bett legen. – Weine nur; weine dich nur recht aus. – So hat es dich auch schon vor fünfzehn Jahren geschüttelt. Es hat seitdem kein Mensch mehr so geschrien, wie du damals hast schreien können. – Damals trugst du noch keinen weißen Federbusch auf dem Kopf und hattest auch keine durchlöcherten Strümpfe an deinen Beinen. Du hattest weder Stiefel noch Strümpfe daran.

LULU Nimm mich mit dir nach Haus! Nimm mich diese Nacht mit zu dir an den Quai de la Gare! Ich bitte dich! Wir finden unten Wagen genug!

SCHIGOLCH Ich nehme dich mit; ich nehme dich mit. – Was gibt es denn?

LULU Es geht um meinen Hals! Man zeigt mich an!

SCHIGOLCH Wer? – Wer zeigt dich an?

LULU Der Springfritze.

SCHIGOLCH Dem besorg' ich es!

LULU Besorg es ihm! Ich bitte dich, besorg es ihm! Dann tu mit mir, was du willst.

SCHIGOLCH Wenn er zu mir kommt, ist er abgetan. Mein Fenster geht auf die Seine. – Aber er kommt nicht; er kommt nicht.

LULU Welche Nummer wohnst du?

SCHIGOLCH Vingt-cinq, Quai de la Gare.

LULU Ich schicke ihn hin. Er kommt mit der verrückten Kröte, die mir um die Füße kriecht; er kommt noch heute abend. Geh nach Haus, damit sie es behaglich finden.

SCHIGOLCH Laß sie nur kommen.

LULU Morgen bring mir seine goldenen Ringe, die er in den Ohren trägt.

SCHIGOLCH Hat er Ringe in den Ohren? – Das habe ich noch gar nicht bemerkt.

LULU Du kannst sie abschneiden, bevor du ihn hinunterläßt. Er merkt es nicht, wenn er besoffen ist.

SCHIGOLCH Und dann, mein Kind? Was dann?

LULU Dann gebe ich dir fünfhundert Francs für deine Geliebte.

SCHIGOLCH Das nenne ich geizig. Hast du sonst nichts?

LULU Was du magst! Was ich habe!

SCHIGOLCH   Bald sind es zehn Jahre, daß wir uns nicht mehr kennen.

LULU   Wenn es weiter nichts ist? – Komm, so oft du willst! – Aber du hast doch eine Geliebte.

SCHIGOLCH   Meine Vroni trägt keine Brillanten. Sie ist auch nicht mehr von heute.

LULU   Aber dann schwöre!

SCHIGOLCH   Aber habe ich dir je nicht Wort gehalten?

LULU   Schwöre, daß du es ihm besorgst!

SCHIGOLCH   Ich besorge es ihm.

LULU   Schwöre es mir! Schwöre es mir!

SCHIGOLCH *legt seine Hand auf ihr Knie* – Bei allem, was heilig ist! – Heute nacht, wenn er kommt. –

LULU   Bei allem, was heilig ist! – – – Wie das kühlt!

SCHIGOLCH *macht seine Hand frei*   Wie das glüht!

LULU   Fahre nur gleich nach Haus. Sie kommen in einer halben Stunde! Nimm einen Fiacre!

SCHIGOLCH   Ich gehe schon.

LULU   Rasch! Ich bitte dich! – – – Allmächtiger . . .

SCHIGOLCH   Was starrst du mich jetzt schon wieder so an?

LULU   Nichts . . .

SCHIGOLCH   Nun? – Ist dir deine Zunge angefroren?

LULU   Mein Strumpfband ist aufgegangen . . .

SCHIGOLCH   Nun ja denn!

LULU   Was bedeutet das?

SCHIGOLCH   Was das bedeutet? Ich binde es dir, wenn du still-hältst.

LULU   Das bedeutet ein Unglück!

SCHIGOLCH   Nicht für dich, mein Kind. Sei getrost, ich besorg' es ihm. – *Ab.*

Lulu setzt den linken Fuß auf einen Schemel, bindet ihr Strumpf-band und geht ins Spielzimmer ab. – Rodrigo wird von Casti-Piani in den Salon gepufft.

RODRIGO   Behandeln Sie mich doch wenigstens anständig.

CASTI-PIANI   Was könnte mich denn dazu veranlassen?! – Ich will wissen, was Sie vorhin mit der Frau hier gesprochen haben!

RODRIGO   Dann können Sie mich gernhaben!

CASTI-PIANI   Willst du Hund mir Rede und Antwort stehen! – Du hast von ihr verlangt, sie soll mit dir im Lift hinauffahren!

RODRIGO   Das ist eine unverschämte, perfide Lüge!

CASTI-PIANI   Sie erzählte es mir selbst! Du hast ihr gedroht, sie zu denunzieren, wenn sie nicht mit dir kommt! – Soll ich dich über den Haufen schießen?

RODRIGO   Die schamlose Person! – Als könnte mir so etwas einfallen! – Wenn ich sie selber haben will, brauche ich ihr, weiß Gott im Himmel, nicht erst mit Gefängnis zu drohen!

CASTI-PIANI   Danke schön. Weiter wollte ich nichts wissen. *Nach rechts hinten ab.*

RODRIGO   So ein Hund! – Ein Kerl, den ich an die Decke werfe, daß er kleben bleibt wie ein Limburger Käse! – – Komm her, wenn ich dir die Därme um den Hals wickeln soll! – – Das wäre noch schöner!

Lulu kommt aus dem Spielzimmer.

LULU   Wo bleibst denn du? – Man muß dich suchen wie eine Stecknadel.

RODRIGO   Dem habe ich gezeigt, was es heißt, mit mir anzufangen!

LULU   Wem denn?

RODRIGO   Deinem Casti-Piani! Wie kannst du Kanaille dem Kerl erzählen, ich hätte dich verführen wollen?!

LULU   Hast du nicht von mir verlangt, daß ich mich für zwanzigtausend Francs dem Sohn meines verstorbenen Mannes hingebe?

RODRIGO   Weil es deine Pflicht ist, dich des armen Jungen zu erbarmen! Du hast ihm seinen Vater in den schönsten Lebensjahren vor der Nase weggeschossen! Aber dein Casti-Piani überlegt es sich, bevor er mir wieder unter die Augen kommt. Dem gebe ich eins vor den Bauch, daß ihm die Kaldaunen wie Leuchtkugeln zum Himmel fliegen. Wenn du keinen besseren Ersatz für mich hast, dann bedaure ich, jemals deine Gunst genossen zu haben!

LULU   Die Geschwitz hat die fürchterlichsten Zustände. Sie windet sich in Krämpfen. Sie ist imstande und springt in die Seine, wenn du sie noch länger warten läßt.

RODRIGO   Worauf wartet das Vieh denn?

LULU   Auf dich, daß du sie liebst.

RODRIGO   Dann sag ihr, ich lasse sie grüßen und sie soll in die Seine springen.

LULU   Sie leiht mir zwanzigtausend Francs, um mich vor dem Verderben zu retten, wenn du sie selber davor bewahrst. Wenn du sie heute mit dir nimmst, deponiere ich morgen zwanzigtausend Francs für dich auf dem Postbureau an der Avenue de l'Opéra.

RODRIGO   Und wenn ich sie nicht mitnehme?

LULU   Dann zeig mich an! Alwa und ich sind auf dem trockenen.

RODRIGO   Himmel, Tod und Wolkenbruch!

LULU Du machst vier Menschen glücklich, wenn du fünfe gerad sein läßt und dich einem wohltätigen Zweck opferst.

RODRIGO Das wird nicht gehn; ich weiß es im voraus. Ich habe das jetzt genug ausprobiert. Wer rechnet bei dem Schirmgestell auch auf solch ein deutsches Gemüt! Was die Person für mich hatte, war der Umstand, daß sie Aristokratin ist. Mein Benehmen war so gentlemanlike, wie man es bei deutschen Artisten überhaupt nicht findet. Hätte ich ihr nur jemals unter die Röcke gegriffen!

LULU Sie ist noch Jungfrau.

RODRIGO Wenn es einen Gott im Himmel gibt, dann werden dir deine Witze noch einmal heimgezahlt! Das prophezeie ich dir!

LULU Die Geschwitz wartet. Was soll ich ihr sagen?

RODRIGO Meine ergebenste Empfehlung, und ich sei kastriert.

LULU Das werde ich ausrichten.

RODRIGO Warte noch! – Ist es sicher, daß ich zwanzigtausend Francs von ihr erhalte?

LULU Frag sie selbst!

RODRIGO Dann sag ihr, ich sei bereit. Ich erwarte sie in der Salle à manger. Ich muß nur erst noch eine Tonne Kaviar versorgen.

Rodrigo geht ins Speisezimmer. Lulu öffnet die Tür zum Spielzimmer und ruft: »Martha!«, worauf die Gräfin Geschwitz in den Salon tritt und die Tür hinter sich schließt.

LULU Mein liebes Herz, du kannst mich heute vor dem Tode retten.

DIE GESCHWITZ Wie kann ich das?

LULU Wenn du den Springfritzen nach dem Quai de la Gare bringst.

DIE GESCHWITZ Wozu das, mein Lieb?

LULU Er sagt, du müßtest ihm heute abend noch angehören, sonst zeigt er mich morgen an.

DIE GESCHWITZ Du weißt, daß ich keinem Manne gehören kann; ich bin von meinem Verhängnis nicht dazu bestimmt.

LULU Wenn du ihm nicht zusagst, dann hat er das mit sich selbst auszumachen. Warum verliebt er sich in dich!

DIE GESCHWITZ Aber er wird brutal werden wie ein Henkersknecht. Er wird sich für seine Enttäuschung rächen und mir die Schläfen einschlagen. Ich habe das schon erlebt. – Ist es nicht möglich, daß du mir diese schwerste Prüfung ersparst?

LULU Was gewinnst denn du dabei, wenn er mich anzeigt?

DIE GESCHWITZ Ich habe in meinem Vermögen noch fünfhundert Francs. Damit könnten wir beide als Zwischendeckpassagiere nach Amerika fahren. Dort wärst du vor all deinen Verfolgern in Sicherheit.

LULU   Ich will in Paris bleiben; ich kann in keiner anderen Stadt mehr glücklich sein. Du mußt ihm sagen, daß du ohne ihn nicht leben kannst. Dann fühlt er sich geschmeichelt und wird lammfromm. Du mußt auch den Kutscher bezahlen. Sag dem Kutscher: »Vingt-cinq, Quai de la Gare.« Das ist ein Hotel sechsten Ranges, in dem man dich mit ihm heute abend erwartet. Soll ich dir die Adresse aufschreiben?

DIE GESCHWITZ   Wie soll dir eine solche Ungeheuerlichkeit das Leben retten? – Ich verstehe das nicht. – Du hast, um mich zu martern, das furchtbarste Verhängnis heraufbeschworen, das über mich Geächtete hereinbrechen kann.

LULU   Vielleicht kuriert dich die Begegnung!

DIE GESCHWITZ   O Lulu, wenn es eine ewige Vergeltung gibt, dann möchte ich nicht für dich einstehen müssen! Ich kann mich nicht darein finden, daß kein Gott über uns wacht. Und doch wirst du wohl recht haben, daß es nichts damit ist. Denn womit habe ich unbedeutendes Wurm seinen Zorn gereizt, um nur Entsetzen zu erleben, wo die ganze lebendige Schöpfung vor Seligkeit die Besinnung verliert!

LULU   Du hast dich nicht zu beklagen. Wenn du glücklich wirst, dann bist du hundert- und tausendmal glücklicher, als es einer von uns gewöhnlichen Sterblichen jemals wird.

DIE GESCHWITZ   Das weiß ich auch; ich beneide niemanden! Aber ich warte noch darauf. Du hast mich nun schon so oft betrogen.

LULU   Ich bin dein, mein Liebling, wenn du den Springfritzen bis morgen beruhigst. Er will nur seine Eitelkeit befriedigt sehen; du mußt ihn beschwören, daß er sich deiner erbarme.

DIE GESCHWITZ   Und morgen?

LULU   Ich erwarte dich, mein Herz. Ich werde die Augen nicht aufschlagen, bevor du kommst. Ich sehe keine Kammerfrau, ich empfange keinen Friseur, ich werde die Augen nicht aufschlagen, bevor du bei mir bist.

DIE GESCHWITZ   Dann laß ihn kommen.

LULU   Aber du mußt dich ihm an den Hals werfen, mein Lieb! Weißt du die Hausnummer noch?

DIE GESCHWITZ   Vingt-cinq, Quai de la Gare. – Jetzt aber rasch!

LULU *ruft ins Speisezimmer*   Voyons, viens, chéri!

RODRIGO *kommt aus dem Speisezimmer*   Die Damen entschuldigen, daß ich das Maul voll habe.

DIE GESCHWITZ *ergreift seine Hand* Ich bete Sie an! Erbarmen Sie sich meiner Not!

RODRIGO A la bonne heure! Besteigen wir das Schafott! *Er bietet der Gräfin Geschwitz den Arm und verläßt mit ihr den Salon.*

LULU Bonne nuit, chers enfants! *Sie begleitet das Paar auf den Korridor hinaus und kommt gleich darauf mit Bob zurück.*

LULU *zu Bob* Vite, mon enfant! Nous partirons à l'instant. Tu m'accompagneras. Mais nous allons nous déguiser. Tu me donneras tes vêtements et tu metteras les miens. – Vite, vite!

BOB A votre service, Madame!

Lulu und Bob ins Speisezimmer ab. Im Spielzimmer entsteht Lärm. Die Türen werden aufgerissen. Bankier Puntschu, Journalist Heilmann, Alwa Schön, Bianetta Gazil, Madelaine de Marelle, Kadéga di Santa Croce und Ludmilla Steinherz kommen in den Salon.

HEILMANN *ein Wertpapier in der Hand, auf dessen Titelkopf ein Alpenglühen zu sehen ist, zu Puntschu* Il vous faut l'accepter, Monsieur!

PUNTSCHU Mais ça n'a pas cours, mon cher!

HEILMANN Sie Spitzbube! Vous refusez de me donner ma revanche!

BIANETTA GAZIL Ah ces Prussiens!

MADELAINE DE MARELLE Est-ce que vous y comprenez quelque chose?

LUDMILLA STEINHERZ Il lui a pris son argent.

HEILMANN Et le voilà maintenant qui quitte le jeu, ce filou!

MADELAINE DE MARELLE Ah, ce n'est pas propre!

PUNTSCHU Moi qui quitte le jeu? – Que sa mise soit de l'argent, que Diable! Je ne suis pas ici dans mon bureau de change. Qu'il vienne demain à dix heures m'offrir son papier!

HEILMANN Mon papier?! – Voici seize cents francs, les actions que vous m'avez vendues!

PUNTSCHU Mais pour jouer il vous faut de l'argent comptant!

HEILMANN Wenn Sie einen bis auf den letzten Sou ausgeraubt haben, dann hat es plötzlich pas cours!

KADÉGA Qu'est-ce qu'ils disent, maman?

MADELAINE DE MARELLE Je n'en sais rien, moi –

HEILMANN Sie Halsabschneider! Sie Saujude!

PUNTSCHU Mais voyons, mon ami, soyons raisonnable! Il n'a pas de valeur, votre titre. Les actions du Funiculaire de la Jung-Frau sont tombées, ce soir, jusqu'à quinze. Je viens d'en recevoir la nouvelle par télégramme. Je n'en voulais rien dire d'abord . . .

ALWA   Mais comment ça se fait-il? Nous voilà sur le pavé!

PUNTSCHU   Et moi, qui perds toute une fortune! Demain, à la Bourse, on va nous en offrir pour cent sous la douzaine!

MADELAINE DE MARELLE   Grand Dieu! Dix-huit ans de peines et de travail! *Sie sinkt in Ohnmacht.*

KADÉGA   Oh, maman! Reveille-toi! – Elle meurt! Elle meurt!

BIANETTA GAZIL   Où allez vous, ce soir, prendre votre diner, Monsieur Puntschu?

PUNTSCHU   Je suis pressé; je vais prendre ma voiture.

BIANETTA GAZIL   M'offrez-vous à souper chez Maxime puis que vous venez de perdre toute une fortune?

PUNTSCHU   Si vous voulez. On y sera mieux, peut-être. Il ne reste rien à faire ici.

Puntschu und Bianetta Gazil verlassen den Salon.

HEILMANN *ballt seine Aktie zusammen und wirft sie zu Boden* Das hat man von dem Pack!

LUDMILLA STEINHERZ   Warum spekulieren Sie auf die Jungfrau! – Vous enverrez quelques petites notes à Berlin et le mal sera réparé.

HEILMANN   Vous avez beau dire, Madame! Ich habe das Handwerk noch nicht so los wie Sie. Wollen Sie mich nicht als Ihren Geheimsekretär in Dienst nehmen?

LUDMILLA STEINHERZ   Connaissez-vous le Mouton à cinq pattes? – Venez, allons au Mouton à cinq pattes! C'est tout près des Halles. Nous y sommes chez nous. Jusqu'au petit jour nous aurons fait un joli petit article.

HEILMANN   Vous ne dormez donc pas?

LUDMILLA STEINHERZ   La nuit? – Jamais!

Journalist Heilmann und Ludmilla Steinherz verlassen den Salon.

ALWA *über Madelaine de Marelle gebeugt* Elle a les mains glacées. Qu'elle est belle, cette femme! Il faudrait ouvrir son corsage, afin qu'elle puisse respirer plus librement.

Lulu kommt aus dem Speisezimmer in Jockeymütze, rotem Jackett, weißen Lederhosen und Stulpstiefeln, einen Radmantel um die Schultern.

LULU   Hast du noch etwas Geld, Alwa?

ALWA   Bist du verrückt geworden?

LULU In zwei Minuten kommt die Polizei. Wir sind verraten. Bleib hier, wenn du Lust hast!

ALWA Barmherziger Himmel!

Lulu und Alwa verlassen den Salon.

KADÉGA DI SANTA CROCE Maman, reveille-toi! Tout le monde s'enfuit!

MADELAINE DE MARELLE *zu sich kommend* Et la jeunesse et les beaux jours passés! Oh cette vie!

KADÉGA Mais c'est moi, qui gagnera de l'argent pour nous deux. Je ne veux plus rentrer dans mon couvent.

MADELAINE DE MARELLE Dieu te bénisse! Sais-tu bien ce que tu dis! – J'aurai peut-être un engagement au Concert Parisien. J'y chanterai mon désastre; voilà ce qui les amusera!

KADÉGA Mais tu n'as pas de voix, maman.

MADELAINE DE MARELLE Ah oui, c'est vrai!

KADÉGA Ne veux-tu pas m'y mener avec toi?

MADELAINE DE MARELLE Dans ta jupe de bébé?! Ça non, par exemple!

KADÉGA Mais justement! Suis-je pas gentille comme ça?

MADELAINE DE MARELLE Eh bien, soit donc! Dieu me le pardonne! Demain soir nous irons à l'Olympia, si tu le veux.

KADÉGA Si je veux, petite mère! Alors tu auras de quoi vivre.

EIN HERR *vom Korridor eintretend* Au nom de la loi – Madame, vous êtes arretée!

CASTI-PIANI *ihm folgend* Mais non, mais non!

DRITTER AUFZUG

London. Eine Dachkammer ohne Mansarde. Zwei große Scheiben in der Flucht des Daches öffnen sich nach oben. Rechts und links vorn je eine schlechtschließende Tür. Im rechten Proszenium eine zerrissene graue Matratze. Links vorn ein wackliger Blumentisch, auf dem eine Whiskyflasche und eine qualmende Petroleumlampe stehen. Links hinten in der Ecke eine alte Chaiselongue; neben der Mitteltür ein durchsessener Strohsessel. Man hört den Regen aufs Dach schlagen; er träufelt durch die Luke, so daß die Diele unter Wasser steht. Vorn auf der Matratze liegt Schigolch in langem grauen Paletot. Auf der Chaiselongue links in der Ecke liegt Alwa Schön, in einen Plaid gewickelt, dessen Riemen über ihm an der Wand hängt.

SCHIGOLCH Der Regen trommelt zur Parade.

ALWA Ein stimmungsvolles Wetter für ihr erstes Auftreten!

Lulu in halblangem Haar, das ihr offen über die Schulter fällt, tritt barfuß in abgerissenem schwarzen Kleide von links vorn ein mit einer Waschschüssel, die sie unter den Tropfenfall setzt.

SCHIGOLCH Wo bleibst du denn, mein Kind? – Hast du dir erst noch die Hände gewaschen?

ALWA Reinlichkeit ist der Schmuck der Armut.

LULU *sich aufrichtend, ihr Haar zurückschlagend* Wenn nur du erst hier aus dem Wege wärst.

ALWA Mir träumte eben, wir dinierten zusammen chez Maxime. Bianetta Gazil war noch mit dabei. Ich hatte fers de cheval bestellt. Das Tischtuch triefte auf allen vier Seiten von Champagner.

SCHIGOLCH Yes, yes; und mir träumte von einem Stück Christmas-Pudding.

LULU Wenn man sich an einem von euch wenigstens etwas wärmen könnte!

ALWA Willst du denn deine Pilgerfahrt barfuß antreten?

SCHIGOLCH Der erste Schritt kostet immer allerhand Geächz und Gestöhn. Vor zwanzig Jahren war das mit ihr um kein Haar besser; und was hat sie seitdem gelernt! Die Kohlen müssen nur erst gehörig angefacht sein. Wenn sie acht Tage dabei ist, halten sie keine zehn Lokomotiven mehr hier in unserer ärmlichen Dachkammer.

ALWA Die Schüssel läuft schon über.

LULU Wo soll ich denn hin mit dem Wasser?

ALWA Gieß es zum Fenster hinaus.

Lulu *steigt auf einen Stuhl und leert die Waschschale durch die Dachluke hinaus* Es scheint doch, der Regen will endlich nachlassen.

Schigolch   Du vertrödelst die Stunde, wo die Kommis vom Abendessen nach Hause gehen.

Lulu   Wollte Gott, ich läge schon irgendwo, wo mich kein Fußtritt mehr weckt!

Alwa   Das wünschte ich mir auch. Wozu dieses Leben noch in die Länge ziehen! Laßt uns lieber heute abend noch in Frieden und Eintracht zusammen verhungern. Es ist ja doch die letzte Station.

Lulu   Warum gehst denn du Faultier nicht hin und schaffst uns was zu essen?! Du hast in deinem ganzen Leben noch keinen Pfennig verdient!

Alwa   Bei diesem Wetter, bei dem man keinen Hund vor die Türe jagt!?

Lulu   Aber mich! Ich soll euch mit dem bißchen Blut, das ich noch in den Gliedern habe, das Maul stopfen.

Alwa   Ich rühre keinen Happen an von dem Geld.

Schigolch   Laß sie nur gehen. Sie hat mit fünfzehn Jahren ihre Familie ernährt. Ich sehne mich noch nach einem Christmas-Pudding; dann habe ich genug.

Alwa   Und ich sehne mich noch nach einem saftigen Beefsteak und einer Zigarette, dann sterben! – Mir träumte eben von einer Zigarette, wie ich sie noch nie geraucht habe.

Schigolch   Sie sieht uns lieber vor ihren Augen krepieren, als daß sie sich zu unserer Erlösung ein Vergnügen macht.

Lulu   Die Menschen auf der Straße lassen mir eher Mantel und Rock in den Händen, ehe sie umsonst mitgehen. Hättet ihr meine Kleider nicht verkauft, dann brauchte ich wenigstens das Laternenlicht nicht zu scheuen. Ich möchte das Weib sehen, das in den Lumpen, die ich am Leib trage, noch was verdient.

Alwa   Ich habe nichts Menschliches unversucht gelassen. Solange ich noch Geld hatte, brachte ich Nächte damit hin, Tabellen aufzubauen, mit denen man den perfektesten Falschspielern gegenüber hätte gewinnen müssen. Und dabei verlor ich Abend für Abend mehr, als wenn ich die Goldstücke eimerweise zum Fenster hinausgeschüttet hätte. Dann bot ich mich den Kurtisanen an; aber die nehmen keinen, den ihnen die Justiz nicht vorher abgestempelt hat. Und das sehen sie einem auf den ersten Blick an, ob man Beziehungen zum Galgen hat oder nicht.

Schigolch   Yes, yes.

Alwa   Ich habe mir keine Enttäuschung erspart; aber wenn ich

Witze machte, dann lachten sie über mich selbst; wenn ich mich so
anständig gab, wie ich bin, dann wurde ich geohrfeigt; und wenn ich
es mit Gemeinheiten versuchte, dann wurden sie so keusch und jung-
fräulich, daß mir vor Entsetzen die Haare zu Berge standen. Wer
die menschliche Gesellschaft nicht überwunden hat, der findet kein
Vertrauen bei ihnen.

SCHIGOLCH   Willst du nicht vielleicht endlich deine Stiefel anziehen, mein Kind? – Ich glaube, ich werde in dieser Behausung
nicht mehr viel älter werden. Von den Zehenspitzen aufwärts habe
ich schon seit Paris kein Gefühl mehr. Nachgerade wird es auch Zeit
für mich. – Und dann die Reiselust, die mich in Atem hält. Gegen
Mitternacht werde ich im Cosmopolitan-Club doch wohl noch einen
Sodom-Whisky trinken. Gestern sagte mir die Bar-Maid, ich hätte
noch Aussicht, ihr Geliebter zu werden.

LULU   In des drei Teufels Namen, ich gehe hinunter! *Sie nimmt
die Whiskyflasche vom Blumentisch und setzt sie an den Mund.*

SCHIGOLCH   Damit man dich auf eine halbe Stunde weit kommen riecht!

LULU   Ich trinke nicht alles.

ALWA   Du gehst nicht hinunter, mein Weib! Du gehst nicht hinunter! Ich verbiete es dir!

LULU   Was willst du deinem Weibe verbieten, das du nicht ernähren kannst?

ALWA   Wer ist daran schuld?! Wer anders als meine Frau hat
mich auf das Krankenlager gebracht.

LULU   Bin ich krank?

ALWA   Wer hat mich in den Kot geschleift? – Wer hat mich zum
Mörder meines Vaters gemacht?

LULU   Hast du ihn erschossen? – Er hat nicht viel verloren, aber
wenn ich dich dort liegen sehe, dann möchte ich mir beide Hände
dafür abhacken, daß ich mich so gegen meine Vernunft versündigt
habe! – *Sie geht nach links in ihre Kammer.*

ALWA   Sie hat es mir von ihrem Casti-Piani übermacht. Sie selbst
ist allerdings längst nicht mehr dafür erreichbar.

SCHIGOLCH   Solche Teufelsracker können gar nicht früh genug
mit dem Erdulden anfangen, wenn noch Engel daraus werden sollen.

ALWA   Sie hätte als Kaiserin von Rußland geboren werden müssen. Da wäre sie an ihrem Platz gewesen. Eine zweite Katharina die
Zweite.

*Lulu kommt mit einem Paar ausgetretener Stiefeletten aus ihrer
Kammer zurück und setzt sich auf die Diele, um sie anzuziehen.*

LULU   Wenn ich nur nicht kopfüber die Treppe hinunterstürze! – Hu, wie kalt! – – Gibt es etwas Traurigeres auf dieser Welt als ein Freudenmädchen!

SCHIGOLCH   Geduld, Geduld! Es muß nur erst der richtige Zug ins Geschäft kommen.

LULU   Mir soll's recht sein; um mich ist es nicht mehr schade. *Sie setzt die Whiskyflasche an* Ça me chauffe! Ça m'excite! – O verflucht!

Sie geht wankend durch die Mitteltür ab.

SCHIGOLCH   Wenn wir sie kommen hören, müssen wir uns so lange in meinem Verschlag verkriechen.

ALWA   Es ist ein Jammer um sie! – Wenn ich zurückdenke – ich bin doch gewissermaßen mit ihr zusammen aufgewachsen.

SCHIGOLCH   Solange ich lebe, hält sie jedenfalls noch vor.

ALWA   Wir verkehrten anfangs miteinander wie Bruder und Schwester. Mama lebte damals noch. Ich traf sie eines Morgens zufällig bei der Toilette. Doktor Goll war zu einer Konsultation gerufen worden. Ihr Friseur hatte mein erstes Gedicht gelesen, das ich in der »Gesellschaft« hatte drucken lassen: »Hetz deine Meute weit über die Berge hin; sie kehrt wieder von Schweiß und von Staub bedeckt ...«

SCHIGOLCH   Oh yes!

ALWA   Und dann kam sie in rosa Tüll – sie trug nichts darunter als ein weißes Atlasmieder – auf den Ball beim spanischen Gesandten. Doktor Goll schien seinen nahen Tod zu ahnen. Er bat mich, mit ihr zu tanzen, damit sie keine Tollheiten anstellte. Derweil wandte Papa kein Auge von uns, und sie sah während des Walzers über meine Schulter weg nur nach ihm. Nachher hat sie ihn erschossen. Es ist unglaublich.

SCHIGOLCH   Ich zweifle nur stark daran, daß noch einer anbeißt.

ALWA   Ich möchte es auch niemandem raten!

SCHIGOLCH   Dieses Rindvieh!

ALWA   Sie hatte damals, obgleich sie als Weib schon vollkommen entwickelt war, den Ausdruck eines fünfjährigen, munteren, kerngesunden Kindes. Sie war damals auch nur drei Jahre jünger als ich; aber wie lang ist das nun schon her! Trotz ihrer fabelhaften Überlegenheit in Fragen des praktischen Lebens ließ sie sich von mir den Inhalt von »Tristan und Isolde« erklären; und wie entzückend verstand sie sich dabei aufs Zuhören! – Aus dem Schwesterchen, das sich in seiner Ehe noch wie ein Schulmädchen fühlte, wurde dann eine unglückliche hysterische Künstlersfrau. Aus der Künstlersgattin wurde dann die Frau meines seligen Vaters; aus der Frau meines

Vaters wurde meine Geliebte. Das ist nun einmal so der Lauf der
Welt; wer will dagegen aufkommen.

SCHIGOLCH   Wenn sie im entsprechenden Augenblick nur nicht
Reißaus nimmt und uns statt dessen einen Obdachlosen herauf-
bringt, mit dem sie ihre Herzensgeheimnisse ausgetauscht hat!

ALWA   Ich küßte sie zum erstenmal in ihrer rauschenden Braut-
toilette; aber nachher wußte sie nichts mehr davon. Trotzdem glaube
ich, daß sie in den Armen meines Vaters schon an mich gedacht hat.
Oft kann es ja nicht gewesen sein. Er hatte seine Zeit hinter sich, und
sie betrog ihn mit Kutscher und Stiefelputzer. Aber wenn sie sich
ihm gab, dann stand ich vor ihrer Seele. Dadurch hat sie auch, ohne
daß ich mich dessen versehen konnte, diese furchtbare Gewalt über
mich erlangt.

SCHIGOLCH   Da sind sie!

Man hört schwere Tritte die Treppe heraufkommen.

ALWA *emporfahrend*   Ich will das nicht erleben! Ich werfe den
Kerl hinaus!

SCHIGOLCH *rafft sich mühsam auf, nimmt Alwa am Kragen und
pufft ihn nach rechts*   Vorwärts, vorwärts! Wie soll ihr der Junge
seinen Kummer beichten, wenn wir zwei uns hier herumsielen.

ALWA   Aber wenn er ihr Gemeinheiten zumutet!

SCHIGOLCH   Und wenn, und wenn! Was will er ihr denn noch
zumuten! Er ist auch nur ein Mensch wie wir.

ALWA   Wir müssen die Tür auf lassen.

SCHIGOLCH *Alwa in den Verschlag stoßend*   Wozu die Tür auf
lassen! – Kusch dich!

ALWA *im Verschlag*   Ich werde schon hören, was vorgeht. Gnade
ihm der Himmel!

SCHIGOLCH *schließt die Kammertür. Von innen*   Jetzt still!

ALWA *von innen*   Der soll sich vorsehen.

*Lulu öffnet die Mitteltür und läßt Mr. Hopkins eintreten. Mr.
Hopkins ist ein Mann von hünenhafter Gestalt, glattrasiertem rosi-
gem Gesicht, himmelblauen Augen und freundlichem Lächeln. Er
trägt Havelock und Zylinder und hält in der Hand den triefenden
Schirm.*

LULU   There is my little room.

MR. HOPKINS *legt den Zeigefinger auf den Mund und sieht Lulu
bedeutungsvoll an. Darauf spannt er seinen Schirm auf und stellt ihn
im Hintergrund zum Trocknen auf die Diele.*

LULU   It's not just too comfortable here.

MR. HOPKINS *kommt nach vorn und hält ihr die Hand vor den Mund.*

LULU What do you mean?

MR. HOPKINS *legt ihr die Hand vor den Mund und hält den Zeigefinger an die Lippen.*

LULU I don't understand that.

MR. HOPKINS *hält ihr den Mund zu.*

LULU *sich freimachend* We are alone. – There is nobody.

MR. HOPKINS *legt den Zeigefinger an die Lippen, schüttelt verneinend den Kopf, zeigt auf Lulu, öffnet den Mund wie zum Sprechen, zeigt auf sich und dann auf die Türe.*

LULU Mon Dieu, quel monstre!

MR. HOPKINS *hält ihr den Mund zu. Darauf geht er nach hinten, faßt seinen Havelock zusammen und legt ihn über den Stuhl neben der Tür. Dann kommt er mit grinsendem Lächeln nach vorne, nimmt Lulu mit beiden Händen beim Kopf und küßt sie auf die Stirn.*

SCHIGOLCH *hinter der halboffenen Tür rechts vorn* Der hat den Spleen.

ALWA Er soll sich vorsehen!

SCHIGOLCH Etwas Trostloseres hätte sie uns nicht heraufbringen können!

LULU *zurücktretend* I hope you will give me some money.

MR. HOPKINS *hält ihr den Mund zu und drückt ihr ein Zehnschillingstück in die Hand.*

LULU *besieht das Geldstück und wirft es aus einer Hand in die andere.*

MR. HOPKINS *sieht sie unsicher fragend an.*

LULU *das Geldstück in die Tasche steckend* Allright!

MR. HOPKINS *hält ihr rasch den Mund zu, gibt ihr ein Fünfschillingstück und wirft ihr einen gebieterischen Blick zu.*

LULU You are generous!

MR. HOPKINS *springt wie wahnsinnig im Zimmer umher, fuchtelt mit den Armen in der Luft und starrt verzweiflungsvoll gen Himmel.*

LULU *nähert sich ihm vorsichtig, schlingt den Arm um ihn und küßt ihn auf den Mund.*

MR. HOPKINS *macht sich lautlos lachend von ihr los und blickt fragend im Zimmer umher.*

LULU *nimmt die Lampe vom Blumentisch, wirft Mr. Hopkins einen verheißungsvollen Blick zu und öffnet die Tür zu ihrer Kammer.*

MR. HOPKINS *tritt lächelnd ein, indem er unter der Tür seinen Hut lüftet.*

LULU *folgt ihm.*

> *Die Bühne ist finster bis auf einen Lichtstrahl, der von links durch die Türspalte dringt. – Alwa und Schigolch kriechen auf allen Vieren aus ihrem Verschlag.*

ALWA   Sie sind drin.

SCHIGOLCH *hinter ihm*   Warte noch!

ALWA   Hier hört man nichts.

SCHIGOLCH   Das hat man doch oft genug gehört!

ALWA   Ich will vor ihrer Türe knien.

SCHIGOLCH   Dieses Muttersöhnchen! *Er drückt sich an Alwa vorbei, tappt über die Bühne, nimmt Mr. Hopkins' Havelock vom Stuhl und durchsucht die Taschen.*

ALWA *hat sich vor Lulus Kammertür geschlichen.*

SCHIGOLCH   Handschuhe – sonst nichts! *Er kehrt den Havelock um, durchsucht die inneren Taschen und zieht ein Buch heraus, das er an Alwa gibt* Sieh mal nach, was das ist!

ALWA *hält das Buch in den Lichtstrahl, der durch die Tür dringt, und entziffert mühsam das Titelblatt* Lessons for those – who are – and those who want to be – Christian Workers – with a preface – by Rev. W. Hay. M. H. – Very helpful. – Price three shillings six.

SCHIGOLCH   Der scheint ganz von Gott verlassen zu sein. *Legt den Mantel über den Stuhl und tastet sich nach dem Verschlag zurück* Es ist nichts hier in London. Die Nation hat ihre Glanzzeit hinter sich.

ALWA   Das Leben ist nie so schlimm, wie man es sich vorstellt. *Er kriecht ebenfalls nach dem Verschlag zurück.*

SCHIGOLCH   Nicht einmal ein seidenes Foulard hat der Kerl! Und dabei kriechen wir in Deutschland vor dem Pack auf dem Bauch!

ALWA   Laß uns wieder verschwinden. Vielleicht gibt er ihr beim Abschied noch was.

SCHIGOLCH   Sie denkt an nichts als an ihr Vergnügen und nimmt den ersten, der ihr in den Weg läuft. Hoffentlich vergißt der Hund sie zeit seines Lebens nicht.

> *Schigolch und Alwa verkriechen sich in ihr Kämmerchen und schlie-*
> *ßen die Tür hinter sich. Darauf kommt Lulu mit Mr. Hopkins aus*
> *ihrer Kammer. Sie setzt die Lampe auf den Blumentisch, während*
> *Mr. Hopkins sie sinnend betrachtet.*

LULU Do you think to come again?

MR. HOPKINS *hält ihr den Mund zu.*

LULU *etwas verklärt, blickt in einer Art Verzweiflung gen Himmel und schüttelt den Kopf.*

MR. HOPKINS *hat seinen Havelock übergeworfen und nähert sich ihr mit grinsendem Lächeln. Sie wirft sich ihm an den Hals, worauf er sich sachte losmacht, ihr die Hand küßt und sich zur Türe wendet. Sie will ihn begleiten, er winkt ihr aber zurückzubleiben und verläßt geräuschlos das Gemach. Schigolch und Alwa kommen aus ihrem Verschlag.*

LULU Hat mich der Mensch erregt!

ALWA Wieviel hat er dir gegeben?

LULU Fünfzehn Schillinge. Hier sind sie! Nimm sie! Ich gehe wieder hinunter.

SCHIGOLCH Wir können noch wie die Prinzen hier oben leben.

ALWA Er kommt zurück.

SCHIGOLCH Dann laß uns nur gleich wieder abtreten.

ALWA Er sucht sein Gebetbuch; hier ist es. Es muß ihm aus dem Mantel gefallen sein.

LULU *aufhorchend* Nein, das ist er nicht. Das ist jemand anders.

ALWA Es kommt jemand herauf. Ich höre es ganz deutlich.

LULU Jetzt tappt jemand an der Tür. – Wer mag das sein?

SCHIGOLCH Wahrscheinlich ein guter Freund, dem er uns empfohlen hat. – Herein!

Die Gräfin Geschwitz tritt ein. Sie ist in ärmlicher Kleidung und trägt eine Leinwandrolle in der Hand.

DIE GESCHWITZ Wenn ich dir ungelegen komme, dann kehre ich wieder um. Ich habe allerdings seit zehn Tagen mit keiner menschlichen Seele gesprochen. Ich muß dir nur gleich sagen, daß ich kein Geld bekommen habe. Mein Bruder hat mir gar nicht geantwortet.

SCHIGOLCH Jetzt möchten gräfliche Gnaden gerne ihre Füße unter unsern Tisch strecken?

LULU Ich gehe wieder hinunter!

DIE GESCHWITZ Wo willst du in dem Aufzug hin? – Ich komme trotzdem nicht mit ganz leeren Händen. Ich bringe dir etwas anderes. Auf dem Wege hierher am Leicester Square bot mir ein Trödler noch zwölf Schillinge dafür. Ich brachte es nicht übers Herz, mich davon zu trennen. Aber du kannst es verkaufen, wenn du willst.

SCHIGOLCH Was haben Sie denn da?

ALWA Lassen Sie doch mal sehen. *Er nimmt ihr die Leinwand-*

rolle ab und entrollt sie Ach ja, mein Gott, das ist ja Lulus Porträt!

LULU *aufschreiend* Und das bringst du Ungeheuer hierher? – Schafft mir das Bild aus den Augen! Werft es zum Fenster hinaus!

ALWA Warum nicht gar! Diesem Porträt gegenüber gewinne ich meine Selbstachtung wieder. Es macht mir mein Verhängnis begreiflich. Alles wird so natürlich, so selbstverständlich, so sonnenklar, was wir erlebt haben. Wer sich diesen blühenden schwellenden Lippen, diesen großen unschuldsvollen Kinderaugen, diesem rosig-weißen strotzenden Körper gegenüber in seiner bürgerlichen Stellung sicher fühlt, der werfe den ersten Stein auf uns.

SCHIGOLCH Man muß es annageln. Es wird einen ausgezeichneten Eindruck auf unsere Kundschaft machen.

ALWA Da drüben steckt schon ein Nagel dafür in der Wand.

SCHIGOLCH Wie kommen Sie denn zu der Akquisition?

DIE GESCHWITZ Ich habe es in eurer Wohnung in Paris heimlich aus der Wand geschnitten, nachdem ihr fort wart.

ALWA Schade, daß am Rande die Farbe abgeblättert ist! Sie haben es nicht vorsichtig genug aufgerollt. *Er befestigt das Bild mit dem oberen Rande an einem Nagel, der in der Wand steckt.*

SCHIGOLCH Es muß unten noch einer durch, wenn es halten soll. Die ganze Etage bekommt ein eleganteres Aussehen.

ALWA Laßt mich nur, ich weiß schon, wie ich es mache. *Er reißt verschiedene Nägel aus der Wand, zieht sich den linken Stiefel aus und schlägt die Nägel mit dem Stiefelabsatz durch den Rand des Bildes in die Mauer.*

SCHIGOLCH Es muß nur erst wieder eine Weile hängen, um richtig zur Geltung zu kommen. Wer sich das angesehen, der bildet sich nachher ein, die seligsten Wonnen zu genießen.

ALWA *seinen Stiefel wieder anziehend* Ihr Körper stand auf dem Höhepunkt seiner Entfaltung, als das Bild gemalt wurde. Die Lampe, liebes Kind! Mir scheint, es ist außergewöhnlich stark nachgedunkelt.

DIE GESCHWITZ Es muß ein eminent begabter Künstler gewesen sein, der das gemalt hat!

LULU *mit der Lampe vor das Bild tretend* Hast du ihn denn nicht gekannt?

DIE GESCHWITZ Nein; das muß lange vor meiner Zeit gewesen sein. Ich hörte nur zuweilen noch abfällige Bemerkungen von euch darüber, daß er sich in seinem Verfolgungswahn den Hals abgeschnitten habe.

ALWA *das Porträt mit Lulu vergleichend* Der kindliche Ausdruck in den Augen ist trotz allem, was sie seitdem genossen hat, noch ganz derselbe. Aber der frische Tau, der die Haut bedeckt, der duftige Hauch vor den Lippen, das strahlende Licht, das sich von der weißen Stirne aus verbreitet, und diese herausfordernde Pracht des jugendlichen Fleisches an Hals und Armen ...

SCHIGOLCH   Das alles ist mit dem Kehrichtwagen gefahren. Sie kann wenigstens sagen: Das war ich mal! Wem sie heute in die Hände gerät, der macht sich keinen Begriff mehr von unserer Jugendzeit.

ALWA   Gott sei Dank merkt man den fortschreitenden Verfall nicht, wenn man fortwährend miteinander verkehrt. Das Weib blüht für uns in dem Moment, wo es den Menschen auf Lebenszeit ins Verderben stürzen soll. Das ist nun einmal so eine Naturbestimmung.

SCHIGOLCH   Unten im Laternenschimmer nimmt sie es noch mit einem Dutzend dieser englischen Windmühlen auf. Wer um diese Zeit noch eine Bekanntschaft machen will, der sieht überhaupt nicht auf körperliche Qualitäten. Er fragt nach den seelischen Vorzügen. Er entscheidet sich für diejenige Person, von der er am wenigsten Diebesgelüste zu fürchten hat.

LULU   Ich werde es ja sehen, ob du recht hast. Adieu.

ALWA   Du gehst nicht mehr hinunter, so wahr ich lebe!

DIE GESCHWITZ   Wo willst du hin?

ALWA   Sie will sich einen Kerl heraufholen.

DIE GESCHWITZ   Lulu!

ALWA   Sie hat es heute schon einmal getan.

DIE GESCHWITZ   Lulu, Lulu, ich gehe mit, wohin du gehst!

SCHIGOLCH   Wenn Sie Ihre Knochen auf Zinsen legen wollen, dann suchen Sie sich bitte Ihr eigenes Trottoir.

DIE GESCHWITZ   Lulu, ich gehe dir nicht von der Seite! Ich habe Waffen bei mir.

SCHIGOLCH   Verflucht noch mal! Gräfliche Gnaden legen es darauf an, mit unserem Speck zu fischen!

LULU   Ihr bringt mich um! Ich halte es hier nicht mehr aus!

DIE GESCHWITZ   Du brauchst nichts zu fürchten. Ich bin bei dir!

Lulu mit der Gräfin Geschwitz durch die Mitte ab. ·

SCHIGOLCH   Sakerment, Sakerment, Sakerment!

ALWA *wirft sich auf eine Chaiselongue*   Ich glaube, ich habe vom Diesseits nicht mehr viel Gutes zu erwarten.

SCHIGOLCH   Man hätte das Frauenzimmer an der Kehle zurückhalten müssen. Sie vertreibt alles, was Odem hat, mit ihrem aristokratischen Totenschädel.

ALWA   Sie hat mich aufs Krankenlager geworfen und mich von außen und innen mit Dornen gespickt!

SCHIGOLCH   Dafür hat sie allerdings auch genug Courage für zehn Mannsleute im Leib.

ALWA   Keinen Verwundeten wird der Gnadenstoß jemals dankbarer finden als mich!

SCHIGOLCH   Wenn sie den Springfritzen nicht nach dem Quai de la Gare gelockt hätte, dann hätten wir ihn heute noch auf dem Hals.

ALWA   Ich sehe ihn über meinem Haupte schweben wie Tantalus den Zweig mit goldenen Äpfeln.

Pause.

SCHIGOLCH *auf seiner Matratze*   Willst du die Lampe nicht ein wenig hinaufschrauben?

ALWA   Ob wohl ein schlichter Naturmensch in seiner Wildnis auch so unsäglich leiden kann? – Mein Gott, was habe ich aus meinem Leben gemacht!

SCHIGOLCH   Was hat das Hundewetter aus meinem Havelock gemacht! – Mit fünfundzwanzig Jahren wußte ich mir zu helfen.

ALWA   Es hat nicht jeder meine herrliche, sonnige Jugendzeit gekostet!

SCHIGOLCH   Ich glaube, sie geht gleich aus. – Bis sie zurückkommen, wird es hier dunkel wie im Mutterleib.

ALWA   Ich suchte mit klarstem Zielbewußtsein den Verkehr mit Menschen, die nie in ihrem Leben ein Buch gelesen haben. Ich klammerte mich mit aller Selbstverleugnung und Begeisterung daran, um zu den höchsten Höhen dichterischen Ruhmes emporgetragen zu werden. Die Rechnung war falsch. Ich bin der Märtyrer meines Berufes. Seit dem Tode meines Vaters habe ich nicht einen einzigen Vers mehr geschrieben.

SCHIGOLCH   Wenn sie nur nicht zusammengeblieben sind! – Wer kein dummer Junge ist, geht sowieso nicht mit zweien.

ALWA   Sie sind nicht zusammengeblieben!

SCHIGOLCH   Das hoffe ich. Sie hält sich die Person im Notfall mit Fußtritten vom Leib.

ALWA   Der eine, aus der Hefe des Volkes hervorgegangen, ist der gefeiertste Dichter seiner Nation; und der andere, im Purpur geboren, liegt in London in der Grundhefe und kann nicht sterben.

SCHIGOLCH   Jetzt kommen sie!

ALWA   Und wie selige Stunden gemeinsamer Schaffensfreude hatten sie miteinander erlebt!

Schigolch Das können sie jetzt erst recht. – Wir müssen uns wieder verkriechen.

Alwa Ich bleibe hier.

Schigolch Was bedauerst du sie? – Wer sein Geld ausgibt, hat auch seine Gründe dafür!

Alwa Ich habe den moralischen Mut nicht mehr, um mich wegen einer Summe von fünfzehn Schillingen in meiner Behaglichkeit stören zu lassen. *Er verkriecht sich unter seinem Plaid.*

Schigolch Ein anständiger Mensch tut, was er seiner Stellung schuldig ist. *Verbirgt sich in dem Verschlag.*

Lulu *die Tür öffnend* Come in, come in!

Kungu Poti, Erbprinz von Uahube, in hellem Überrock, hellen Beinkleidern, weißen Gamaschen, gelben Knopfstiefeln und grauem Zylinder, tritt ein.

Kungu Poti It's very dark in the stair-case.

Lulu Come in, darling. Here is more light.

Kungu Poti Is that your sitting-room?

Lulu Yes, Sir.

Kungu Poti I feel cold.

Lulu Take you a drink?

Kungu Poti Well. Have you any brandy?

Lulu Yes. Come on. *Ihm die Flasche gebend* I don't know where the glass is.

Kungu Poti That does not matter. *Setzt die Flasche an* Well.

Lulu You are a nice young man.

Kungu Poti My father is Sultan of Uahube. I have six women in London, three English, and three French. Well, I don't like to see them. They are too stylish for me.

Lulu Will you stay longtime in London?

Kungu Poti Well. When my father is dead, I must go to Uahube. My kingdom is twice size of England.

Lulu How much will you give me?

Kungu Poti I give you a sovereign. Yes, I will give you one pound. I give always a sovereign.

Lulu You may give me afterwards, but you must show it to me first.

Kungu Poti Never I pay beforehand!

Lulu Allright, but show me your money.

Kungu Poti No, Daisy. Come on! *Sie um den Leib fassend* Come on!

Lulu Let me go, I say!

KUNGU POTI *greift ihr in die Haare*   Come on, Daisy; where is the bed?

LULU   No, no; don't that!

KUNGU POTI *reißt sie zu Boden*   Well!

ALWA *springt vom Lager auf und packt Kungu Poti von hinten an der Kehle.*

KUNGU POTI   Well, that's a den! That's a murderhole! *Er versetzt Alwa eins mit dem Totschläger über den Kopf.*

ALWA *bricht stöhnend zusammen.*

KUNGU POTI   Well. I am going. *Ab.*

LULU   – – Ich bleibe auch nicht hier. – In eine Kaserne! – – Why look you so sorrowful, my dear? *Ab. Schigolch kommt aus seinem Verschlag.*

SCHIGOLCH *über Alwa gebeugt*   Blut! – Alwa! – – Man muß ihn beiseite schaffen. – Hopp! – Sonst nehmen unsere Freunde Anstoß an ihm! – Alwa! Alwa! – Wer da nicht mit sich im klaren ist –! – Entweder oder; sonst wird's leicht zu spät! – – Ich will ihm Beine machen. *Er zündet ein Streichholz an und steckt es ihm unter den Kragen. Da sich Alwa nicht regt* Er will seine Ruhe haben. – Aber hier wird nicht geschlafen. *Er schleift ihn am Genick in Lulus Kammer. Darauf versucht er die Lampe hinaufzuschrauben* Für mich wird es nun auch bald Zeit, sonst kriegt man im Cosmopolitan Club keinen Christmas-Pudding mehr. Weiß Gott, wann die von ihrer Vergnügungstour zurückkommen – *Lulus Bild ins Auge fassend* Die versteht die Sache nicht. Die kann von der Liebe nicht leben, weil ihr Leben die Liebe ist. – Da kommt sie! Ich werde ihr ins Gewissen reden . . .

Die Tür geht auf, und die Gräfin Geschwitz tritt ein.

SCHIGOLCH   Wenn Sie Nachtquartier bei uns nehmen wollen, dann geben Sie bitte ein wenig acht, daß nichts gestohlen wird.

DIE GESCHWITZ   Wie dunkel es hier ist!

SCHIGOLCH   Es wird noch viel dunkler. – Der Herr Doktor haben sich schon zur Ruhe begeben.

DIE GESCHWITZ   Sie schickt mich voraus.

SCHIGOLCH   Das ist vernünftig. – Wenn jemand nach mir fragt, ich sitze unten im Cosmopolitan Club. – *Ab.*

DIE GESCHWITZ *allein*   Ich will mich neben die Türe setzen. Ich will alles mitansehen und nicht mit der Wimper zucken. *Sie setzt sich auf den Strohsessel neben die Tür* – Die Menschen kennen sich nicht; sie wissen nicht, wie sie sind. Nur wer selber kein Mensch ist, der kennt sie. Jedes Wort, das sie sagen, ist unwahr und erlogen. Das wissen sie nicht, denn sie sind heute so und morgen so, je nachdem, ob sie gegessen, getrunken und geliebt haben oder nicht. Nur der Körper bleibt auf einige Zeit, was er ist, und nur die Kinder haben Vernunft. Die Großen sind wie die Tiere; keines weiß, was es tut. Wenn sie am glücklichsten sind, dann jammern sie und stöhnen sie, und im tiefsten Elend freuen sie sich eines jeden winzigen Happens. Es ist sonderbar, wie der Hunger den Menschen die Kraft zum Unglück raubt. Wenn sie sich aber gesättigt haben, dann machen sie sich die Welt zur Folterkammer und werfen ihr Leben für die Befriedigung einer Laune weg. – Ob es wohl einmal Menschen gegeben hat, die durch Liebe glücklich geworden sind? – Was ist denn ihr Glück anders, als daß sie besser schlafen und alles vergessen können? – Herr Gott, ich danke dir, daß du mich nicht geschaffen hast wie diese. – Ich bin nicht Mensch; mein Leib hat nichts Gemeines mit Menschenleibern. Habe ich eine Menschenseele? – Zerquälte Menschen tragen ein kleines enges Herz in sich; ich aber weiß, daß es nicht mein Verdienst ist, wenn ich alles hingebe, alles opfere ...

Lulu öffnet die Tür und läßt Doktor Hilti eintreten. Die Geschwitz bleibt, ohne von beiden bemerkt zu werden, regungslos neben der Tür sitzen.

LULU Whence are you coming so late, Sir?

DR. HILTI I have been in the theatre. There are two thousand ladies lifting up the right leg at the same time; and then the two thousand ladies are lifting up the left leg at the same time. I never saw such handsome girls before.

LULU Didn't you? But you are not English?

DR. HILTI No. I am only here the last two weeks. Are you borne in London?

LULU No, Sir. I am French.

DR. HILTI Ah, vous êtes Française?

LULU Oui, monsieur, je suis Parisienne.

DR. HILTI I am coming from Paris, where I was staying for eight days.

LULU On s'y amuse mieux qu'ici. Vous ne trouvez pas?

DR. HILTI Oui. I was everday in the Louvre. I admired the pictures. But I am no French. I am from Zurich in Switzerland.

LULU Est-ce de la Suisse Française, ça?

DR. HILTI No. Zurich is in German Switzerland.

LULU Alors vous parlez l'Allemand?

DR. HILTI Sprächän Sie Töütsch?

LULU   Un petit peu seulement, parce que mon ancien amant était Allemand. Il était de Berlin, je crois.

DR. HILTI   Tonnärwättär, wia miach tas fröüt, taß Sie Töütsch sprächän!

LULU   Du bleibst bei mir die Nacht?

DR. HILTI   Abär iach habä niacht mähr dän fühnf Schielingä bei miar; iach nämmä nia mähr miet, wän iach ausgähä.

LULU   It's enough – parce que c'est toi! Tu as les yeux si doux. Viens, embrasse-moi!

DR. HILTI   Hiemäl, Härgoht, Töüfäl, Kräuzpatadiohn...

LULU   Je t'en prie, ferme ça.

DR. HILTI   Beim Töüfäl, äs ischt nämliach tas ärschte Mol, taß iach miet einäm Mädachän gähä. Tu kchanscht miar gloubän. Sakchärmänt, iach hätä miar tas gahnz andärsch gädahcht!

LULU   Bist du verheiratet?

DR. HILTI   Hiemäl, Hagäl, worum meinscht tu, iach sei värheurotet? – Nein, iach bien Prifot-Tozänt; iach läsä Philossoffie ahn der Unifärsität. Sakchärmänt, iach bien nämliach ous oinär oltän Bodriziär-Fomiliä; iach ärhielt als Studänt nur zwoi Frankchen Toschängält, und tas kchohntä iach bässär anwänden als füar Mädachän.

LULU   Deshalb warst du nie bei einer Frau?

DR. HILTI   Äbän ja! Äbän! Abär iach brouchä äs itzt; iach habä miach heutä obänd värsprochän miet oinär Basler Bodriziärsdochtär. Sie ischt hiär Nursery governess.

LULU   Ist deine Braut hübsch?

DR. HILTI   Ja, sie hat zwoi Millionän. – Iach bien sähr gespahnt, wia äs miach dunkchän wird.

LULU *ihr Haar zurückwerfend*   Quelle chance! *Sie erhebt sich und nimmt die Lampe* Eh bien, viens, mon philosophe! *Sie führt Dr. Hilti in ihre Kammer und verriegelt von innen die Tür.*

DIE GESCHWITZ *zieht einen kleinen schwarzen Revolver aus ihrer Tasche und hält ihn sich gegen die Stirn* ... Come on, darling!

DR. HILTI *reißt von innen die Tür auf und stürzt heraus* O verreckchte Chaib – do lit eine drin!

LULU *die Lampe in der Hand, hält ihn am Ärmel* Bleib bei mir!

DR. HILTI   Ä Totnige! – Ä Liach!

LULU   Bleib bei mir, bleib bei mir!

DR. HILTI *sich losmachend* Ä Liach lit do in – Himmel, Stärne, Chaib!

LULU   Bleib bei mir!

DR. HILTI   Wo got's do usse? *Die Geschwitz erblickend* Und das isch de Tüfel!

LULU   Ich bitte dich, bleib!

DR. HILTI   Chaibe, verchaibeti Chaiberei! – O du ewige Hagel! – *Durch die Mitte ab.*

LULU   Bleib! – Bleib! *Sie stürzt ihm nach.*

DIE GESCHWITZ *allein, läßt den Revolver sinken* Lieber erhängen! – Wenn sie mich heute in meinem Blute liegen sieht, weint sie mir keine Träne nach. Ich war ihr immer nur das gefügige Werkzeug, das sich zu den schwierigsten Arbeiten gebrauchen ließ. Sie hat mich vom ersten Tage an aus tiefster Seele verabscheut. – Springe ich nicht lieber von der Towerbrücke hinunter? Was mag kälter sein, das Wasser oder ihr Herz? – Ich würde träumen, bis ich ertrunken bin. – – Lieber erhängen! – – Erstechen? – Hm, es kommt nichts dabei heraus. – – Wie oft träumte mir, daß sie mich küßt! Noch eine Minute nur; da klopft eine Eule ans Fenster, und ich erwache. – – Lieber erhängen! – Nicht in die Themse; das Wasser ist zu rein für mich. *Plötzlich auffahrend* Da! – Da! – Da ist es! – Rasch noch, bevor sie kommt! *Sie nimmt den Plaidriemen von der Wand, steigt auf den Sessel, befestigt den Riemen an einem Haken, der im Türpfosten steckt, legt sich den Riemen um den Hals, stößt mit den Füßen den Stuhl um und fällt zur Erde* – – Verfluchtes Leben! – Verfluchtes Leben! – – Wenn es mir noch bevorstände? – Laß mich einmal nur zu deinem Herzen sprechen, mein Engel! Aber du bist kalt! – Ich soll noch nicht fort! Ich soll vielleicht auch einmal glücklich gewesen sein. – Höre auf ihn, Lulu; ich soll noch nicht fort! – *Sie schleppt sich vor Lulus Bild, sinkt in die Knie und faltet die Hände* Mein angebeteter Engel! Mein Lieb! Mein Stern! – Erbarm dich mein, erbarm dich mein, erbarm dich mein!

> *Lulu öffnet die Tür und läßt Jack eintreten. Er ist ein Mann von gedrungener Figur, von elastischen Bewegungen, blassem Gesicht, entzündeten Augen, hochgezogenen, starken Brauen, hängendem Schnurrbart, dünnem Knebelbart, zottigen Favoris und feuerroten Händen mit vernagten Fingernägeln. Sein Blick ist auf den Boden geheftet. Er trägt dunklen Überrock und kleinen runden Filzhut.*

JACK *die Geschwitz bemerkend*   Who is it?

LULU   It's my sister, Sir. She is mad; she is always on my heels.

JACK   You have a beautiful mouth when you are speaking.

LULU   Don't go, please!

JACK   You understand your business!

LULU   Yes, Sir.

JACK   You are no English?

LULU   No, Sir. I am German, Sir.

JACK   Where did you get your beautiful mouth?

LULU   From my mother, Sir.

JACK   I do know that. – How much you want? – I cannot waste money.

LULU   Will you not stay all night with me, Sir?

JACK   No. I haven't time. I am married man.

LULU   You say, you missed the last bus and that you have spent the night with one of your friends.

JACK   How much do you want?

LULU   Pound.

JACK   Good evening. *Will gehen.*

LULU *hält ihn zurück*   Stay, stay!

JACK *geht an der Geschwitz vorbei und öffnet den Verschlag* Why wish you that I stay here all night? – That is suspicious! When I am sleeping, you will file my pockets.

LULU   I don't do that. Don't leave, Sir! I implore you!

JACK   How much do you want?

LULU   Give me eight shillings.

JACK   That is too much. – You are a beginner?

LULU   I am just starting to-day. *Sie wirft die Geschwitz, die sich gegen Jack aufgerichtet hat, zu Boden.*

JACK   Let her go! – That is not your sister. She loves you. *Streichelt der Geschwitz den Kopf* Poor beast! –

LULU   Oh, I would like you would stay with me all night!

JACK   Did you ever have a child?

LULU   No, Sir. Never. But I was a nice looking woman.

JACK   Have you a friend living with you?

LULU   We are all alone, Sir.

JACK *mit dem Fuß stampfend*   Who is living down below?

LULU   Nobody. That room is to let.

JACK   I judged you after your way of walking. I saw your body is perfectly formed. I said to myself she must have a very expressive mouth.

LULU   It seems you took a francy in my mouth.

JACK   Yes. Indeed.

LULU   What are you staring at me?

JACK   I have only a shilling.

LULU   Come on, give me the shilling.

JACK   I must get six pence change. I have to take a bus tomorrow morning.

LULU I have no penny.

JACK Come on. Look in your pocket.

LULU *ihre Tasche durchsuchend* Nothing – nothing.

JACK Just let me see.

LULU That's all what I have. *Sie hält ein Zehn-Schillingstück in der Hand.*

JACK I want have the half sovereign.

LULU I will change him to-morrow morning.

JACK Give it to me!

LULU *gibt ihm das Geld und nimmt die Lampe vom Blumentisch.*

JACK *vor Lulus Bild* You are a society-woman. You did take care of yourself.

LULU *den Verschlag öffnend* Come on, come on.

JACK We don't need any light. The moon is shining.

LULU As you like, Sir. *Ihm um den Hals fallend* I wouldn't do you any harm. I love you. Don't let me beg go any longer.

JACK Allright! *Er folgt ihr in den Verschlag.*

Die Lampe erlischt. Auf der Diele unter den beiden Fenstern erscheinen zwei viereckige grelle Flecke. Im Zimmer ist alles deutlich erkennbar.

DIE GESCHWITZ *allein, spricht wie im Traum* Dies ist der letzte Abend, den ich mit diesem Volke verbringe. – Ich kehre nach Deutschland zurück. Meine Mutter schickt mir das Reisegeld. – Ich lasse mich immatrikulieren. – Ich muß für Frauenrechte kämpfen, Jurisprudenz studieren.

LULU *barfuß in Hemd und Unterrock, reißt schreiend die Tür auf und hält sie von außen zu* Hilfe! – Hilfe!

DIE GESCHWITZ *stürzt nach der Tür, zieht ihren Revolver und richtet ihn, Lulu hinter sich drängend, gegen die Tür; zu Lulu* Laß los!

JACK *reißt, zur Erde gebückt, die Tür von innen auf und rennt der Geschwitz ein Messer in den Leib.*

Die Geschwitz knallt einen Schuß gegen die Decke und bricht wimmernd zusammen.

JACK *entreißt ihr den Revolver und wirft sich gegen die Ausgangstür* Goddam! There is no finer mouth within the four seas! – *Der Schweiß trieft ihm aus den Haaren, seine Hände sind blutig. Er keucht aus tiefster Brust und starrt mit aus dem Kopf tretenden Augen zu Boden.*

LULU *zitternd an allen Gliedern, blickt wild umher. Plötzlich*

*ergreift sie die Whiskyflasche, zerschlägt sie am Tisch und stürzt,
den abgebrochenen Hals in der Hand, auf Jack los.*

JACK *hat den rechten Fuß emporgezogen und schleudert Lulu auf
den Rücken. Darauf hebt er sie vom Boden auf.*

LULU   No, no! Have pity! – Murder! – They rip me up! –
Police!

JACK   Shut up! I have you save! *Er trägt sie in den Verschlag.*

LULU *von innen*   O don't! – Don't! – No!

JACK *kommt nach einer Weile zurück und setzt die Waschschale
auf den Blumentisch*   It was a hard piece of work! – *Sich die Hände
waschend* I am a lucky dog to find this Unicum! *Sieht sich nach
einem Handtuch um* Not so much as a towel is in this place! It looks
awful poor here! – *Trocknet seine Hände am Unterrock der Geschwitz ab* Well! This monster is quite safe from me! – It will be all
over with you in a second. *Durch die Mitte ab.*

DIE GESCHWITZ *allein*   – Lulu! – Mein Engel! – Laß dich noch
einmal sehen! – Ich bin dir nah! Bleibe dir nah in Ewigkeit! *In die
Ellbogen brechend* O verflucht! – *Sie stirbt.*

NACHWORT

> »Ariadne war es müde, auf Theseus'
> Wiederkehr aus dem Labyrinth zu
> warten, auf seinen monotonen Schritt
> zu lauern und sein Gesicht unter all
> den flüchtigen Schatten wiederzuerken-
> nen. Ariadne hat sich erhängt. An der
> aus Identität, Erinnerung und Wieder-
> erkennung verliebt geflochtenen Schnur
> dreht sich ihr Körper nachdenklich
> um sich selbst. Der Faden ist gerissen,
> und Theseus kommt nicht wieder.«[1]

Gesellschaftsdrama oder mythologische Tragödie?

Für die ursprüngliche Konzeption der Lulu-Tragödie wählte Wedekind den Titel »Die Büchse der Pandora«. Heißt dies, daß es seine
Absicht war, ein mythologisches Drama zu schreiben? Jedenfalls verweist der Titel auf eine mythologische Bedeutungsschicht.[2] Bewußt
wird versucht, den Horizont der literarischen Moderne und der bloßen Zeitgeschichte zu übersteigen. Bereits im Prolog zum »Erdgeist«
wird die Konstellation Geschichte – Mythos demonstriert. Gegen die
behauptete Realität des Naturalismus, gegen die zum Bildungsgut
herabgesunkene Kultur der Klassiker und gegen die sich ausbreiten-
den Trivialformen einer Massenkultur bezieht Wedekind Position.
Durch Verfremdung und Verrätselung jener permanenten Werte und
Formen werden die kulturell herrschenden Bedeutungszuordnungen
in Frage gestellt. Indem Wedekind den Trivialstil der Kolportage
und des Konversationsstücks mythologisch auflädt, verstellt er wie
mit einem Paravent Gesellschaftliches und Mythisches zugleich und
provoziert die Anstrengung, Gesellschaftliches und Mythisches zu
scheiden. Sowohl für Wedekinds literarische Produktion als auch für
die Rezeption seiner Werke besteht die Gefahr der Fixierung, die
sich durch Wiederholung allegorischen Zuschreibens einstellt. Für

1 Michel Foucault: Der Ariadnefaden ist gerissen. In: Gilles Deleuze und Michel
  Foucault: Der Faden ist gerissen. Berlin 1977. Seite 7.
2 Als erste hat darauf Kadidja Wedekind aufmerksam gemacht. Vgl. z. B. ihre
  Bearbeitung »Lulu. Das Monsterlegendenspiel der Pandora«. München 1966.

den Leser/Zuschauer bedeutet das, daß er dem Faden der Mythologie folgt und die mythologischen Figurationen enträtselt oder daß er die kolportagehaften Versatzstücke als Sensationen des »human interest« genießt und sich in seinen gesellschaftlichen Vorurteilen bestätigt findet. Mit der Lulu-Tragödie beabsichtigt Wedekind, die hinter den Sensationen der gesellschaftlichen Oberfläche wirkende »Realpsychologie« und ein die Zeitgeschichte übergreifendes metageschichtliches regelndes Prinzip zu entdecken.

Die Figuren der Lulu-Tragödie werden in kolportagehafte Handlungszusammenhänge gestellt. Der Medizinalrat Dr. Goll und der Chefredakteur Dr. Schön repräsentieren – nachgezeichnet den Klischees öffentlicher Meinung – arriviertes Bürgertum. Schwarz und Alwa rechnen zu den Kreisen der Bohème. Schigolch verweist auf Verbindungen zur Halb- und Unterwelt, in deren Milieu ein großer Teil der Figuren des zweiten Teils der Lulu-Tragödie, der »Büchse der Pandora«, angesiedelt ist. Mit dem Afrikareisenden Escerny des »Erdgeists« und dem kaiserlichen Prinzen Kungu Poti der »Büchse der Pandora« wird eine exotische Perspektive für die Phantasietätigkeit des Lesers/Zuschauers eröffnet. Die Personen bewegen sich in exklusiven gesellschaftlichen Räumen: im Atelier, im Salon, in der Theatergarderobe, im Saal einer Herrschaftsvilla (»Erdgeist«); die Reihung der gesellschaftlichen Orte vom Saal zum Salon bis zur Dachkammer (»Büchse der Pandora«) unterstreicht den Gang Lulus von der Welt der »Herrschaften« zur Halb- und Unterwelt. Was als Gegenstand öffentlichen Interesses (»human interest«) passiert, geschieht in halböffentlichen und privaten Räumen. Für den Leser/Zuschauer als Voyeur präsentiert sich das Ganze als verbotene Handlung in verbotenen Räumen. Gesellschaftliche Zeit erscheint als Zeit der Dekadenz. Ihren Ausdruck findet sie in der Reduzierung auf die Extreme Kindheit und Alter; Lulu figuriert als Kindfrau, Schigolch als Greis. Lulu ist der Vergänglichkeit unterworfen, jedoch steht ihre Lebenszeit im Bild still. Sie wird im Prozeß des Alterns gesellschaftlich genötigt, die Rolle der Kindfrau weiterzuspielen, um der Differenz im Bild zu widerstreiten. Schigolch ist wie selbstverständlich alt.

Die Selbstverständlichkeit einer Erwachsenenzeit kann von keinem der Protagonisten gesellschaftlich gelebt werden. Schwarz, Alwa Schön, selbst Dr. Goll sind auf ein Nichterwachsensein fixiert, das ihnen nicht erlaubt, sich anders als in der Kind-Jugendlichkeit Lulus zu spiegeln. Dr. Schöns sorgendes Verhalten – er holt Lulu von der Straße – scheint ihm die Möglichkeit zu eröffnen, die Konflikte mit Lulu als Geliebter auszustehen. Seine Beziehung zur Frau ist jedoch nur eine Funktion seines gesellschaftlichen Aufstiegs. Der gesellschaftlichen Doppelmoral entspricht, Lulu als Geliebte zu besitzen, nicht aber die Geliebte Lulu als autonome Frau zu lieben. Gesellschaftlich hat er nur die Möglichkeit, sich entweder für die Ehefrau oder für die Hure zu entscheiden. Dies führt zu einer Dynamik des Konflikts, die im Verlauf der Handlung die Kolportage vorantreibt. In seiner Figur konzentriert sich gesellschaftlich für die Gattung Mann in ihrem Verhältnis zur Gattung Frau das Nichterwachsenwerdenkönnen als gesellschaftliches Schicksal der Männer.

Strukturierendes Prinzip der Doppeltragödie

Die ursprüngliche Konzeption der Lulu-Tragödie als fünfaktiges Drama gibt Wedekind auf. Schwierigkeiten bei der Veröffentlichung veranlassen ihn, eine Teilung des Tragödienkomplexes vorzunehmen. Für den ersten Teil der Doppeltragödie »Lulu« wählt Wedekind den Titel »Der Erdgeist. Eine Tragödie«. Wenn von einer einheitlichen mythologischen Bedeutungsschicht für das fünfaktige Drama auszugehen ist, scheint diese Interpretationsweise durch die unterschiedliche Titelwahl in Frage gestellt zu sein. Diesem Zweifel steht entgegen, daß untilgbare Spuren der ursprünglichen Fassung, die den Mythos der Pandora evoziert, in der Tragödie mit dem neuen Titel »Der Erdgeist« aufzufinden sind. Dabei besteht die Gefahr, der Neufassung ästhetische Brüche zu unterstellen. Die Integrität des Werkes bleibt gewahrt, wenn entweder eine einheitliche mythologische Bedeutung beide Teile der Tragödie umgreift oder wenn das Mythologische sich als widersprüchliche Einheit entfaltet. Hätte Wedekind die ältere mythologische Schicht der Pandora aufgegeben und im »Erdgeist« einen anderen Mythos zur Folie der Lulu-Tragödie verselbständigt, schlösse dies die Fortsetzung der Tragödie durch einen zweiten Teil mit anderer mythologischer Entwicklung aus. Der einheitliche mythologische Schein des »Erdgeists« und der »Büchse der Pandora« liegt darin beschlossen, daß im Pandora-Mythos das zentrale Thema der Tragödie sowohl erzählt als auch verrätselt wird. Der Mythos erzählt vom Ursprung, nicht von einem Anfang und einem diesem vorgängigen Sein, sondern vom Ursprung, der als werdender auf eine vorgängige Dimension der Realgeschichte verweist. Der Mythos als Traditionsform verfälscht das Ursprüngliche. Er verfälscht den Ursprung, indem er den Ursprung als einen Anfang interpretiert, der ein nachgängiges Sein zum Resultat hat. Der tradierte Mythos akzentuiert immer die Ver-

treibung aus dem Paradies; er interpretiert Geschichte als Verfalls-
geschichte. Ihm verschwindet der Ursprung als werdender; das Ideo-
logische ist ihm nicht äußerlich. Die Ideologisierung der Geschichte
folgt dem gesellschaftlichen Vorgang dadurch, daß die Herrschaft
der Herrschenden legitimiert wird, indem sie als verursacht durch
die Gewalt der Unterlegenen – diese haben die Gewalt in die Welt
gesetzt – gezeigt wird.

Einheitlicher mythologischer Schein und zentrales Thema der
Lulu-Tragödie fallen darin zusammen, daß beide von Gewalt reden.

Der Mythos vom Erdgeist

Der Mythos vom Erdgeist entfaltet in der Tradition ein reiches Vor-
stellungsfeld. Es wird von antiken und christlich-jüdischen Denkbil-
dern bestimmt. In der naturphilosophischen Auslegung des Mythos
dominiert die Vorstellung der materiellen Bestimmtheit des Erdgeists als »anima terrae«. Noch ist unter der Vorstellung Erde die
der »anima« (Leben) subsumiert. Die spätere logozentrische Deutung verkehrt die ursprüngliche materielle Bestimmung. Resultat ist
die Auslegung der »anima« als Geist, welcher die Widersprüche
der Welt sowohl vereinigt als auch disparat inszeniert: Weltgeist.
Die Inszenierung des Mythos vom Erdgeist reicht vom Spannungspol »Lebensfluten« bis zum Spannungspol »Tatensturm«.[3] Figuren
dieser Inszenierung sind: Luzifer, der als Lichtbringer noch an die
dunkle Materialität des Chaos erinnert und zugleich dieser Unterwelt entstammt; der Magier, der noch mit Mitteln der Natur die
Materie ihrer Macht beraubt; der Künstler, der mit dem Zauberstab
der Phantasie die materielle Welt mit einem Schlag verändert. Der
Weltgeist verbirgt sich in Masken dieser Konfigurationen. Sie verweisen auf die Dialektik von »terra« und »logos«. Was in dieser
Wesensdialektik zum Vorschein kommt, ist oberflächlich die ein-
deutige Ausprägung einzelner Figuren wie Luzifer oder Helena;
durch das Kabinett der Figuren hindurch jedoch erscheint die Dialektik von »terra« und »logos« als Herrschaft, Macht und Gewalt.[4]

Der tradierte Mythos verrät in seinen Formwandlungen verschiedene Konstellationen der Realgeschichte. In den Brüchen der Realgeschichte bildet sich ein Potential, das jene Formwandlungen provo-

---

3 Vgl. Johann Wolfgang von Goethe: Faust. Erster Teil. Vers 501.
4 Alwa nennt »sein« Stück »Erdgeist« in der »Büchse der Pandora« beredt
»Weltbeherrscher«.

ziert. Der Rückgriff auf einen im Klassizismus selbst schon interpretierten Mythos versammelt bei Wedekind nur noch die disparaten Teile der Herrschaftsgeschichte in ihren Rollenkonfigurationen. In Goethes »Faust« hingegen tritt die Domestizierung hervor, die mit dem Mythos als Weltordnung anstelle der heterogenen Realgeschichte geleistet wird.

Wird in Goethes »Faust«, wie es im »Vorspiel auf dem Theater« und im »Prolog im Himmel« expliziert wird, eingeführt in eine geordnete Welt, die sich im Makrokosmos und Mikrokosmos darstellt, heißt dies, daß der Mythos als Weltgesetz auf die Bühne gebracht wird. Das Bewußtsein, daß der Bürger als Subjekt den Weltenplan auszuführen hat, konkretisiert sich in den doppelten Ebenen der Welt als Welt und als Bühne. Im Barocktheater dagegen erscheinen die Menschen allein als Bühnenfiguren in Gottes Welt. Auf dem bürgerlichen Theater kommt der Zuwachs an Selbstbewußtsein der bürgerlichen Klasse dadurch zum Ausdruck, daß der Dichter als Genius zur Auszeichnung des Weltplans notwendig wird. Die feudalen Ebenen von Hoch und Niedrig werden nun zu der bürgerlichen Gesellschaft immanenten Kategorien, das heißt, daß das negative Moment des Weltenplans (das Böse, die Katastrophe) zum Motor gesellschaftlicher Verwirklichung selbst gehört. Das schließt ein, daß die gesellschaftlichen Auseinandersetzungen als ästhetisch-moralische und nicht als Klassenauseinandersetzungen begriffen werden.

Im Prolog zum »Erdgeist« wird die Bühne zur Manege. Der Autor tritt als Tierbändiger auf und verweist dadurch, daß die Bühnenfiguren als Tiere allegorisiert werden, auf konventionalisierte gesellschaftliche Typen. Durch die groteske Zitierung der Welt als Bühne in der Form der Manege wird die Kunstkonzeption des deutschen Klassizismus parodiert. Die Subversion des Zirkus untergräbt das Ingenium des Dichters, das den großen Weltenplan mimetisch abbildet. Zwar intendiert die Thematisierung der tierischen Welt im Zirkus, ihre Beherrschbarkeit aufzuzeigen, sie macht aber zugleich den Prozeß der Bändigung als Katastrophe nachvollziehbar. Das Negative gehört jetzt nicht mehr zum Programm der Welt, sondern kann *ein* mögliches Resultat der Realgeschichte sein. Gerade auch der Tierbändiger kann der hereinbrechenden Katastrophe verfallen. Möglich erscheint als regelndes Prinzip der Geschichte: geschichtliche Destruktion. Die chthonische Welt des Zirkus negiert den Entwurf der Welt als Theodizee. Die dualistische Auseinanderlegung des Kosmos als Stufen eines geheimen Weltplans wird aufgegeben; zwar wird jetzt noch die Absicht der Vereinheitlichung heterogener Geschichte und Natur aufgezeigt, aber zugleich wird dieser Intention entgegen die Autonomie der chthonischen Welt akzentuiert. Der Prozeß der Naturgeschichte und einer naturwüchsig verlaufenden Gesellschaftsgeschichte wird wieder offengehalten. Die Intention der Domestizierung bleibt gewahrt. Aber Leben und Geschichte gehen nicht mehr in der Katastrophe unter; durch Herrschaft sich zugrunde richtende Gewalt läßt Gewalt und Herrschaft abbrechen. Die gesellschaftlichen Herrschaftskörper gehen – durch die Naturbeherrschung am Körper – an sich selbst zugrunde. Damit eröffnet sich geschichtlicher Raum und Zeit für ein herrschaftsfreies Leben.

Sensation und Schrecken der Zirkuswelt prallen auf die schon *gespielte* Konventionalität besitz- und bildungsbürgerlicher Wohlanständigkeit. Dieses Aufeinanderprallen vollzieht sich ästhetisch in der Doppelform von Groteske und Kolportage. Was in der hohen Tragödie als Scheitern einer erhabenen Subjektivität dargestellt ist, vollzieht sich hier als Groteske. »Das grausige Bild von Schöns Ermordung ist ein Sketch mit Exzentrikclowns, die hinter allen möglichen Soffitten kauern, um, sobald ihnen Entdeckung droht, ihre Saltos zu schlagen.«[5] In der grotesken Konstellation von Erhabenem und Niedrigem ist die Halbwelt des Zirkus Pendant zur bürgerlichen Welt; in der geschichtlichen Konstellation reißt sie das Erhabene mit sich in die Tiefe.

Der Mythos im Stück

Die mythisch-gesellschaftliche Konstellation wird im Ensemble der Dramenfiguren ausgedrückt. In jeder einzelnen Figur wird im Verlauf der dramatischen Handlung die Bedeutung des Mythisch-Gesellschaftlichen in disparate Teile auseinandergelegt. Darstellbar und wahrnehmbar auf der Bühne wird das Mythisch-Gesellschaftliche, indem es in mythologische Versatzstücke zertrümmert wird und diese zugleich mit gesellschaftlicher Konvention aufgeladen sind. Durch diese Konventionalisierung wird zunächst eine Eindeutigkeit der Figurengestaltung erreicht. Die ursprünglich vorhandene mythisch-gesellschaftliche Einheit, ihre Zweideutigkeit, wird dadurch entstellt und verrätselt. Durch den dramatischen Gang der Handlung wird die »Substanz« der einzelnen Figuren in Rollen präsentiert, so daß die dramatischen Konflikte als ein Aufeinanderprallen von Rollenfixierungen erscheinen. Im Aufeinanderprallen er-

---

5 Theodor W. Adorno: Erfahrungen an Lulu. In: Theodor W. Adorno: Berg. Der Meister des kleinsten Übergangs. Frankfurt am Main 1977. Seite 166.

fahren die Figuren an ihrem Gegenüber jeweils ihr Anderes. Dadurch verweisen die Figuren wieder auf Mythisch-Gesellschaftliches als ihren Ursprung. Der Mythos redet vom Ursprung, der tradierte Mythos jedoch läßt sich nur als Drehbuch lesen.

Dr. Schön wird vorgestellt als eine gesellschaftliche Gestalt der Zeit der Gründerjahre. Er ist Chefredakteur einer einflußreichen Zeitung, die sich allmählich zu einem Presseimperium heranbildet. Sein gesellschaftlicher und wirtschaftlicher Erfolg ermöglicht es ihm, Promotor und Manager auch anderer kultureller Unternehmungen zu werden. Seine gesellschaftlichen Beziehungen reichen durch eine projektierte Heirat mit einer Comtesse bis in Kreise des Adels. In seiner Haltung als Homme du monde verkörpert er bürgerliche Werte: Leistung, Selbstdisziplin und gesellschaftlichen Schliff. Das Leben in diesen gesellschaftlichen Bezügen prägt ihn zum Gewaltmenschen. Er behandelt Menschen als Objekte seiner Kalkulation auf der Bahn seiner gesellschaftlichen Karriere und seines Machtzuwachses. Sein Zynismus entspricht seiner Auffassung von der gesellschaftlichen Welt unter dem Gesichtspunkt der Verwertbarkeit. Sein Bewußtsein zeichnet eine kalte Intelligenz, in welcher die Intrige zur reflektierten Form der Gewalt wird.

In seinem Verhalten, das Kind Lulu von der Straße zu holen, zeigt sich eine menschlich-sorgende Eigenschaft, die in seiner Liebe zu Lulu und in seiner Sorge um Alwa stets wiederkehrt. In seinem Charakter liegt der Widerspruch zwischen privater Intimität und gesellschaftlicher Raubtierintelligenz offen. Seine »Donquichotterie des menschlich Bewußten«, seine »lächerliche Selbstüberschätzung«[6] macht sich darin geltend, daß er glaubt, private Intimität und gesellschaftliche Gewalt mit dem gleichen Mittel berechnender Logik bändigen und manipulieren zu können. Er verkörpert die gesellschaftlich herrschende Moral, welcher selbst das kritische Durchschauen der gesellschaftlich herrschenden Konventionen zum Instrument gesellschaftlichen Überlebens wird. Psychisch bildet sich eine narzißtisch bestimmte Vernunft heraus, die als Logos alle ihm heterogenen Momente – jede andere Form von Vernunft und jedes Leben, das sich seinen projektiven Zugriffen entzieht – sich zu unterwerfen und zu vernichten sucht, um nicht dem Wahn seiner Zwangsvorstellungen anheimzufallen. Das menschlich Bewußte erfährt in seinem Scheitern das menschlich Unbewußte. Dr. Schön wird verfolgt von seiner Projektion in Gestalt Lulus, woran sich Verdräng-

6 Frank Wedekind: Vorrede zu »Oaha«. In: Gesammelte Werke. Band 9. München 1921. Seite 441.

tes – mythisch gesprochen: Wiederkehr des Lebens, der Erde – darstellt. Die Gründerfigur Dr. Schön repräsentiert eine Steigerung des faustischen Gestaltungswillens der Welt, deren idealistische Produktivität umschlägt in projektiven Wahn bloßer Herrschaft über die Menschen. Der Erdgeist als »anima terrae« oder später als Allbeherrscher wandelt sich in der Figur des Dr. Schön zum imperialen Weltbeherrscher.

Der Medizinalrat Dr. Goll hat als erster zum gesellschaftlichen Besitz Lulu, die er Nelli benannt hat. Seine Charakterrolle entspricht genau einer Figur aus einem Gesellschaftsstück; er verkörpert die Konvention an sich, er vertritt das Zeitlich-Gesellschaftliche. Sein förmliches, regelhaftes Auftreten gehorcht einer auf Etikette reduzierten Gesellschaftlichkeit, die ein spontanes sich Aufeinanderbeziehen ausschließt. Die seiner Liebe entsprechende Haltung ist die voyeuristische; sein Voyeurblick macht sich nur noch am konventionellen gesellschaftlichen Schein fest. Seine Selbstverliebtheit in die gesellschaftliche Form läßt ihn an der Frau Lulu nur das Kindliche wahrnehmen. Für ihn ist Liebe auf bloße gesellschaftliche Form reduziert. Bei Nelli – die Kurzform schillert in den Bedeutungen: die Sonnenhafte, die aus dem Sumpf (Helena), die als Füllhorn (Cornelia) Geborene (Natalie) – braucht Goll nicht mit einem Subjekt zu rechnen. Die Kindfrau kann er in die gesellschaftlichen Formen einführen. Er beraubt sie dadurch der Entwicklung ihrer Subjektivität. Die gesellschaftliche Förmlichkeit, welcher er Lulu zu unterwerfen sucht, setzt voraus, über Lulu als Besitz zu verfügen. Dies hat zur Folge, daß er ständig ängstlich über sein Eigentum wacht. Die gesellschaftliche Förmlichkeit ist für ihn in Lulu verdinglicht. In dem Augenblick, in dem ihm Lulu nicht mehr gehört, kommt ihm mit dem Verlust Lulus zugleich seine förmliche gesellschaftliche Existenz abhanden: Er stirbt.

Der Maler Schwarz, dessen materielle Existenz auf Mäzene angewiesen ist, lebt als Bohémien nah zu den gesellschaftlich hohen Kreisen der Bourgeoisie und des Adels. Darin liegt die Voraussetzung für seinen Aufstieg zum gesellschaftlich anerkannten Künstler, solang er sich an den Auftrag hält, gesellschaftlich erwünschte Kultur zu produzieren. Hörig daher den gesellschaftlichen Vorschriften, hat er am ehesten – darin dem Kleinbürger verwandt – gesellschaftlich herrschende Moral verinnerlicht. Liebe, Treue, Wahrheit sind ihm höchste Ideale. Seine Innerlichkeit bildet als Grundzug seines Charakters die äußerste Sentimentalität heraus, die sich in seiner spezifischen Kunstanschauung äußert. Er repräsentiert den Typus des Künstlers, den Wedekind als »Trapezkünstler« definiert: Sie

»projizieren das in ihrem Innern geborene Ideal direkt an das Himmelsgewölbe, um es dort oben als urewig-göttliche Offenbarung, oder wie sie sich sonst ausdrücken mögen, bewundern zu können. An dieser Projektion ohne jede tiefergehende Beziehung zur realen Welt ist nun ihre ganze Lebensführung quasi aufgehängt«. Aber wenn einmal die Stricke ihrer Moral reißen, dann »stürzen sie aus der schwindelnden Ätherhöhe ihrer Himmelsleiter hernieder und brechen das Genick. Dieser Vorgang kleidet sich nicht selten in das Gewand einer Selbstentleibung«[7]. Den moralischen Gefühlen des Malers Schwarz entspringt sein Leiden. Dies zwingt ihn existentiell wie als Künstler zu einer subjektlosen Inszenierung seiner gesellschaftlichen Rolle, des Märtyrers. Seine Schwäche, die seinem bürgerlichen und künstlerischen Märtyrertum eignet, wird von seiner kleinbürgerlich-patriarchalischen Haltung verdeckt. In sein Puppenheim, die Künstlervilla, zieht Lulu ein, von ihm beschränkt auf die Rolle der kleinbürgerlichen Eva. Nur auf seine patriarchalische Rolle versteht sich dieser Künstler als Subjekt.

Dr. Schöns Sohn, der Theatermann und Schriftsteller Alwa, leidet an seinem starken Vater. Alwa glückt es nicht, den vom Vater eingeforderten gesellschaftlichen Erfolg dort vorzuzeigen, wo es seine Absicht ist, seine künstlerische Subjektivität zu verwirklichen. Nur der Vater ist fähig, seinen »schwachen« Sohn zum künstlerischen und gesellschaftlichen Erfolg zu führen. Einen anderen Ursprung seines Leids stellt die ödipale Konstellation in der Beziehung Vater – Lulu – Sohn dar. Was als gesellschaftliche Norm, z. B. als Inzesttabu, gesetzt ist, verhindert Alwa, künstlerische und männliche Identität zu gewinnen.

Sein Leid, sein unglückliches Bewußtsein, ist bedingt durch die unüberbrückbare Kluft zwischen Geist und Leben. Da ihm seine Erfahrung durch die literarische Reflexion ins Bewußtsein dringt, stellt sich ihm ein tragödisches Bewußtsein her: die Differenz zwischen gesellschaftlicher Norm und privater Subjektivität. In der Besetzung Lulus hat er die Chance, das Moment der »terra« in sich zu erfahren. Der Absturz seiner eigenen Subjektivität vollzieht sich von der hohen Mauer gesellschaftlicher Anforderungen, die in der Person seines Vaters verkörpert ist.

Der Theaterdichter Alwa versucht den Widerspruch dadurch zu lösen, daß er sein tragödisches Bewußtsein im »Totentanz« (sein »Erdgeist«) literarisiert. Er scheitert in seinem operativen Handeln, darin seinem Vater gleich, das Moment des Lebens zu bewältigen.

7 Zirkusgedanken. In: Gesammelte Werke. Band 9. München 1921. Seite 301 f.

Sein künstlerisches Handeln trennt zwischen Geist und Leben, indem er sorgfältig vom Leben Animalisches zu scheiden sucht; dadurch scheint er einer Theodizee des Geistes die Treue zu halten. Je mehr er sich jedoch anstrengt, seine persönliche Existenz literarisch-reflektiert zu verwirklichen, um so mehr schwindet ihm wirkliches Leben. Entscheidet er sich für das vermeintlich wirkliche Leben, bemerkt er nicht dessen Künstlichkeit und gibt im Moment der Entscheidung seine künstlerische Existenz preis.

Die Gräfin Geschwitz, die Mann-Frau, tritt einerseits gesellschaftlich definiert als Aristokratin auf die Bühne, andererseits paßt sie nicht in die Geregeltheit gesellschaftlichen Lebens – sie verkörpert gesellschaftliche Unnatur. Ihr wird die Frauen-Rolle der Lesbierin zugeschrieben, aber sie *ist* ein gespaltenes Wesen. Im mythischen Kontext repräsentiert sie den Bruch zwischen Logos und Erde; sie stellt das Disparate subjektlos dar. Ihre Unnatur sperrt sich gegen eine gesellschaftliche Einordnung. Daher gilt sie als pervers. Jeder scheint berechtigt zu sein, ihr Leid zuzufügen. Dessen muß sie jeden Moment gewärtig sein. In ihrer Gestalt wird das Leid thematisiert, das der Differenz Mann/Frau entspringt.

Die Voraussetzungslosigkeit ihres Ursprungs verbirgt sich in der Etikette, in ihrer Konzeption als Gräfin, im Schein bloßer Repräsentation. Jede Spur, die Auskunft über ihre Doppelnatur geben könnte, ist verwischt. Was es mit ihrer Doppelnatur auf sich hat, erscheint als geschichtslos: ewige Unnatur. In der geschichtslosen Helle der Präsenz ihrer ewigen Unnatur blendet der Mythos, der sich in dieser Maske verrätselt. Noch ist alle Geschichte zwischen Frau und Mann in die Vorgeschichte zurückgenommen; exakt konkretisiert sich in der Gräfin Geschwitz der Bruch zwischen Mann und Frau, ihr bislang erreichtes gesellschaftliches Verhältnis.

Die Figur Schigolchs wird in verschiedenen sozialen Bezügen vorgestellt. Sie läßt sich als Bettler, Zuhälter, Gangster, deklassierter Adel identifizieren. Sie stammt ebenso sehr aus der Unterwelt wie aus der Halbwelt. Gerade das unscharf Definierte der gesellschaftlichen Herkunft läßt eine Aura der Mächtigkeit entstehen. Seine Neigung zum Zynismus weist ihn als eine Person aus, die über diese Welt hinaus ist. Er kennt alle Abstufungen zwischen unten und oben, so daß er seinen resignativen Frieden mit der Welt gemacht hat. Sein urzeitliches Alter verweist auf eine Vorwelt, in der er mächtig war. Er ist der Urvater aller später geschichtlich geformten Vaterfiguren; er ist der Pate, der Boß des in der Doppeltragödie versammelten Männersyndikats. Zugleich ist er der erste Vater, Liebhaber und Zuhälter Lulus. Daß er im »Erdgeist« auf Lulu im

Augenblick ihres höchsten gesellschaftlichen Triumphes trifft, deutet zugleich auf Lulus gesellschaftlichen Abstieg voraus wie auf seine alte Herrlichkeit zurück. Mit seiner Figur ragt Vorgeschichtliches – der Erdgeist als Allbeherrscher – in die gegenwärtige geschichtliche Konventionalität hinein. An der vorgerückten Zeitstelle der Geschichte entpuppt sich Naturgeschichte als Trivialität. Das Seherische seiner Gestalt läßt die Katastrophe einer sich in ihrer Naturgeschichte der Gewalt verstrickenden Entwicklung der Beziehung Frau/Mann ahnen. Dieser chthonische Gott Logos hat der »terra« ihre Unschuld geraubt. Das eine Moment seines Wesens ist die archaische Gewalt seines Logos, das andere rührt an seine Nähe zur vorweltlichen Erde, welche Unterwelt als Totenwelt einschließt. Der Moder dieser Vorwelt scheint der Dekadenz der Herrschaftsgeschichte zu entsprechen. Er bildet aber zugleich in der Vorstellung des Mythos die Hefe, aus der Neues entsteht.

Lulus soziale Herkunft ist vorab durch ein Bild verstellt. Ihre soziale Position wird durch das, was sie scheint, definiert. Ihr Schein wird dadurch bestimmt, daß sie aus dem sozialen Nichts kommt. Die Anlage ihrer Figur als Schein setzt zwingend voraus, elternlos zu sein. Durch Dr. Schön wird sie – aus der Unterwelt, dem Sumpf, dem Raum des Asozialen stammend – vergesellschaftet. In Dr. Schön und Lulu treffen sich sinnlicher Schein und Helle der Intelligenz. Mit der zitierenden Namengebung Mignon wird der namenlose Schein benannt; Lulu manifestiert sich dadurch zugleich als Kunstfigur.

Im Bild des Pierrot wiederholt sich: Wie dieser ist Lulu ihrem Ursprung nach niedrigstes Wesen; in der Helle der Farbgebung verkörpert sich der weiße Fleck ihrer Geschichte, ihr Durchscheinendes, das kindlich Geheimnisvolle und Unschuldige. In der Helle ihres Scheins wird das unscheinbar Unbewußte überstrahlt.

Verdrängt und Basis des Unbewußten ist das Sinnliche am Mann. Es kehrt wieder, indem Lulu die »anima terrae« in ihrem Schein vertritt. In ihrem gesellschaftlichen Schein wird alles Sinnliche zusammengefaßt, so daß die sie umgebenden Männer an ihrem wirkenden Schein die Sinnlichkeit als Glück und Macht erfahren. Die unbewußte Macht Lulus über die Männer legt beredtes Zeugnis ab von der vorgängigen Macht der Männer über die Frau – von der Geometrisierung des Körpers. Der Revolver, das Medium der geheimen Identität zwischen menschlich Bewußtem – der beherrschenden Gewalt Dr. Schöns – und menschlich Unbewußtem – der Ungeschiedenheit von Macht und Glück –, richtet sich zunächst gegen den Körper und dann unwillkürlich gegen das verursachende Prinzip der Gewalt, das in diesem Augenblick sich gegen sich selbst wendet. Im Mythos vom Erdgeist entspricht dem die Revolte der »terra« unter dem Bann der »anima«, des Logos.

Der Mythos von der Büchse der Pandora

Akzentuiert der Mythos des Erdgeistes das männliche Prinzip, so wäre es zunächst schlüssig zu behaupten, der Mythos der Pandora stelle das weibliche Prinzip heraus. Dem widerspricht der tradierte Mythos. Auf Befehl des Zeus wird Pandora von Hephaistos geschaffen, um Prometheus' Vergehen – den Raub des Feuers – zu strafen. Die schöne Pandora, von den Göttern mit einer Büchse ausgestattet, die alle Übel der Welt enthält, wird von Hermes zur Erde begleitet, um das göttergleiche Verlangen des prometheischen Menschen in die Schranken zu weisen. Als auf Geheiß des Epimetheus, des nach-denkenden Bruders des voraus-denkenden Prometheus, Pandora die Büchse öffnet, entfliegen der Büchse die Übel und verbreiten sich auf der ganzen Welt. Nur die Hoffnung bleibt in der Büchse zurück, da sie der niederfallende Deckel einschließt. Am tradierten Mythos ist die negative Mission der Pandora offenkundig. Das läßt darauf schließen: Der Mythos in seiner überlieferten Form ist überhaupt frauenfeindlich.

Der Mythos in seiner tradierten Form hat verschiedene Überlieferungsschichten. Diese machen einen Zugang zum Ursprungsmythos möglich. Pandora heißt die Allgeberin. So wird die Göttin Gaia angerufen, die Mutter Erde. Dann ist sie erstes Weib, Gattin des Prometheus, der sie aus Wasser und Erde schafft und mit dem Feuer belebt. Mit Prometheus zusammen zeugt sie den ersten Menschen: Deukalion. In der Pithos-Sage (»pithos« = Gefäß) ist die Büchse Füllhorn. Es enthält und spendet alle Vorräte für die Menschen. Fruchtbarkeit, »bios« (Leben), charakterisiert den Pithos. Im Zusammenfluß beider Mythen ist Pandora gleich Pithos.

In der Vereinheitlichung der beiden Mythen werden personale und sachliche Variante eins. Spätere Verzweigungen in verschiedene Überlieferungsschichten, die den ursprünglichen Varianten näher oder ferner stehen, zeigen ein Anwachsen des tradierten Mythos an. So wird z. B. Pandora als Hüterin des Getreidevorrats weibliches Gegenbild Plutos. Dies alles deutet auf einen nichtrekonstruierbaren Ursprungsmythos hin. Eindeutig aber muß ein Prozeß der Umwandlung konstatiert werden. Von ihm aus kann auf eine Wandlung innerhalb der Gesellschaftsgeschichte geschlossen werden:

die Veränderung vom Matriarchat zum Patriarchat. Pandora wird durch Zeus entthront. Die Umformung des Pithos- wie des Pandora-Mythos zu Mythen des Schreckens zeugt noch von dem Schock der Veränderung vom Matriarchat zum Patriarchat. Die Legitimation der Männerherrschaft und die Tilgung der gesellschaftlichen Bedeutung der Frau ist angewiesen auf eine projektive Identifizierung der Herrschaft: Mit dem Erscheinen der Frau kommen von ihr alle Übel dieser Welt. Damit die Rechtfertigung der Männerherrschaft in der tradierten Erfahrung trägt, muß die gesellschaftlich produzierte Herrschaft mit den nicht beherrschbaren Schrecknissen der Natur in der Interpretation verschmolzen werden. In der Gleichsetzung der Frau als gesellschaftliches Übel mit dem Schrecken der Natur verschwindet eben diese Differenz. Diese Konzeption erscheint in einer Verzweigung der Umformung. Innerhalb des tradierten Mythos treibt eine Umformung zu der verkehrten Identität: Die Allgeberin Pandora wird durch den Allgeber, Zeus Pandoros, ersetzt.

Der Mythos im Stück

Lulus Name bedeutet Vorsintflutliches; ihr Name steht dem sachlichen Gehalt nach dem der »Urmutter« Lilith nah. In der vorsintflutlichen Allgeberin Pandora liegt der mythologische Bezug zum Bedeutungsgehalt des Namens Lulu. Nur ihr Name läßt direkt Mythologisches, Archaisches erschließen. Im konventionellen Scheinen der Dramenfigur wird wie in einem Brennspiegel die Idee der Allgeberin konzentriert. Um den integralen Mythos auf die Bühne bringen zu können, die Differenz von Pandora und Gefäß, muß das dramaturgische Problem, daß Lulu einzig als Pandora auf der Bühne erscheinen soll – und damit jene Differenz für den Zuschauer nicht erfahrbar wird –, erst noch gelöst werden. Dies geschieht mit der Figur des Schigolch. Im wechselseitigen Bezug zwischen Schigolch, dem abgewirtschafteten Zeus, und Lulu, der vorsintflutlichen Femme fatale, entfaltet sich der integrale Mythos, die Differenz und Identität zwischen Natur und Gesellschaft an den Figuren, als Bühnenspiel. Die Disparatheit, die in der Einheitlichkeit der Gestalt liegt, kommt an den verschiedenen Stationen des Dramas zur Wirkung. Lulu bringt den Männern die Übel der Pandora: Krankheit und Tod. Das nehmen die Männer als ihre gesellschaftliche Natur wahr. Lulus Schönheit, ihr Scheinen, manifestiert sich als Kindlichkeit, Ursprünglichkeit, Reinheit. Diese konventionellen Vorstellun-

gen erscheinen den Männern an ihr zugleich als Natur. Was zunächst als Einheit zwischen Lulu als Bühnengestalt und ihrem gemalten Bild sich zeigt, die Identität von gesellschaftlich gewordener
Natur und an Natur wie Gesellschaft zugrunde gehender Gesellschaftlichkeit, rückt auseinander. Während Lulu gesellschaftlich zugrunde geht, bleibt unversehrt ihr Bild, darin der Hoffnung gleich,
zurück. So wie die Hoffnung auf die Rettung in der geschichtlichen
Welt verweist, so deutet die Rettung Lulus im Bild auf eine Rettung innerhalb der geschichtlichen Welt. Die Projektion Lulus an
den zeitlosen Himmel der Kunst erhellt die Differenz zwischen
mythischer Rettung und Scheitern oder Rettung im Leben. Was bloß
in der Kunst gerettet wird, geht für das Leben verloren.

Im Handlungsverlauf der Doppeltragödie kommt Doppeltes zum
Austrag. Ihr gesellschaftlicher Auf- und Abstieg, ihr Werden, das
Scheinen ist, findet sein Finale in der Reduktion ihrer gesellschaftlichen Größe auf schließlich tote Natur. Jack the Ripper, der sie auf
ihre »Büchse«, auf Weiblichkeit als Vagina reduziert, treibt die Differenz ihrer Gestalt zur Identität zurück: Er thesauriert das Gefäß, den Schatz. Jack bleibt ihr alles schuldig. Die Männer, welche
die Rolle der »Allgeberin« besetzen, rauben den Frauen alles. Die
Gesellschaftlichkeit des Raubes zeigt sich darin, daß groteskerweise
die grausame Realistik des Raubes eigentlich Szenario einer grausamen Symbolik ist. Das geraubte Unikum als Einebnung der Differenz, als Raub am Körper, läßt Geschichte in der Handlung des
Stückes aufscheinen als Geometrisierung des Körpers. Die Zurichtung des Lebens wird im Zugriff einer partialisierenden Wissenschaft auf der Bühne symbolisch wiederholt. »Das war ein Stück Arbeit!« ist Sentenz der Männer wie Dr. Schön und Jack the Ripper.
In den bürgerlichen Wertehorizont Ehe – Arbeit wird eingeordnet,
was ursprünglich Raub ist.

Der Kreis im Stationenstück schließt sich. Wie der nichtrekonstruierbare Ursprungsmythos auf den realgeschichtlichen Übergang
vom Matriarchat zum Patriarchat und damit auf die Tilgung der
gesellschaftlichen Bedeutung der Frau schließen läßt, so verweist
im Stück die Figur des Jack als barbarischer Deus ex machina (ein
verwandelter Schigolch) auf die Herstellung der Unfruchtbarkeit
Lulus als einen lang vorhergehenden Raub ihrer Identität.

Jack ist keineswegs im Stück isolierte Gestalt männlicher Unnatur. In jeweils anderer gesellschaftlicher Facettierung wird wie
in einem Totentanz der Reigen männlicher Unnatur von Dr. Hilti
zurück bis zu Schigolch vorgeführt. Mit den Variationen des tradierten Mythos korrespondieren die mythologischen Etikettierun-

gen der Männerwelt des Dramas. Die Raubtierintelligenz Dr. Schöns läßt sich lesen als eine moderne Überformung der mythischen Gestalt des Prometheus, der ungeschickte Künstler Schwarz als dessen Bruder Epimetheus. Die Gräfin Geschwitz erscheint in diesem Kontext als Schwester der Pandora. An ihr als Mannfrau wird wie an Jack und den anderen Männern Unnatur verkörpert; zugleich ist ihre Unnatur Maß des Übels, an dem alle Frauen von den Männern gemessen werden. In ihrem figurativen Entwurf als Mannfrau wird Realgeschichtliches sichtbar: Sie steht sowohl ein für die verhinderte Möglichkeit der geschichtlichen Ausformung des Typus Mann/Frau als Doppelwesen als auch dafür, daß sie nur als gesellschaftliche Randexistenz – als Perverse – innerhalb des gesellschaftlichen Lebens zugelassen wird. Das gesellschaftliche Zugeständnis reicht nur so weit, wie sie als Objekt für vielfältige Aggressionen nützt. Innerhalb des konfigurativen Kontexts des Stückes zeigt sich in der ständigen Opferbereitschaft der Gräfin Geschwitz als »Schwester« Lulus im Vorgriff die ewig geopferte Lulu. Ihre Gemeinsamkeit im Tod ist die dramaturgische und symbolische Konsequenz innerhalb der Tragödie.

Inszenierte Rettung des Lebens

Gesellschaftliche Erfahrung des Fin de siècle ist das Verblassen des Lebens innerhalb der bürgerlichen Welt. Faktoren dieses Prozesses sind die abstrakte Vergesellschaftung des Lebens über die mechanisierende kapitalistische Industrie, die Historisierung des gesellschaftlichen Lebens, der Alp einer museal aufgehäuften Welt zu Bruchstücken einer ehemals lebendigen Geschichte, der Triumph der Warenwelt über eine einst lebendig erfahrene Natur. Komplementär zu dieser Erfahrung bildet sich die Anschauung einer notwendigen Erneuerung des Lebens heraus. Der Élan vital als Prinzip des Lebens, die Jugend- und Reformbewegung sind Phänomene einer zeitgeschichtlichen Reaktionsbildung. Immer aufs neue wird in den Zirkeln der sich als künstlerische und philosophische Avantgarde begreifenden Intelligenz das Verhältnis von Naturhaftem zu Gesellschaftlichem thematisiert. Ausgehend von der Sentenz »Das Leben lebt nicht« wird die Aufgabe der Kunst und der Künstler darin gesehen, das Leben stellvertretend im Medium der Kunst zu retten.

Mit der Komposition des symbolischen Bildes innerhalb des Stückes – eines Symbols für die Attribute Ursprünglichkeit, Kindlichkeit, Selbständigkeit – begibt sich Wedekind in die zeitgenössische

Debatte über die ästhetische Frage, ob das Leben künstlerisch zu retten sei. Ihm ist der Einwand, daß derartige Ästhetisierung die Differenz zwischen Kunst und Leben überspielt, Voraussetzung. Die Differenz zwischen Lulu und ihrem Bild – die alternde Lulu und die im minimalen Alterungsprozeß der Materialität des Bildes durchscheinende Idee der Rettung des Lebens – wird im Stück inszeniert. Kritisiert wird die klassische Form der Rettung des Lebens im tragischen Bewußtsein des Helden. Diesem Lösungsversuch der klassischen Kunst – die Kluft zwischen Leben und Kunst im Bewußtsein zu überbrücken – schleudert die Gräfin Geschwitz ihr »O verflucht!« hinterher. Auch in diesem Sinn ist Wedekinds Satz zu verstehen, das menschlich Bewußte am menschlich Unbewußten scheitern zu lassen.

Eine doppelte Kritik am Klassizismus und Jugendstil wird an der Figur Alwas ersichtlich. Zunächst nimmt sich der Theaterdichter Alwa vor, statt die Tragödie zu leben die Tragödie des Lebens zu schreiben. Schließlich erkennt er, daß dadurch der Widerspruch nicht zu vermitteln ist. Er entschließt sich, die Lulu-Tragödie zu leben. Er scheitert an der Realpsychologie des Lebens. Er bleibt bis zum Schluß der Doppeltragödie Anhängsel Lulus. Seine Beziehung zu ihr verharrt im Stadium unentwickelter Jugendlichkeit; eigentlich bleibt Alwa lebenslänglich der Bruder Lulus. Mit dem Scheitern Alwas wendet sich Wedekind gegen eine Inszenierung der Rettung des Lebens im Sinn des Jugendstils.

Das ins Verhältnis Setzen des Mythischen mit dem Gesellschaftlichen in der Inszenierung der Doppeltragödie ist die dramaturgische und ästhetische Konzeption Wedekinds. Diese Konzeption wirkt als Fortschreibung des tradierten Mythos; das Vorherrschen des beschreibenden Moments realisiert sich in einer weiteren Erzählung und Inszenierung als Stil. In der Inszenierung der Inszenierung der Rettung des Lebens verbirgt sich ein Doppeltes: zum einen eine neue Unmittelbarkeit der Inszenierung durch Stilisierung, zum andern eine ästhetisch-operative Praxis, die darauf drängt, die scheinhafte Unmittelbarkeit der Inszenierung aufzudecken.

Abwesende Körperlichkeit

Lulu hat nie in der Welt etwas anderes scheinen wollen, als wofür man sie nimmt, und man hat sie nie für etwas anderes genommen, als was sie ist.[8] Damit ist das Verhältnis der Männer zu Lulu als

8 Erdgeist, 4. Aufzug, 8. Auftritt.

Frau umrissen. Darin definiert sich zugleich, was sie schließlich ist: Schein. Die Männer produzieren Bilder. Sie projizieren Imagines, die sich an ihr als Objekt festmachen. Die unterdrückte Sinnlichkeit und Schönheit am Mann reicht in einen langen Prozeß der Naturbeherrschung am Körper zurück. Die im Übergang vom Matriarchat zum Patriarchat sich vollziehende Unterdrückung der Frau, die Gewaltgeschichte, erlaubt es einzig den Männern, ihre verdrängte Körperlichkeit als Bildform ihres Körpers auf das Objekt Frau zu projizieren. Damit stellt sich ein und drückt sich aus: die ständige Fixierung auf den Körper der Frau. In der Projektion vollzieht sich eine Entfremdung von der eigenen Körperlichkeit ebenso wie eine Abspaltung. Die Abspaltung der Bildform vom eigenen Körper ist die Voraussetzung dafür, daß das Körperliche – jetzt verkehrt als das Körperliche der Frau – dort als fremd erscheint. Dem sich selbst um sein Körperliches bringenden Mann bleiben nur die Masken gesellschaftlicher Konvention, deren Strenge im Maß der Verdrängung zunimmt. Diese Männer sind Typen. In der Reduzierung auf soziale Masken erscheint der Mangel an Körperlichkeit. Angeleitet durch die Kosmetik am Körperobjekt Frau kann sich nur eine beschränkte Wiederentdeckung des Körpers am Mann ergeben. Die Gesellschaftlichkeit der Männer führt im Prozeß der Kompensation des Körperlichen notwendig dazu, daß sie *Monster* werden. In der geschichtlich fortschreitenden Expansion dieser Männertypen kündigt sich als gesellschaftlicher Verfall deren Finale an: Die Männer der Doppeltragödie sind Herrenmenschen, Kriminelle, Monster; sie stammen aus ablebenden Gesellschaftsschichten. Diese Schattengestalten bevölkern auf der Erde schon ein Totenreich.

Ist Lulu nichts als Schein, dann sind die Imagines, die Projektionen der Männer, die Bildform des Körpers der Männer. Der Körper der Frau ist damit besetzt; sie kann gar keine eigene Körperlichkeit entwickeln. Ihre Körperlichkeit, ihre gesellschaftliche Natur erschöpft sich im Künstlichsten: in Projektionen der Männer. Sie ist subjektloses Objekt, während die Männer objektlos an sich selbst bloßes Subjekt sind. Lulu erscheint als seelenlos, beseelt durch Bilder. Das ist die Wahrheit der Oberfläche: Die Beseelung bleibt ihr äußerlich, stellt aber ihre Äußerlichkeit als ihr einziges Sein her.

Lulu ist schön. Ihrer Schönheit eignen die Momente sinnlicher Schein und Gewalt. Der sinnliche Schein entspringt der an ihr sich darstellenden Bildform des Körperlichen, die von den Projektionen der Männer herrührt. Unterdrückt jedoch wird die Entwicklung vom Objekt zum Subjekt. Die Selbstbestimmung der Frau und damit selbstbestimmte Schönheit werden verhindert. Im Vorgang der Projektion konstituiert sich die Gewaltförmigkeit dieses Prozesses im Moment der Gewalt am Schein. Was Mittel zum Zweck ist, daß die Frauen schön sind, die Gewalt, wird zum Schrecken der Männer, Moment der weiblichen Schönheit. Die männermordende Lulu ist immer noch die des Scheins. Was die Männer verschlingt, ist die in Lulu als Schönheit erscheinende projektive Gewalt der Männer. Entzieht sich die Schönheit, verhält sie sich subversiv zu den gesellschaftlichen Konventionen, verfallen die Männer auf direkte Gewalt: auf Selbstmord und Mord, aufs Morden der Frauen.

Auf der Ebene ihrer scheinhaften Existenz hat Lulu keinen eigenen Körper. Die an ihr vollzogene Territorialisierung durch die Besetzung mit der Bildform des Körpers des Mannes hat die Deterritorialisierung des weiblichen Körpers zur Folge. Auch was sie gesellschaftlich selbstbestimmt sein könnte, ist getilgt. Nur daß überhaupt an ihr Projektionen vorgenommen werden können, läßt auch auf ein vorgängiges Objekt schließen. Das aber ist positiv nicht identifizierbar, Nichtidentisches. Die Emanzipation der Frau dürfte sich nur in bestimmter Negation des Projektionsverhältnisses Mann/Frau vollziehen und damit in bestimmter Negation zu dem, was sie gesellschaftlich zu scheinen hat. Darin liegt ihre eigene Geschichte verborgen.

Imaginierte Weiblichkeit

Wie es der tradierte Mythos der Pandora demonstriert, ist die Vorstellung einer spezifischen Weiblichkeit eine alte in der Geschichte der Männerherrschaft. Positive wie negative Qualitäten, die der Mann an sich vermißte, werden projektiv der Frau zugeschrieben. Ihre so ausgestattete Weiblichkeit ergänzt so die Eigenschaften des Mannes. Die der Frau zugeschriebenen Merkmale verfestigen sich schließlich zur Substanz ihrer Weiblichkeit. Institutionalisiert werden Instanzen, welche die Weiblichkeit als Substanz sozialisieren. Zu Instanzen geronnene geschichtliche Eigenschaften der Frau sind z. B. Mutterschaft, Hetärentum, später Hausfrauen- und Ehefrauendasein. In der Geschlechtsontologie der Frau erscheint sie »als das Undifferenzierte, Molluskenhafte, Vorindividuelle, durch Natur- und Gattungsgesetze Bestimmte, mit Maßstäben des bürgerlichen Alltagslebens gar nicht zu Erfassende«[9]. In der Kunstontologie der klassizistischen Kultur des Bürgertums fungiert sie vor allem als das Schöne, das Harmonische, als das Empfindsame, als Phantasie, als

»flüchtige Erscheinung der Utopie von einer Einheit«[10]. Nicht die
reale, sondern bloß »die imaginierte, die symbolische Frau ist der
Kunst nah«[11]. All dies sind Einschränkungen einer möglichen Subjektivität, mythologisch gesprochen: Einschränkungen der »Allgeberin« auf selektierte Eigenschaften. Eine Auffassung von der Frau,
die sie als spezifische Weiblichkeit zu definieren sucht, läßt sich als
Differenztheorie begreifen. Von dieser setzt sich die reduzierende
Behandlung des Themas Frau als »Frauenfrage«, die Reduktions-
theorie, ab. Sie hat darin ihre Affinität zur Differenztheorie, daß
auch sie von der Idee einer besonderen Weiblichkeit ausgeht.

Frauen haben ihre Situation im Verhältnis zum Mann immer
schon auch als Unterdrückung erfahren und begriffen. Im grotesken
Mißverhältnis, die Hälfte der Menschheit auszumachen, jedoch als
Minderheit geschichtlich beherrscht zu werden, liegt als eine Möglichkeit, Parität und Egalität einzuklagen. Die programmatische
Forderung nach Gleichheit steht in der Gefahr, unter dem Horizont
der Männergesellschaft zu verbleiben. Unter deren Diktat kann
Gleichheit bedeuten, sich dem Mann anzugleichen. Egalitäre Mensch-
heitskultur ist dann nur Männlichkeitskultur. Die Thematisierung
der Frauenfrage zieht die Aufmerksamkeit auf das an Frauen be-
gangene Unrecht nach sich, mit der Intention, über die Herstellung
der Gleichheit zwischen den Geschlechtern dem Bann der Unterdrückung zu entkommen.

Eine beschreibende Analyse der Phänomene des »Weiblichen« in
der Geschichte droht wissenschaftlich nur noch einmal zu erfassen,
was an Ausdrucksformen des »Weiblichen« in der Geschichte erscheint. Die Theoreme Differenz und Gleichheit scheinen bloß Ideo-
logeme einer über Männerphantasie kodierten Weiblichkeit zu sein.
Das Differenztheorem wiederholt auf theoretischer Ebene die Ergänzungsbestimmungen des Mannes an der Frau. Das Egalitäts-
theorem weist die vermeintliche Gleichheit der Frau als Anähnelung
an den Mann aus. Bleibt die Analyse bei diesen beiden grundlegen-
den Vorstellungen stehen, durchstreicht sie jede mögliche Geschichte
der Frau. Weder läßt sie die Entfaltung der programmatischen Forderung nach Egalität zur autonomen Identität der Frau zu, noch
läßt sie Raum für mögliche differente Bestimmungen des Weiblichen,

9 Silvia Bovenschen: Inszenierung der inszenierten Weiblichkeit: Wedekinds
»Lulu« – paradigmatisch. In: Silvia Bovenschen: Die imaginierte Weiblichkeit.
Exemplarische Untersuchungen zu kulturgeschichtlichen und literarischen Präsentationsformen des Weiblichen. Frankfurt am Main 1979. Seite 31.
10 Ebenda, Seite 239.
11 Ebenda, Seite 37.

die sich in bestimmter Negation von der ideologischen Ergänzungsarbeit des Mannes unterscheiden. Die beschreibende Theorie bleibt maßstabslos hinsichtlich der Bestimmung des Weiblichen, so daß dann das der Theorie verbleibende Weibliche der Hoffnung gleicht, die in der Büchse der Pandora verbleibt: die größte Hoffnungslosigkeit in der Geschichte der Geschlechter. Der Mann herrscht in seiner narzißtischen Identität – das Weibliche sich einverleibend noch im Mythos des Weibes. Die Frau ist nur des Gestus fähig, auf diesen Narzißmus oder auf ihre eigene Verstrickung in den Geschichtsprozeß als Opfer zu verweisen. Kodierte Weiblichkeit als Form einer Geschichte des Sexus zu überschreiten zielt auf eine Gattungsgeschichte, in welcher es auf beiden Seiten um die Suche nach Identität geht. Jene Gattungsgeschichte ist eingebettet in eine Geschichte der Produktion, in der das Verhältnis von Mann und Frau ein Moment ist.

Im Prolog in der Manege werden Mensch und Tier einander gattungsgeschichtlich gegenübergestellt und die Geschlechtsgeschichte am Tierischen allegorisch demonstriert. Eine zentrale Charakterisierung der Figur Lulus ist die »Urgestalt des Weibes«. Dieser geschlechtsontologischen Deutung gehören Bestimmungen zu wie: das Namenlose, das Vorsintflutliche, das Ewig Weibliche. Diesen substantiellen Bestimmungen scheinen die Bilder zu widersprechen, welche die Männer sich von Lulu machen. Lulu ist für sie Kindfrau oder Verführerin oder Geliebte oder Ehefrau oder Nymphomanin und schließlich Prostituierte. Die zitierten Imagines und die archaische Mythologisierung haben eine gemeinsame Quelle: Sie entfalten sich aus der ergänzenden Tätigkeit, die der Mann aufgrund seiner reduzierten Identität komplementär bei der Bestimmung des Weiblichen vornimmt. Das Prinzip ist die Substantialisierung der Frau zum Weib, und dessen Ausformung endet in einem ubiquitären Rollenset. Rollenstereotype und Substantialisierung sind im Ausgangspunkt der Differenzbestimmung des Weiblichen im Verhältnis zum Mann kongruent. Das logische Konzept der Doppeltragödie wird durch diesen Zusammenhang von Identität und Differenz strukturiert.

Es fragt sich, ob Lulu zwangshaft dem universellen Arsenal der Rollenrealisierung zu gehorchen hat oder ob sie dieses Rollenspiel steuern kann und ihr somit partiell Autonomie zukommt. Im Handlungsverlauf der Tragödie unterliegt Lulu einem doppelten Zwang. Sie realisiert die totalitären Imagines der Männerwelt im Rollenwechsel; aber jeder einzelne Mann nimmt an ihr eine Domestizierung dieses universalen Rollenhimmels zu einem von ihm favorisierten Typus seiner Obsession vor. Vom Gesichtspunkt des einzelnen

Mannes aus erscheint der Rollenwechsel Lulus als katastrophisches Geltendmachen partieller Rollenautonomie.

Lulus Rollenwechsel erscheint dem einzelnen Mann als Negation seiner imaginierten Weiblichkeit. Kann Lulu diesen Prozeß der Negation dahin forttreiben, daß sie alle Rollen abwirft? Was bliebe dann als ihre Identität? Nichts anderes als ihr Vorsintflutliches, ausgedrückt im Namen Lulu – Substanz als Weiblichkeit. Diese erweist sich aber gleichfalls als durch die Ergänzungsbestimmungen der Männer erzeugt. Eine »Befreiung« von Rollen deutet der Schluß der Doppeltragödie an: in Lulus Pierrotbild. In ihm werden Phantasmagorisches und Mythisches im Schein eins.

Im Stück funktioniert auf einer ersten Ebene das Abwerfen der Rollen als Realisierung des universellen Rollenhimmels imaginierter Weiblichkeit. Auf einer zweiten Ebene scheint in der Negation der Rollen als letzte »Rolle« imaginierte Weiblichkeit als Substanz auf. Eine geheime Spur läuft unter der Lulu-Tragödie hindurch, wenn Lulus Negation der Rollen gegen den Strich gelesen wird als Protest gegen ihre Domestizierung durch die Projektion der Männer.

Das Leiden an den Männern

Ein Interpretationsmuster der Problematik der Lulu-Tragödie ist, von der Urleidenschaft des Sexualtriebs und dessen Zerstörungskraft als innerem Ansatzpunkt der Deutung auszugehen.[12] Solcher Auffassung nach hätte Wedekind mit seiner Doppeltragödie darstellen wollen, daß Sexualität prinzipiell jede gesellschaftliche Ordnung bedroht. Der Tragödie käme dann die Aufgabe zu, kathartisch auf die gesellschaftliche Moral einzuwirken.

Das Unrecht, das dem gesellschaftlichen Triebschicksal angetan wird, ist dadurch verursacht, daß gesellschaftlich-familiale Konfliktmuster die psycho-sexuelle Entwicklung pathologisch beeinflussen. Jenes Interpretationsmuster verkehrt nur ideologisch den Unterdrückungsvorgang, wenn das deformierte Triebschicksal für seine Deformation verantwortlich gemacht wird. Was gesellschaftlich geschieht, ist – und dies gehört in die Thematik der Doppeltragödie –: Unrecht am Sexus. Die Dekodierungen Lulus als männerverschlingende Vagina und die Jack the Rippers als Mörder aus Lust erklären und rechtfertigen zugleich jenes Unrecht. Die Erklä-

12 So Artur Kutscher: Frank Wedekind. Sein Leben und seine Werke. Band 1. München 1922. Seite 362.

rung liegt in der Setzung der Sexualität als Prinzip und die Rechtfertigung in der prinzipiellen Natur des Sexus. Diese Rechtfertigung wird dadurch gestützt, daß oberflächlich das gesellschaftlich Verdinglichte des Triebschicksals Lulus und Jacks als Ausdruck abweichender sexueller Natur erscheint. Das gesellschaftlich Verdinglichte am Trieb wird, wenn es gelebt wird, als Unnatur gesellschaftlich geahndet.

Die These, das Thema der Lulu-Tragödie sei die zerstörende Kraft der Sexualität, unterstellt, daß die Dramenfiguren Ausformungen abweichender Sexualität in welcher verkleideten gesellschaftlichen Form auch immer darstellen. Der dramaturgische Handlungsverlauf ist dann als Emanation eines abweichenden sexuellen Prinzips zu verstehen. Lulus Unnatur erfüllt sich dann zwangsläufig in Jacks Unnatur.

Wenn das gesellschaftliche Triebschicksal als Deformierung des Sexus begriffen wird, löst sich die scheinhafte Identität des sexuellen Prinzips in die individuelle Größe des Leids der einzelnen Dramenfiguren auf. Gesellschaftlich gesehen ist Lulu stets das Objekt der Männer und deren Projektionen. In den unterschiedlichen Stationen ihres Leidensweges zerfällt die von den Männern an sie gerichtete einheitliche sexuelle Besetzung des Liebens und Begehrens. »Wo sie lieben, begehren sie nicht, und wo sie begehren, können sie nicht lieben.«[13] Halten die Männer Lulu als Ehefrau, ist Gefühl reduziert auf Pflicht; nehmen die Männer sie als Hure, realisieren sie nur ihr phantastisches Begehren. Das Leid, das schon in Lulus ständigem gesellschaftlichen Hinschlachten besteht, findet in Jacks Mord seinen sichtbaren Ausdruck.

Woran leiden die Männer, wenn sie so viel Leid anrichten? Der Begriff des Leids zeigt ein symptomatologisches Niveau der Beschreibung an, das ein Erklären der Symptome notwendig machte. Erst dann ließe sich zeigen, daß die Interpretation des Sexus als Naturprinzip ideologisch die gesellschaftliche Entstehung der sexuellen Deformation unterschlägt. Der Deutungshorizont des Stükkes ist jedoch vorgegeben und jener psychoanalytisch zurückgreifenden Erklärung nicht zugänglich – mit Ausnahme des ödipalen Verhältnisses Alwa/Dr. Schön. Deshalb muß sich die Darstellung der sexuellen Psychopathie der Männer in der Tragödie darauf beschränken, die an ihnen sichtbar werdenden gesellschaftlichen Male zu beschreiben.

---

13 Sigmund Freud: Beiträge zur Psychologie des Liebeslebens. II: Über die allgemeinste Erniedrigung des Liebeslebens. In: Gesammelte Werke. Band 8. 5. Auflage. Frankfurt am Main 1969. Seite 82.

In den verschiedenen Stationen der Doppeltragödie verfestigen sich im Gegenspiel zu Lulus Rollenwechsel notwendigerweise an den ihr gegenübertretenden männlichen Figuren die Symptome des Leidens. Voyeurtum, rigide Moral, Verfolgungswahn, Überintellektualität, rationalisierende Zynik, Hörigkeit, Sadomasochismus, homosexuelle Perversion, Sadismus, monströse Wissenschaftlichkeit bilden sich zu individuellen Idiosynkrasien der männlichen Figuren der Lulu-Tragödie aus. Am Ende heißt Jack the Ripper alle Lust Arbeit; jegliche Emotion verwandelt sich ihm in wissenschaftliche Ratio. Er bringt darin das Einheitliche jener Symptombildungen auf den Begriff: verwahrte Lust. In der Trophäe der Büchse der Pandora, der ausgeschnittenen Vagina, wird dies Symbol.

Allegorie und Künstlichkeit: Groteske, Kolportage, Trivialität

Die Doppeltragödie ist als ein Totentanz entworfen. Die Handlung bedeutet eine Wiederkehr dessen, was sich gleich ist. Jeder Akt bringt eine Katastrophe. Wird die Handlung im klassischen Drama in der Form der dialogischen Auseinandersetzung von Spieler und Gegenspieler entfaltet, so ist sie im Stationendrama der Lulu-Tragödie auf gleichsam monologisierende Dialoge reduziert.

»SCHWARZ Ich liebe dich, Nelli.

LULU Ich heiße nicht Nelli.

SCHWARZ *küßt sie.*

LULU Ich heiße Lulu.

SCHWARZ Ich werde dich Eva nennen.

LULU Wissen Sie, wieviel Uhr es ist?«[14]

Dieses Reden zielt nicht auf Verständigung, sondern drückt die Befindlichkeit der Figuren aus. Sie reden aneinander vorbei: Marionetten ihrer fixen Ideen, ihrer Projektionen.

Die Katastrophe der klassischen Tragödie führt zum tragischen Bewußtsein und damit zur Erhabenheit des Helden. Sie dokumentiert ein dramaturgisches Interesse an der Lösung der Spannungen, denen die Protagonisten zuvor ausgesetzt worden sind. Die Katastrophen im Stationendrama folgen dem Schema der Variation. In ihm erweisen sich die Bühnenfiguren als Umgetriebene, als Widergänger. Nicht auf die spezifischen Schauspielerrollen, jedoch auf die ideelle dramaturgische Konzeption trifft zu: »Den vier ›Erdgeist‹-Variationen entsprechen die vier Variationen Herr Hunidei, Prinz

14 Erdgeist, 1. Aufzug, 4. Auftritt.

Kungu Poti, Doktor Hilti, Jack. Herr Hunidei kauft sich Lulu, ist
aber unsicher, ob sie ihm auch zu Gebote stehen wird; sein Blick ist
abwechselnd gebieterisch und ängstlich: der wiederkehrende Goll.
Doktor Hilti, Privatdozent der Philosophie, ist banal wie Schwarz;
er will von Lulu lernen und sieht die Dachkammer der Prostituierten als Vorschule des ehelichen Schlafzimmers an. Der Prinz Kungu
Poti zeigt das andere Gesicht des Prinzen Escerny; er bezahlt nicht
vorher und gibt statt dessen ein Beispiel jenes ›ganz unmenschlichen
Despotismus‹, zu dem er sich auf seinen Forschungsreisen gezwungen sieht. Jack beendet sein grausiges Werk mit einem Satz des Doktor Schön: ›Das war ein Stück Arbeit.‹ «[15]

Fungiert die Katastrophe im klassischen Drama als Höhepunkt,
so hier als Motor der Dramaturgie. Das dem Anschein nach Stati-
sche der katastrophischen Variationen erhält dadurch ein endlos
Forttreibendes. Was fortgetrieben wird, ist autonome Handlung,
Geschichte. Die Handlung wird als Moritat zur Schau gestellt. Inszeniert wird nach der Form der Ballade. Die Moritat verweist auf
Triviales: gesellschaftlichen Erfolg, Liebe, Eifersucht, Unglück, Gewalt. Durch kolportagehafte dramaturgische Verwendung wird je-
nen Werten ihre hohe gesellschaftliche Bedeutung genommen. Dieses
Verfahren führt dazu, daß die Doppeltragödie sich der Form der
Groteske annähert. Gesellschaftlich eingeschliffene Konventionen
prallen auf mörderische Sinnlichkeit, rohe Triebhaftigkeit.

Die Konfrontation dieser zwei Welten auf die Bühne zu bringen
würde nur abstoßend wirken, wenn nicht im Bühnenspiel zugleich
ein zeigender und zitierender Gestus, der Zeigestab des Bänkel-
sängers, anwesend wäre. Der Moritatensänger versteht sich auf den
Mechanismus des Zeigens des Gezeigten. Als sein eigener Drama-
turg deutet er darauf hin, daß die Realität gesellschaftlicher Konventionen und die Transrealität eines schauerlich-grotesken Un-
wesens als eine Folge von Bildern montiert sind. Dadurch ist dem
Zuschauer die Möglichkeit eröffnet, eine distanzierte und damit
kritische Haltung gegenüber dem Dargestellten einzunehmen.

Die Technik des Zitierens ist noch als ästhetisches Mittel ausgewiesen; so werden etwa die Zitate in der Druckgestalt des Werkes
durch Hervorhebung kenntlich gemacht. Beim Leser/Zuschauer wird
dadurch eine Aufmerksamkeit auf den steten Prozeß des Verweisens in Gang gesetzt. Dieser Prozeß des Verweisens hat allegorischen Charakter. Dies wird unmittelbar anschaulich in der variieren-

15 Hans-Jochen Irmer: Der Theaterdichter Frank Wedekind. Werk und Wirkung.
   Berlin 1975. Seite 144.

den Namengebung der Lulu-Figur: Nelli, Eva, Mignon, Lulu. Beredte Namen sind aber auch Dr. Schön, Alwa[16], Schwarz, Casti-Piani (»die heimlich Keuschen«), Rodrigo Quast, der Exote Kungu Poti, der sagenhafte Hunidei, die märchenhafte Magelone und der aus der Realität kolportierte Jack the Ripper. Das allegorische Verfahren stellt darüber hinaus eine direkte Beziehung zwischen Mythologischem und Konventionellem her. »Das Publikum sieht den ›Tiger‹ Schön, den ›Bären‹ Goll, den ›Affen‹ Alwa, das ›Kamel‹ Schwarz, ferner Reptilien, zu denen ›Chamäleone‹ wie Rodrigo Quast, ›Krokodile‹ wie Casti-Piani, ›Drachen und Molche‹ wie Schigolch gehören. Ganz besonders soll die ›Schlange‹ Lulu bewundert werden, die der dumme August herbringt. Und nun bleibt noch das Beste zu erwähnen: das ›Raubtier‹ Publikum.«[17] Die Identität, die hier Allegorie meint, weist aus Geschichte hinaus. Vorgeschichte und Gesellschaftsgeschichte haben darin ein Gemeinsames, daß das Vorsintflutliche formlos und das Gesellschaftliche durch die Konventionen hindurch deformiert ist.

Das allegorische Verfahren holt dieses Entformen ein, indem es diesen Prozeß in der Form der Sprach- und Bilderwelt nachstellt. Die Bedeutungsintention der Allegorie bezieht sich auf etwas, was geschichtlich nicht ist. Das konventionshafte Reden demonstriert, daß keine wirkliche Kommunikation ist und daß die Rollenbeliebigkeit, der sich die Figuren aussetzen, auf Identität verweist, die sie nicht sind.

»LULU   Ich heiße seit Menschengedenken nicht mehr Lulu.
SCHIGOLCH   Eine andere Benennungsweise?
LULU   Lulu klingt mir ganz vorsintflutlich.
SCHIGOLCH   Kinder! Kinder!
LULU   Ich heiße jetzt . . .
SCHIGOLCH   Als bliebe das Prinzip nicht immer das gleiche!
LULU   Du meinst?
SCHIGOLCH   Wie heißt es jetzt?
LULU   Eva.
SCHIGOLCH   Gehupft wie gesprungen!
LULU   Ich höre darauf.«[18]

Die Grammatik ihrer Rede besitzt eine Künstlichkeit, die in der bruchstückhaften Verkürzung der Sätze das Torsohafte der Figuren

---

16 Nach Hinweis von Kadidja Wedekind spielt Wedekind auf den Namen des Erfinders der Glühbirne, Thomas Alva Edison, eines modernen »Lichtbringers«, an.
17 Irmer am angeführten Ort, Seite 242.
18 Erdgeist, 2. Aufzug, 2. Auftritt.

unterstreicht. Wer in dieser Welt die Augen aufschlägt, nimmt eine Welt des Grauens wahr. In diesem Sinn kommentiert Jack the Ripper die Szene und damit allegorisch die Welt als Leichenhaus und Totenwelt, wenn er urteilt: »Das war ein Stück Arbeit!« Durch diese Mordarbeit stellt Jack einen Torso des Schreckens, tote Weiblichkeit als Päckchen verwahrt, her. Jacks Handlung und sein Urteil stehen epigrammatisch unter Lulus Bild der Schönheit, die dadurch als mörderisch-tödliche bezeichnet ist. Gewalt macht aus Schönheit tote Schönheit. Es ist der Trost der Allegorie, daß im Moment der Zerstörung die Schönheit im Bild gerettet wird.

Bourgeoisie: Aufstieg – Abstieg

Die geschichtliche Zeit, in welcher die Doppeltragödie spielt, ist ausgewiesen als die der achtziger Jahre des vorigen Jahrhunderts, die Epoche des Fin de siècle. An den Rändern der Bourgeoisgesellschaft entsteht das Milieu der Bohème, der deklassierten bürgerlich-feudalen Halbwelt, die gleichsam unterirdisch Verbindung aufnimmt zum Lumpenproletariat, zur Welt der Lunaparks, der Varietés und der Casinos. Die Nebenwelten des Bürgerlichen werden in den Großstädten des 19. Jahrhunderts geboren, in den Metropolen. Innere Orte der Inszenierung dieser gesellschaftlichen Welt sind das Atelier, die Herrschaftsvilla, die Salons und, als kultureller Ort dieser bürgerlichen Nebenwelt, das private, das intime Theater. An diesen Orten treffen sich die Schichten jener Milieus und trifft sich damit ein bestimmtes geschichtliches Bewußtsein, dessen Geschlossenheit und Stillstand sich aus geschlossenen gesellschaftlichen Verhältnissen begreifen läßt. Dessen Inbegriff ist die Vorstellung vom Leben als einer Rutschbahn.[19]

Die ewige Wiederkehr des Auf und Ab zeichnet diese Geschichtsauffassung. Kämpfe der gesellschaftlichen Individuen sind, wie es der Sozialdarwinismus lehrt, Antriebsprinzip der Geschichte und des Lebens. Geschichtsphilosophie dieser Herkunft versteht Geschichte als kreisförmig. Diese Anschauung steht quer zu jedem fortschrittsoptimistischen Geschichtsdenken, das in jener Epoche von der Entwicklung industriellen Fortschritts angeleitet wird. Das den gesellschaftlichen Fortschritt mit dem Fortschritt der Naturwissenschaften und der Technik identifizierende Bewußtsein formt sich sowohl in

19 Vgl. den Schlußsatz des Schauspiels »Der Marquis von Keith«. Gesammelte Werke. Band 4. München 1913.

eine politisch imperiale als auch in eine sozialreformerische Geschichtsauffassung aus.

Das Fortschrittsmoment gestaltet Wedekind in der Lulu-Tragödie im Aufstieg Dr. Schöns zum Pressezaren. In seinem Sohn Alwa
tritt ihm die pessimistische Welt- und Geschichtsanschauung entgegen. Wenn Alwa den von der Gründergestalt Dr. Schön erarbeiteten
Besitz verschleudert, dann geschieht das geschichtliche Auf und Ab
innerhalb einer Familiengeneration und stellt sich – Ausdruck bestimmter Haltungen – als ein Privates dar.

Beide Geschichtsideologien sind sich darin einig, daß umwälzende
gesellschaftliche Veränderungen nicht geschichtsträchtig sind, sondern nur als Katastrophe, als Schreckbild der Revolution erfahren
werden können.

Der geschichtliche Bogen spannt sich von Schigolch – Lulu – Jack
zurück zu Lulu – Schigolch. Realgeschichtliches hat am Außerge-
schichtlichen sein reziprokes Muster. Dem gesellschaftlichen Aufstieg
und Verfall Lulus entsprechen der Abstieg des Gottes Schigolch in
die Welt des Fin de siècle und sein zu erwartender Aufstieg in die
Vorwelt. Das Auf und Ab in der Gattungsgeschichte der Menschen
hat sein höheres Prinzip in der Stoffwechselgeschichte der Natur.

Die aus der Realgeschichte verbannte Egalité, deren formaler
Rechtsanspruch sich gegen Klassenunterschiede richtete, kehrt im
Begriff der Zeitlosigkeit geschichtsphilosophisch gewendet wieder.
Das Prinzip der Identität, des mit sich selbst Gleichseins, entäußert
sich des zeitlosen Zustandes in die scheinhafte geschichtliche Welt
und kehrt katastrophisch abbrechend in den Stand der Vorgeschichte zurück. Unter diesem Deutungsmuster von Geschichte hat
zukünftige Geschichte stets den Status von Vorgeschichte. Das kata-
strophische Abbrechen des Versuchs, Vorweltliches in der realgeschichtlichen Welt zu verwirklichen, legt über das Scheitern dieses
Versuchs hinaus nahe, daß Gleichheit hier nie realisiert werden
könne. Verbannt bleibt aus der Geschichte die Möglichkeit, daß
Menschen autonom ihre Geschichte machen. Zwar gibt es ein Prinzip, aber kein Subjekt der Geschichte. Darin verrät sich das Subjekt der Geschichte, der Mensch, als bisher seiner Geschichte nicht
mächtig.

Frauen ohne Geschichte?

Jacks Tat, die Welt der Männer vom Übel zu befreien, drückt ein Doppeltes aus. Abgeschafft wird die Frau als Übel = Hoffnung. Abgeschafft wird aber auch das Übel der Männer: die Projektionen am Objekt Frau. Jacks Tat ist eine letzte Projektion. Jack übernimmt die Aufgabe, die Männer vom Zwang der Projektion zu erlösen, indem er durch die Thesaurierung der Frau illusioniert, die Projektionsarbeit der Männer abbrechen zu lassen. Die Bestimmung des Weiblichen durch die Projektionen der Männer setzt voraus, daß die Frau bisher – so weit der tradierte Mythos reicht – ohne selbstbestimmte Geschichte existiert. Die geschichtliche Präsenz der Frau unter dem Bann der Projektionen der Männer besteht in ihrer ständigen Ausbürgerung aus der Realität in die imaginierte Weiblichkeit. Hat Jacks Tat die befreiende Wirkung, die Geschichtslosigkeit der Frau zu beenden? So müßte es einer utopischen Interpretation des Schlusses erscheinen.[20] Die Darstellung der Abschaffung der Männerprojektionen als eine letzte Projektion Jacks im Medium der Kunst bestätigt noch einmal die Unersetzbarkeit der imaginierten Weiblichkeit. Kunst ist selbst eine Ergänzungsbestimmung der Identität des Mannes. Die klassische Definition der Kunst als »flüchtige Erscheinung der Utopie von einer Einheit« wäre dann das Weibliche, über das der Mann aufgrund seines kategorialen Wissens nicht verfügt, das Weibliche, das »als unerreichbar angesehen werden muß«[21]. Das Tragische der Doppeltragödie gleicht dann dem Weiblichen, das am Leben scheitert. In der Gestaltung dieser Aufhebung des Tragischen[22] wird die Tragödie, damit die Ergänzungsbestimmung des Mannes, das Weibliche, gerettet. Ebenso wie die Abschaffung der Männerprojektion in einer letzten Projektion Jacks eine in sich geschlossene Geschichtslosigkeit der Frau herstellt, so konstituiert die Aufhebung der Tragödie in der Rettung der Tragödie die Geschlossenheit der Kunst.

Angesichts der Konstruktion der Geschichtslosigkeit der Frau bleibt nur die Feststellung der Abweichung zwischen den Bildern der Weiblichkeit und dem realen Präsenzmodus des Weiblichen in der Geschichte. Die kritische Intention geht darauf aus, die Bilder der Weiblichkeit historisch zu rekonstruieren und sie der »terra in-

20 Wie Irmer (am angeführten Ort, Seite 140).

21 Bovenschen am angeführten Ort, Seite 239.

22 So Wilhelm Emrich: Frank Wedekind: Die Lulu-Tragödie. In: Wilhelm Emrich: Protest und Verheißung. Studien zur klassischen und modernen Dichtung. Frankfurt am Main und Bonn 1960. Seite 222.

cognita« der Frau auszusetzen.[23] Die Geschlossenheit dieses kritischen Horizonts einer imaginierten Weiblichkeit negiert die Möglichkeit, daß in den Imagines Spuren einer autonomen Existenz der
Frau eingegraben sind. Das »O verflucht!« der Geschwitz steht für
die Offenheit einer möglichen Selbsterfahrung und Selbstbestimmung in der Geschichte der Frau ein. Ihr Fluch am Schluß der Doppeltragödie gilt ihrem Sterben und richtet sich in der Negation der
symbolischen Tat Jacks gegen die Geschlossenheit nichtgelebten Lebens. Er richtet sich gegen eine gesellschaftliche Welt, in welcher, be-
ruhend auf der Gewaltgeschichte des Mannes gegen die Frau, Frauen
ohne Geschichte bleiben sollen. Wedekinds Doppeltragödie wird in
einem historischen Augenblick geschrieben, in welchem sich die geschichtliche Aktivierung der Frau mit der verstärkten ideologischen Ausarbeitung der Bilder der Weiblichkeit kreuzt.

Peter Unger und Hartmut Vinçon

23 Bovenschen am angeführten Ort, Seite 264 f.

1864 24. Juli: Emilie Wedekind geb. Kammerer (1840–1915) gebiert in Hannover ihr zweites von sechs Kindern: Benjamin Franklin (Frank) Wedekind. Vater: Dr. med. Friedrich Wilhelm Wedekind (1816–88). – Die Mutter, Tochter aus der zweiten Ehe des demokratischen Liberalen und Fabrikanten Jakob Friedrich Kammerer aus Ludwigsburg, wächst, da der Vater sich der politischen Verfolgung während der Restaurationszeit durch Emigration entzieht, in Riesbach bei Zürich auf. Nach dem Tod ihrer Eltern folgt sie als Sechzehnjährige einer Einladung ihrer älteren Schwester Sophie nach Valparaiso (Chile). Sie heiratet dort den Sänger und Gastwirt Hans Schwegerle, von dem sie sich nach dem Scheitern ihrer Ehe 1860 trennt und 1861 scheiden läßt. Im Frühjahr 1860 lernt sie, ihren Lebensunterhalt mit Konzert- und Varieté-Auftritten bestreitend, in San Francisco Dr. Wedekind kennen. Nach ihrer Heirat (1862) kehren sie 1864 nach Deutschland zurück und lassen sich in Hannover nieder. – Der Vater, Sohn eines Juristen, hält sich nach erfolgreichem Medizinstudium in verschiedenen Teilen Europas und so auch als Bergwerksarzt in der Türkei auf. Im Vormärz beteiligt er sich an der demokratisch-konstitutionellen Bewegung in Deutschland. Als Linksliberaler enttäuscht vom Scheitern der achtundvierziger Revolution, entschließt er sich 1849, nach San Francisco auszuwandern. Nach der Niederlassung in Hannover gibt er seine ärztliche Praxis auf und widmet sich politischem Journalismus. Er lehnt die seit 1866 sich durchsetzende großpreußische Politik Bismarcks ab und siedelt nach der Reichsgründung von 1871 als politisch Oppositioneller in die Schweiz über. Die Lenzburg bei Aarau, die er käuflich erwirbt, wird der endgültige Familiensitz.

Gründung der »Internationalen Arbeiter-Assoziation« (erste sozialistische Internationale) unter führender Beteiligung von Karl Marx in London.

1865 *Erste Frauenkonferenz in Leipzig: Gründung des »Allgemeinen deutschen Frauenvereins« durch Luise Otto-Peters, Auguste Schmidt und Henriette Goldschmidt.*

1866 *Die österreichische Regierung kündigt die Absicht an, die Erbfolge in Holstein dem Urteil des Deutschen Bundes zu unterwerfen. Preußen läßt daraufhin Truppen in Holstein einmarschieren und tritt aus dem Deutschen Bund aus. Nach dem militärischen Sieg Preußens im Deutschen Krieg wird unter der Führung Preußens der Norddeutsche Bund gegründet (22 Mitgliedstaaten).*

1867 *»Das Kapital«, Band 1, von Karl Marx erscheint.*

1869 *In Eisenach gründen Bebel und Liebknecht die Sozialdemokratische Arbeiterpartei. Auf dem Arbeiterkongreß wird die Forderung nach Gleichberechtigung der Frau und nach dem Frauenstimmrecht erhoben. Innerhalb der Parteiorganisation haben die Frauen Sitz und Stimme. Im gleichen Jahr erscheint John Stuart Mills »Subjection of Women« (deutsche Übersetzung 1872).*

1870 *19. Juli: Napoleon III. erklärt anläßlich des Streits um die spanische Thronfolge Preußen den Krieg. Die französischen Armeen werden geschlagen. Am 4. September wird in Paris die Republik ausgerufen. 19. September: Die Belagerung von Paris beginnt. Karl Marx: »Von deutscher Seite ist der Krieg ein Verteidigungskrieg. Aber wer brachte Deutschland in den Zwang, sich verteidigen zu müssen? Wer ermöglichte Louis Bonaparte, den Krieg gegen Deutschland zu führen? Preußen! Bismarck war es, der mit demselben Louis Bonaparte konspirierte, um eine volkstümliche Opposition zu Hause niederzuschlagen und Deutschland an die Hohenzollerndynastie zu annexieren.« (Erste Adresse des Generalrats über den Deutsch-Französischen Krieg, 23. Juli 1870) König Wilhelm hatte »feierlich erklärt, Krieg zu führen nur gegen den Kaiser der Franzosen und nicht gegen das französische Volk [...]. Wie ihn befreien von diesem feierlichen Versprechen? Die Bühnenregisseure mußten ihn darstellen, als gebe er widerwillig einem unwiderstehlichen Gebot der deutschen Nation nach; der liberalen deutschen Mittelklasse mit ihren Professoren, ihren Stadtverordneten, ihren Zeitungsmännern gaben sie sofort das Stichwort. Diese Mittelklasse, welche in ihren Kämpfen für die bürgerliche Freiheit von 1846–1870 ein nie dagewesenes Schauspiel von Unschlüssigkeit, Unfähigkeit und Feigheit gegeben hat, war natürlich höchlichst entzückt, die europäische Bühne als brüllender Löwe des deutschen Patriotismus zu beschreiten. Sie nahm den falschen Schein staatsbürgerlicher Unabhängig-*

*keit an, um sich zu stellen, als zwinge sie der preußischen
Regierung auf – was? die geheimen Pläne eben dieser Re-
gierung.« (Zweite Adresse des Generalrats über den Deutsch-
Französischen Krieg, 9. September 1870)*

1871   *18. Januar: Im Schloß von Versailles wird König Wilhelm I.
zum Kaiser proklamiert. Die Gründung des Deutschen Reiches ist das Ergebnis des Zusammenschlusses der süddeutschen Staaten mit dem Norddeutschen Bund zum Deutschen
Bund. Am 26. Februar wird der Vorfriede von Versailles
geschlossen: Frankreich muß das Elsaß und Teile Lothringens
an Deutschland abtreten und zahlt in drei Jahren 5 Milliar-
den Francs. Die am 1. März in Paris eingerückten 30 000
Mann deutscher Truppen räumen die Stadt am 3. März.
Am 28. März bildet sich die Pariser Commune. Am 28. Mai
erliegt sie der französischen Konterrevolution. Karl Marx:
»Daß nach dem gewaltigsten Kriege der neueren Zeit die
siegreiche und die besiegte Armee sich verbünden zum ge-
meinsamen Abschlachten des Proletariats – ein so unerhör-
tes Ereignis beweist nicht, wie Bismarck glaubt, die endliche
Niederdrückung der sich emporarbeitenden neuen Gesellschaft, sondern die vollständige Zerbröckelung der alten
Bourgeoisgesellschaft. Der höchste heroische Aufschwung,
dessen die alte Gesellschaft noch fähig war, ist der National-
krieg, und dieser erweist sich jetzt als ein reiner Regierungs-
schwindel, der keinen anderen Zweck mehr hat, als den
Klassenkampf hinauszuschieben, und der beiseite fliegt, sobald der Klassenkampf im Bürgerkrieg auflodert.« (Adresse
des Generalrats über den Bürgerkrieg in Frankreich 1871)
Gründerjahre: In Deutschland herrscht nach dem Krieg
Hochkonjunktur, begünstigt durch die hohe Kriegsentschä-
digung und durch die Ausweitung der Produktion und des
Marktes durch territorialen Zugewinn. Kohle- und Erzberg-
bau, Hüttenindustrie, Lokomotiv- und Waggonbau, Bau-
wirtschaft, Innen- und Außenhandel expandieren. Zahlreiche Banken werden gegründet. Die Wachstumsraten der
deutschen Industrie liegen jährlich bei 40 Prozent. »Die
Hochkonjunktur [...] war erwünscht, nicht erwünscht war
der beispiellose Gründungs- und Bankschwindel und die
moralische Geschäftsverwilderung in vielen Kreisen.« (A.
Sartorius von Waltershausen: Deutsche Wirtschaftsge-
schichte, 1920)
Die Schriften Darwins finden weite Verbreitung. 1871 er-*

scheint die »Abstammung des Menschen und die Zuchtwahl in geschlechtlicher Beziehung«.

1872   Seit dem Herbst lebt die Familie Wedekind auf der Lenzburg. Frank besucht die Gemeindeknabenschule und ab 1875 die Bezirksschule in Lenzburg.
In Deutschland beginnt der »Kulturkampf« mit der katholischen Kirche (beendet 1878). In seinem Verlauf wird u. a. die staatliche Schulaufsicht, die Zivilehe und die Einführung von Standesämtern durchgesetzt.

1873   *Die erste Weltwirtschaftskrise bricht aus. Dadurch wird auch in Deutschland eine lange Periode der Rezession eingeleitet.*

1875   *Auf dem Kongreß in Gotha schließen sich Eisenacher und Lassalleaner zur »Sozialistischen Arbeiterpartei Deutschlands« zusammen (Gothaer Programm).*

1876   *In Deutschland entsteht der erste Unternehmerverband.*

1878   *Zwei Attentate auf Kaiser Wilhelm I. werden zum Vorwand genommen, alle sozialdemokratischen, sozialistischen oder kommunistischen Vereine, Versammlungen und Druckschriften zu verbieten. Das »Gesetz gegen die gemeingefährlichen Bestrebungen der Sozialdemokratie« (Sozialistengesetz) wird erst 1890 aufgehoben.*

1879   Wedekind besucht ab 1879 die Kantonsschule, das vierklassige obere Gymnasium in Aarau. Zum Weihnachtsfest schreibt er für seine jüngste Schwester Emilie das komische Kinderepos »Hänseken« nach Theodor Storms Kindermärchen »Der kleine Häwelmann« (1849); vom älteren Bruder Armin sind die Bilder gestaltet. 1896 erscheint der Erstdruck bei Albert Langen (München). Schon zuvor entstehen dramatische Versuche, Erzählungsentwürfe und Gedichte. Dreizehn Gedichte aus dieser Zeit, darunter »Galatea«, »Erdgeist« und »Der blinde Knabe«, nimmt Wedekind in die Gedichtsammlung »Die vier Jahreszeiten« der »Gesammelten Werke« (Band 1, 1912) auf. Über die Jugendfreundin seiner Mutter Olga Plümacher, die »philosophische Tante«, wird er mit dem philosophischen Pessimismus, insbesondere mit den Schriften Eduard von Hartmanns (1842–1906), bekannt. Um den Begriff des Egoismus konzentrieren sich Wedekinds frühe philosophische Überlegungen. Er vertritt die Auffassung, »daß der Mensch nichts thue ohne angemessene Belohnung, *daß er keine andere Liebe kennt, als Egoismus*« (an Adolph Vögtlin, August 1881).
August Bebels »Die Frau und der Sozialismus« wird ver-

öffentlicht: »*Die Frau hat das gleiche Recht wie der Mann,
der Zufall der Geburt kann daran nichts ändern. Die Frau,
weil sie als Frau und nicht als Mann geboren ist – woran der
Mann so unschuldig ist als die Frau –, von Rechten auszu-
schließen ist ebenso ungerecht, als wenn Rechte von dem
Zufall der Religion oder der politischen Gesinnung abhängig
gemacht werden, und ebenso unsinnig, wie daß zwei Menschen als Feinde sich betrachten, weil sie beide durch den
Zufall der Geburt verschiedenen Volksstämmen oder verschiedenen Nationalitäten angehören. Das sind eines freien
Menschen unwürdige Gesinnungen [...]. Es hat keine Un-
gleichheit auf Bestand eine Berechtigung als jene, welche die
Natur für die Erreichung des äußerlich verschiedenartigen,
im Wesen gleichartigen Naturzwecks begründete. Die Natur-
schranken wird aber kein Geschlecht überschreiten, weil es
damit seinen eigenen Naturzweck vernichtete. Kein Geschlecht ist berechtigt, dem anderen Schranken zu ziehen, so
wenig wie eine Klasse der andern.*«
Henrik Ibsens (1828–1906) Drama »*Nora oder ein Puppenheim*« *erscheint.*
Edison erfindet die Glühbirne.

1883   Freundschaftsbund mit der Base Minna von Greyerz und
deren Freundin Anny Barte. Beziehung zu Berta Jahn aus
Lenzburg, später »erotische Tante« genannt; an sie richtet er
mehrere Gedichte.
*Die erste Frauengewerkschaft in Deutschland wird gegründet
(Verein der Mantelnäherinnen, Berlin).*

1884   Im Frühjahr besteht Wedekind das Abitur: »Nachdem ich in
Aarau das Gymnasium absolviert, bezog ich die Münchner
Universität, wo ich mich vier Semester hindurch mit philosophischen Studien aller Art beschäftigte. Dank derselben
glaub ich mir unter anderem auch ein durch solide Prinzipien
begründetes, durch die mannigfachste Erfahrung gerechtfer-
tigtes gesundes Urteil über Kunst, Musik, Theater und Literatur im allgemeinen beimessen zu dürfen.« (An einen Verlag, 5. August 1887) Er studiert Germanistik und französische
Literatur in Lausanne. Auf ausdrücklichen Wunsch des Vaters
beginnt er im Wintersemester ein Jura-Studium in München.
*Friedrich Engels' »Der Ursprung der Familie, des Privat-
eigentums und des Staates« veröffentlicht.*

1885   *Mannesmann erfindet das Walzverfahren für nahtlose Röh-
ren. Die Industrialisierung in Deutschland zeigt eine rasche*

Entwicklung: 19 000 Großbetriebe mit 3 Millionen Beschäftigten.

Gründung deutscher Kolonien in Afrika.

Emile Zolas (1840–1902) Roman »Germinal« erscheint.

Nietzsches »Also sprach Zarathustra« liegt abgeschlossen vor.

1886 Die Arbeit an der »Großen tragikomischen Originalcharakterposse in drei Aufzügen« »Der Schnellmaler oder Kunst und Mammon«, im November 1885 begonnen, wird im Mai beendet. Der Erstdruck erscheint bei J. Schabelitz im Züricher Verlagsmagazin 1889. Die Uraufführung erfolgt erst 1916 in den Münchner Kammerspielen. Die mit dem Stück verbundenen schriftstellerischen Erwartungen drückt folgende Briefstelle aus: »Ich hoffe nichts weiter davon, als daß es mir den Weg auf die Bühne bahnen soll, aber es geht so schrecklich lang, bis ein treuer Freund zwei Stunden findet, um das zu lesen, worauf ein anderer die Entscheidung seines Lebens setzt, und eine Empfehlung dazu zu schreiben.« (An Bertha Jahn, Mai 1886)

In München lernt Wedekind Michael Georg Conrad (1846 bis 1927), den Wegbereiter des deutschen Naturalismus und Herausgeber der einflußreichen naturalistischen Zeitschrift »Die Gesellschaft«, kennen. Im August trifft er mit Karl Henckell (1864–1929) in Lenzburg zusammen. Der Lyriker, der mit der sozialdemokratischen Bewegung sympathisiert, macht ihn mit dem Kreis der jüngsten oppositionellen Literatur des Naturalismus bekannt; insbesondere verkehrt Wedekind in Zürich mit Autoren wie John Henry Mackay (1864–1933), Carl Hauptmann (1858–1921) und Gerhart Hauptmann (1862–1946).

Nach einer tätlichen Auseinandersetzung mit dem Vater kommt es zum Bruch zwischen beiden (Oktober). Eine Versöhnung findet erst im September 1887 statt. Wedekind besteht auf dem Beruf als Schriftsteller. Er ist journalistisch tätig für die »Neue Zürcher Zeitung« und ist vom November 1886 bis zum Juli 1887 als Vorsteher des Reklame- und Preßbüros der Suppenwürzfirma Maggi engagiert. In den Beiträgen für die »Neue Zürcher Zeitung« wird er sich seiner vom Naturalismus unterschiedenen ästhetischen Position bewußt: »Der Witz und seine Sippe« und »Zirkusgedanken«. Es entstehen die Novellen »Gärungen«, »Ein böser Dämon« und »Marianne«. Das dramatische, in Versen geschriebene Fragment »Elins Erweckung« nimmt konzeptionell spätere

Dramen wie »Frühlings Erwachen« und »Lulu« vorweg.
Richard von Krafft-Ebing (Psychiater, 1840–1902) ver-
öffentlicht sein »Psychopathia sexualis«.

1887   *August Strindbergs (1849–1912) Trauerspiel in drei Akten*
»Der Vater« vollendet.

1888   Im Sommersemester nimmt Wedekind in Zürich wieder sein
Jura-Studium auf. Der plötzliche Tod des Vaters am 11. Oktober ermöglicht es ihm dank dem ihm zustehenden Erbteil,
seine schriftstellerische Tätigkeit einige Jahre ohne Existenz-
sorgen auszuüben.
»Fräulein Julie«, ein naturalistisches Trauerspiel von Strind-
berg, beendet.

1889   Im Mai geht Wedekind nach Berlin. Er hält Kontakt zum
naturalistischen »Friedrichshagener Kreis«. Im Juli verlegt
er seinen Wohnsitz nach München. Er schreibt das Lustspiel
»Kinder und Narren«, erschienen 1891 (zweite Fassung unter
dem Titel »Die junge Welt«, 1897). Das Stück stellt sowohl
eine Literatursatire auf Vertreter des Naturalismus als auch
einen Diskussionsbeitrag zu dem von Ibsen auf dem Theater
gestalteten Thema der Frauenemanzipation dar. Er verkehrt
mit Otto Julius Bierbaum (1865–1910), dem späteren Grün-
der der Zeitschrift »Pan« (1894), Oskar Panizza (1853 bis
1921), Prosaist und Lyriker, und den Bohémiens Willi Ru-
dinoff und Rudi Weinhöppel.
Auf dem Gründungskongreß der II. Internationale in Paris
fordern Emma Ihrer und Clara Zetkin die Gleichberechti-
gung der Frau innerhalb der Arbeiterbewegung und im
Arbeitsleben.

1890   Im Oktober beginnt Wedekind mit der Niederschrift von
»Frühlings Erwachen« (Erstdruck 1891 im Verlag Jean
Groß, Zürich). Die »Kindertragödie« wird, u. a. eine Folge
der Zensur, erst 1906 in den Kammerspielen Berlin unter der
Regie von Max Reinhardt uraufgeführt. »Gestatten Sie mir,
Ihnen . . . eine Arbeit . . . vorzulegen, in der ich die Er-
scheinungen der Pubertät bei der heranwachsenden Jugend
poetisch zu gestalten suchte, um denselben wenn möglich bei
Erziehern, Eltern und Lehrern zu einer humaneren, ratio-
nelleren Beurteilung zu verhelfen. Inwieweit es mir gelungen,
den an sich düstern Stoff in ein erträgliches Licht zu stellen,
entzieht sich meinem Ermessen.« (An einen Kritiker, Zürich,
5. Dezember 1891)
Reichskanzler Bismarck wird entlassen. In seinem Todesjahr

(1898) schreibt Wedekind in dem Gedicht »Bismarcks Höllenfahrt«: »Du lebtest und starbst als ein Reaktionär, / Der gegen den Strom geschwommen.«
Gründung der »Freien Volksbühne« in Berlin.
Ibsens Drama »Hedda Gabler« abgeschlossen.

1891   Im August wird mit der Arbeit an dem Schwank »Der Liebestrank« (in der Gesamtausgabe: »Fritz Schwigerling«) begonnen (abgeschlossen Juli 1892). Uraufführung im Jahr 1900 in Zürich. Im Herbst Aufenthalt in Lenzburg. Im Dezember siedelt Wedekind nach Paris über.
Der »Alldeutsche Verband« wird gegründet.
»Die Gleichheit, Zeitschrift für Interessen der Arbeiterinnen« (Redaktion Clara Zetkin) beginnt zu erscheinen.
Oscar Wildes Roman »Das Bildnis des Dorian Gray« veröffentlicht.

1892   Wedekind besucht in Paris häufig Zirkus-, Varieté- und Ballettveranstaltungen.
Gerhart Hauptmanns Drama »Die Weber« erscheint.
Ibsens Drama »Baumeister Solness« beendet.

1893   Zur Jahreswende setzt die Arbeit an der »Schauertragödie« »Die Büchse der Pandora« ein. Die allmählich entstehende »Urfassung« bleibt unveröffentlicht.
Im Frühjahr lernt Wedekind Emma Herwegh (1817–1904), die Witwe des revolutionären Dichters Georg Herwegh (1817–75), kennen. Zwischen beiden entwickelt sich eine enge geistige Freundschaft. Wedekind erhält über Emma Herwegh Zutritt zu den Salons der Schriftstellerinnen Louisa Read und Emilie Huny. Der mit ihm befreundete Schriftsteller Otto Erich Hartleben (1864–1905) schickt ihm eine Übersetzung der Gedichte von Albert Girauds »Pierrot Lunaire« zu.
Eine Welle anarchistischer Aktionen – Bombenanschläge Vaillants und Ravachols – erschüttert Frankreich.
Das Drama »Die Jugend« von Max Halbe (1865–1944) erscheint und wird zu einem der größten Theatererfolge der Zeit.

1894   Von Januar bis Juni weilt Wedekind in London. Er trifft mit dem Dichter Max Dauthendey (1867–1918) und dem dänischen Literaturhistoriker und Kritiker Georg Brandes (1842–1927) zusammen. Nach Paris zurückgekehrt, hat er Kontakt zu August Strindberg und dessen Frau. Über den Maler und Kunsthändler Willy Grétor macht er die Bekanntschaft mit dem Verleger Albert Langen. Über seine existentielle Not heißt es in einem Brief an Willy Grétor: »Ich sehe vor mir die Unmöglichkeit, zu arbeiten, die Krisis, die sich in meinem Leben eingestellt, zu überleben. Ich fürchte in einen Abgrund zu fallen, aus dem es mir nicht mehr möglich sein wird mich emporzuarbeiten. [. . .] Ich wäre glücklich, irgendeine Arbeit zu finden, die mir zweihundert Francs per Monat einbrächte.« (Paris, November 1894) Es entsteht das Dramenfragment »Das Sonnenspektrum oder: Wer kauft Liebesgötter? Eine Idylle aus dem modernen Leben«. Eine Uraufführung findet erst 1922 in Berlin statt.

Die Affäre Dreyfus erschüttert innenpolitisch die französische Dritte Republik. Wegen angeblichen Verrats militärischer Geheimnisse an Deutschland wird der jüdische Hauptmann Dreyfus angeklagt. Dreyfus wird in einem juristisch unhaltbaren Verfahren, das antisemitische Kampagnen der reaktionären Presse begleiten, zu lebenslänglicher Verbannung verurteilt. Emile Zola schreibt seinen offenen Brief »J'accuse« (1898). 1899 wird Dreyfus im Revisionsprozeß zu zehn Jahren Festung verurteilt, obwohl in Kreisen der Großbourgeoisie, des Adels, des Klerus und der militärischen Führung längst seine Unschuld bekannt ist. Erst 1906 wird Dreyfus voll rehabilitiert.

Das Reichstagsgebäude in Berlin wird gebaut. Dazu Wedekind: »Durch architektonische Größe / Gibt sich das deutsche Volk eine Blöße. / Es will sich ducken, das ist sein Ziel; / Darum schuf es den Reichstagsgebäudestil.« (Aus: »Ein politisch Lied«)

1895   Seit Februar hält sich Wedekind in Berlin auf. Er schließt sich wieder an den Kreis des Berliner Naturalismus an. Seine Bemühungen um die Aufführung seiner Dramen scheitern. Er geht im Sommer nach München. Im Verlag Albert Langen veröffentlicht er die Tragödie »Der Erdgeist«. (Diese Neufassung hat zur Grundlage den ersten Teil der ursprünglichen »Schauertragödie« »Die Büchse der Pandora«.) Im Herbst reist er nach Lenzburg und Zürich. Er verdient seinen Unterhalt als Vortragskünstler unter dem Pseudonym Cornelius Minehaha. Er beginnt mit der Niederschrift des Romanfragments »Mine-Haha oder über die körperliche Erziehung der jungen Mädchen« (erste, nicht erhaltene Fassung). *25,2 Prozent der Frauen in Deutschland sind berufstätig.*

*Frederick W. Taylors (1856–1915) wissenschaftliches System
der industriellen Arbeitsorganisation entsteht.*

Die ersten psychoanalytischen Schriften Freuds erscheinen.

1896   Wedekind geht im Sommer nach München. Die satirische
       Zeitschrift »Simplicissimus« wird von Albert Langen gegründet. Wedekind gehört zu den frühesten und meistgedruckten
       Mitarbeitern. Er beteiligt sich an Gründungsversuchen für
       eine sich an der literarischen Moderne orientierende Bühne.
       Er ist mit Frida Strindberg, der zweiten Frau August Strindbergs, befreundet und geht mit ihr Mitte Dezember nach
       Berlin. Im August 1897 gebiert sie ihm einen Sohn. Die Beziehung löst sich.

       Das »Bürgerliche Gesetzbuch« wird eingeführt.

1897   Der Sammelband »Die Fürstin Russalka« (Erzählungen,
       Gedichte, Pantomimen) wird von Albert Langen verlegt.
       Seit September lebt Wedekind bei seiner Schwester Erika,
       einer bereits bekannten Konzert- und Opernsängerin, in
       Dresden, die ihn vorübergehend finanziell unterstützt. Im
       Herbst entsteht »Der Kammersänger. Drei Szenen« (ursprünglicher Titel: »Das Gastspiel«). Der Schriftsteller und
       Vorsitzende der Leipziger Literarischen Gesellschaft, Kurt
       Martens (1870–1945), lädt Wedekind zu einem Vortragsabend nach Leipzig ein, auf dem der Dichter Gedichte,
       Szenen aus »Frühlings Erwachen«, »Der Kammersänger«
       und die Erzählung »Rabbi Esra« liest. Die ersten politischen
       Gedichte unter dem Pseudonym Hieronymus Jobs erscheinen
       im »Simplicissimus«.

1898   Am 25. Februar findet im Theatersaal des Leipziger Kristallpalastes die Uraufführung des ganzen »Erdgeistes«, die erste
       Aufführung eines seiner dramatischen Werke, unter der
       Regie von Carl Heine statt. Wedekind, obwohl als Schauspieler völlig unausgebildet, spielt unter dem Pseudonym
       Heinrich Kammerer den Dr. Schön. Carl Heine, Spielleiter
       der Literarischen Gesellschaft, verpflichtet ihn als Sekretär,
       Schauspieler und Regisseur für sein damals gegründetes
       Ibsen-Theater, mit dem er von März bis Juni auf Tournee
       geht. Nach seiner Rückkehr nach München engagiert ihn
       Georg Stollberg, der damalige Oberregisseur und spätere
       Direktor des Münchner Schauspielhauses, als Schauspieler
       und Dramaturg. Die Münchner Premiere seines »Erdgeistes«
       findet am 29. Oktober statt.

       Im Oktober unternimmt Kaiser Wilhelm II. seine – propa-

gandistisch genutzte – Orientreise und leitet damit eine neue Phase der kolonialen Expansionspolitik ein. Diese Reise kommentiert Wedekind satirisch in den Gedichten »Im Heiligen Land«, »Meerfahrt« und »Opportunistische Zweifel« (spätere Titel: »Sommer 1898« bzw. »Ahasver«). Als die Autorschaft der beiden ersten »staatsgefährdenden« »Simplicissimus«-Gedichte bekannt zu werden droht, entzieht sich Wedekind der bevorstehenden Verhaftung durch Flucht nach Zürich. In Abwesenheit wird er wegen Majestätsbeleidigung unter Anklage gestellt.

Wedekind beginnt mit der Niederschrift des »Schauspiels in fünf Aufzügen« »Der Marquis von Keith«, ursprünglich betitelt »Ein Genußmensch«; die geplante vieraktige Fassung wird nicht ausgeführt. Ende Dezember reist er nach Paris.

Mit Hilfe der bürgerlichen Reichstagsmajorität wird das erste Flottengesetz verabschiedet. Der in diesem Jahr gegründete Deutsche Flottenverein wird mit über einer Million Mitgliedern die größte Massenorganisation des deutschen Vorkriegsimperialismus. Wedekind nimmt zu der deutschen Flottenpolitik in seinem Gedicht »Ein politisch Lied. Von der deutschen Flotte«, veröffentlicht im »Simplicissimus«, kritisch Stellung.

1899   In Paris beginnt Wedekind mit einer Umarbeitung des »Marquis von Keith«. Diese Fassung schickt er unter dem Titel »Der gefallene Teufel« an Carl Heine. In Erwartung einer Festungshaft stellt sich Wedekind im Juni den Gerichten in Leipzig. Nach Untersuchungshaft wird er in einer ersten Verhandlung jedoch zu Gefängnis verurteilt. Nach einer neuen Verhandlung vor dem Reichsgericht am 3. August wird er bald zu Festungshaft begnadigt, die er am 21. September auf der Festung Königstein antritt. Dort arbeitet er am »Marquis von Keith« und an einer Neufassung des Romans »Mine-Haha«, dessen erste drei Kapitel 1901 in der Zeitschrift »Die Insel« erscheinen. Die Uraufführung des im Frühjahr bei Langen veröffentlichten »Kammersängers« findet am 10. Dezember an der Sezessionsbühne im Berliner Neuen Theater unter der Leitung von Dr. Zickel statt.

1900   Am 3. März wird Wedekind aus der Haft entlassen und kehrt nach München zurück. Er verkehrt dort in zwei literarischen Kreisen, dem »Akademisch-dramatischen Verein« und der »Unterströmung« Max Halbes. – Unter dem Titel »Münchner Szenen. Nach dem Leben aufgezeichnet von

Frank Wedekind« erscheint in der »Insel« ein vollständiger Vorabdruck des »Marquis von Keith«. Die erste Buchausgabe erscheint bei Langen 1901.

Die schwedische Frauenrechtlerin Ellen Key (1849–1926) veröffentlicht »Das Jahrhundert des Kindes«.

Strindbergs Drama »Totentanz« ist beendet.

1901   Um die Jahrhundertwende entfaltet sich in den deutschen Metropolen nach französischem Vorbild eine bedeutende Kabarettkultur. Am 13. April eröffnen in München die »Elf Scharfrichter«. Der Vortrag des Wedekindschen »Ilse«-Liedes trägt wesentlich zum Erfolg bei. Ende April tritt Wedekind als einziger ohne Pseudonym dem Ensemble bei. Die Uraufführung des »Marquis von Keith« findet am 11. Oktober im Berliner Residenztheater statt. Im Spätherbst wird die Arbeit an dem Schauspiel »König Nicolo« abgeschlossen, das in der ersten Auflage unter dem Titel »So ist das Leben« erscheint (1902). (Vor Erscheinen des Buches wird das Stück am 22. Februar 1902 im Münchner Schauspielhaus uraufgeführt.)

Die erste Gewerkschaftsinternationale wird in Kopenhagen gegründet.

Thomas Manns (1875–1955) Roman »Buddenbrooks« erscheint.

1902   Wedekinds bedeutendste Ballettpantomime »Die Kaiserin von Neufundland«, 1897 in der Sammlung »Die Fürstin Russalka« gedruckt, wird am 12. März durch die »Elf Scharfrichter« erfolgreich uraufgeführt. – Aus der Beziehung zu Hildegarde Zellner geht der Sohn Frank hervor. – Im Juli erscheint in der »Insel« der Vorabdruck der »Büchse der Pandora«. (Diese Neufassung hat zur Grundlage den zweiten Teil der ursprünglichen »Schauertragödie« »Die Büchse der Pandora«.) Am 17. Dezember wird die Berliner Erstaufführung des »Erdgeists« am Kleinen Theater – Regie: Richard Vallentin – zu einem großen Theatererfolg.

1903   Im Herbst berichtet Wedekind von dem Beginn der Arbeit an einem modernen Roman, »Fanny Kettler«. Aus dem Stoff des nicht ausgeführten Romans wird das Drama »Hidalla oder Sein und Haben« entwickelt. Die Niederschrift des Stückes ist im März 1904 abgeschlossen. Es erscheint im Mai 1904 bei J. Marchlewski & Co., München. In der fünften und sechsten Auflage (1911) wird das Stück unter dem Titel »Karl Hetmann, der Zwergriese (Hidalla)« bei Georg Müller in München verlegt. Als Quellen verwendet Wedekind die Schriften John Stuart Mills »Über die Hörigkeit der Weiber«, Friedrich Engels' »Der Ursprung der Familie«, Irma von Troll-Borostyanis »Die Gleichstellung der Geschlechter« (1888), Anna Pappritz' »Herrenmoral« (1903) und Willibald Hentschels »Mittgart. Ein Weg zur Erneuerung der germanischen Rasse« (1904). Die Uraufführung des Stückes »Hidalla« findet 1905 im Münchner Schauspielhaus statt.

1904   Als geschlossene Subskriptionsvorstellung wird am Intimen Theater Nürnberg unter der Regie von Egbert Soltau »Die Büchse der Pandora« uraufgeführt (1. Februar). Auch die weiteren Inszenierungen werden von der Zensur nur für geschlossene Aufführungen freigegeben. Die Erstausgabe der »Büchse der Pandora« wird beschlagnahmt.
Die »International Women Suffrage Alliance« wird auf dem Frauenkongreß in Berlin gegründet. Neben der Propagierung des Frauenstimmrechts wird scharf gegen die Dreiheit »Kinder – Küche – Kirche« als eines der Unterdrückungsmomente der Frauen protestiert.

1905   Karl Kraus veranstaltet im Wiener Trianon-Theater eine Aufführung der »Büchse der Pandora« (Regie: Albert Heine); die Rolle der Lulu spielt Tilly Newes, die von Jack the Ripper Frank Wedekind. Im Frühjahr schreibt Wedekind die drei Szenen »Totentanz«; der Vorabdruck erscheint in der von Karl Kraus herausgegebenen Zeitschrift »Die Fakkel«. (Die Buchausgabe erscheint seit der dritten Auflage [1909] unter dem wegen Strindbergs »Totentanz«-Drama geänderten Titel »Tod und Teufel«.) Wedekind verlobt sich mit der Wiener Schauspielerin Berthe Marie Denk; die Beziehung wird gelöst, nachdem Wedekind Tilly Newes kennengelernt hat.
Die bürgerliche Revolution in Rußland wird blutig niedergeschlagen.
Albert Einstein (1879–1955) begründet die Spezielle Relativitätstheorie.

1906   Heirat zwischen Mathilde (Tilly) Newes (1886–1970) und Frank Wedekind. »Ich habe die anstrengendste Zeit meines Daseins hinter mir. Innerhalb acht Tagen zwei Premieren und dazwischen eine Verheiratung.« (Wedekind an seine Mutter, 7. Mai 1906) Die Uraufführung des »Totentanzes« am Nürnberger Intimen Theater ist erfolgreich. Dagegen wird eine von Karl Kraus in Wien geplante Erstaufführung von der Zensur auch als geschlossene Veranstaltung nicht genehmigt. Es entsteht das »Sittengemälde in vier Bildern« »Musik« (Buchausgabe 1907; die Uraufführung bringt 1908 das Nürnberger Intime Theater). Die Arbeit an Romanfragmenten wird unter dem vorläufigen Titel »Die große Liebe« (unvollendet und unveröffentlicht) fortgesetzt. Die Tochter Pamela wird geboren. Wohnsitz wird bis 1908 Berlin.

1907   Wedekind entwirft drei Szenen, für die er sich im Verlauf der Arbeit unterschiedliche Titel vorstellt: »Das Kostüm«, »Exhibitionismus«, »Selbstporträt«. Schließlich erscheinen die Szenen mit dem Titel »Die Zensur« in der Berliner Wochenschrift »Morgen« (1908). Die Buchausgabe (1908) hat den Untertitel »Theodizee in einem Akt«. Das Werk wird 1909 im Münchner Schauspielhaus uraufgeführt.

1908   Die Uraufführung des Stückes »Die junge Welt« findet im Münchner Schauspielhaus statt. Ende 1907 bis Frühjahr 1908 schreibt Wedekind an einem Albert-Langen-Drama. Der erste Entwurf heißt »Der Witz«, der in seiner endgültigen Konzeption als »Schauspiel in fünf Aufzügen« unter dem Titel »Oaha« als Buch erscheint. Es handelt sich um ein Schlüsselstück über den »Simplicissimus«-Kreis. Gegen Max Reinhardts Ausstattungsbühne richtet sich ein satirischer Inszenierungshinweis: »Auffallende Dekorationen und Requisiten, Entfaltung eines besonderen Stiles, Verwendung einer Drehbühne sowie aller sonstige Humbug einer klobigen, marktschreierischen Regie sind bei der Aufführung dieses Stückes unzulässig.« Die 1909 entstandene »Vorrede zu Oaha« wird erst im Band 9 der »Gesammelten Werke« aus dem Nachlaß veröffentlicht. Eine zweite, umgearbeitete Auflage erscheint ohne Jahr bei Georg Müller, München, unter dem Titel »Oaha. Die Satire der Satire. Eine Komödie in vier Aufzügen«. Die Uraufführung veranstaltet der Münchner »Neue Verein« als geschlossene Vorstellung 1911 im Münchner Lustspielhaus. – Im September zieht die Familie von Berlin nach München um.
       Das neue Reichsvereinsgesetz in Deutschland erlaubt die Zulassung von Frauen zu politischen Vereinen und Versammlungen.

1909   Der Einakter »Der Stein der Weisen« entsteht, das erste vollständig in Versen geschriebene Stück Wedekinds. Der ur-

sprüngliche Untertitel lautet »Das Magisterium. Drama in
einem Aufzug«, der für die mit einem Vorwort versehene
Buchausgabe in »Eine Geisterbeschwörung« abgeändert wird.
Ein Vorabdruck erfolgt in der Münchner Wochenschrift »Jugend«. (Die Uraufführung findet 1911 an der Wiener Kleinen Bühne statt.) Von Herbst 1909 bis Frühjahr 1910 arbeitet Wedekind an einem Drama, das zunächst den Titel
»In allen Wassern gewaschen. Tragödie in drei Bildern« tragen sollte. (Bevor das Stück 1912 unter dem Titel »Schloß
Wetterstein. Schauspiel in drei Akten« veröffentlicht wird,
erscheinen jene »Drei Bilder aus einem Familienleben« als
eine Folge von Einaktern: »In allen Wassern gewaschen.
Tragödie in einem Aufzug«, »Mit allen Hunden gehetzt.
Schauspiel in einem Aufzug«, »In allen Sätteln gerecht. Komödie in einem Aufzug«. Die Fassung der »Gesamtausgabe«
stammt aus dem Juni 1913. Die Uraufführung findet – nach
Behinderungen durch die Zensur – 1917 im Zürcher Pfauen-
theater statt.) Seit 1909 rege Gastspieltätigkeit Wedekinds.

1910   »Schauspielkunst. Ein Glossarium« veröffentlicht.
        Rudolf Hilferdings »Das Finanzkapital« erscheint.

1911   Im Mai wird der »Plan zu einem weiblichen Faust, Faustine«
        gefaßt. Als Titel sieht Wedekind zunächst »Hexensabbat«
        vor. Beendet wird das Werk im November; es erscheint als
        »Franziska. Ein modernes Mysterium in fünf Akten« (1912).
        Die Uraufführung (1912) wird am Münchner Lustspielhaus
        inszeniert. – Die Tochter Kadidja wird geboren.
        *Georg Simmels »Zur Philosophie der Geschlechter« erscheint
        (in: »Philosophische Kultur«).*

1912   *Bei den Reichstagswahlen erringt die Sozialdemokratie mit
        4,5 Millionen von 12,2 Millionen Stimmen ihren größten
        Wahlsieg vor dem ersten Weltkrieg. Maximilian Harden –
        von Wedekind charakterisiert als »einer der führenden Gei-
        ster Deutschlands« – urteilt über die Geschichte der Partei:
        »Die Verbürgerlichung der Sozialdemokratie ist nicht mehr
        aufzuhalten.« (»Die Zukunft«, 1901)* Wedekind schreibt
        ironisch in seinem Gedicht »Ein politisch Lied«: »Und die
        sozialistische Politik / Haben die Sozialisten gründlich dick. /
        Wenn heute wiederum zum heiligen Kriege / Ferdinand Las-
        salle herniederstiege / Und musterte sein Sozialistenheer, /
        Er fände seine eigenen Worte nicht mehr.« *Schon während
        der durch den deutschen Imperialismus hervorgerufenen
        weltpolitischen Krisen zu Beginn des Jahrhunderts vertritt*

*Leo Trotzki die Auffassung, »daß die gigantische Maschi-
nerie der deutschen Sozialdemokratie in einem für die bürgerliche Gesellschaft kritischen Moment zu einer Hauptsäule
konservativer Ordnung werden könnte« (»Mein Leben. Versuch einer Autobiographie«, 1930).*

*Erster Balkankrieg: Die jungen Balkanstaaten besiegen die
Türkei. Auf dem außerordentlichen Kongreß der II. Internationale in Basel lautet der einzige Tagesordnungspunkt:
»Die internationale Lage und die Verständigung der sozialistischen Parteien über eine internationale Aktion gegen
den Krieg.«*

1913 »Simson oder Scham und Eifersucht. Dramatisches Gedicht in
drei Akten« wird im Januar in München begonnen und im
Juli in Rom beendet, der zweite Akt Ende Juli umgearbeitet.
(Als Buch erscheint das Werk 1914. Die Uraufführung im
selben Jahr übernimmt das Lessing-Theater in Berlin.)
*Wirtschaftskrise in Deutschland. Verstärkte militärische Auf-
rüstung in Europa.*
*Die Hälfte aller erwachsenen Frauen in Deutschland ist er-
werbstätig.*
*Am Vorabend des ersten Weltkriegs bekräftigt August Bebel
– stellvertretend für die deutsche Sozialdemokratie –: »Es
gibt in Deutschland überhaupt keinen Menschen, der sein
Vaterland fremden Angriffen wehrlos preisgeben möchte.
Das gilt namentlich auch von der Sozialdemokratie.« (Flug-
blatt »Ein ernstes Wort in ernster Zeit«)*

1914 Die Erstaufführung des »Simson« wird in München von der
Zensur verboten. Anläßlich des Theatererfolges der Komödie
»Der Snob« gratuliert Wedekind dem Autor Carl Sternheim
(1878–1942): »Ich freue mich ungeheuer über die Erfrischung,
die Ihre Kunst in die Schlafmützenhaftigkeit unserer Litera-
tur bringt.« (11. März 1914)
*1.–3. August: Kriegserklärungen des Deutschen Reiches an
Rußland und Frankreich.*
*Die Reichstagsfraktion der SPD stimmt der Bewilligung der
Kriegskredite zu.*
*Kaiser Wilhelm II. erklärt: »Ich kenne keine Parteien mehr,
ich kenne nur noch Deutsche.«*
In dem Vortrag »Deutschland bringt die Freiheit«, den
Wedekind während einer »Vaterländischen Feier« am 18.
September in den Münchner Kammerspielen hält, heißt es:
»Frankreich glaubt sich vom *furor teutonicus*, von der rohen

Gewalt, von der numerischen Übermacht überwältigt. Die 42-Zentimeter-Geschosse haben nicht das geringste mit *furor teutonicus* zu tun, sie sind Ergebnisse der allerstrengsten positiven Wissenschaften, der Mathematik, der Physik und der Chemie.« Und er beendet seine Rede mit den Worten: »Wird des jungen Deutschen Reiches Heldenkampf vom Siege gekrönt, dann wird auch den Söhnen Deutschlands ein Vaterlandsstolz daraus erwachsen, der durch seine Selbstverständlichkeit und durch seine sittliche Würde über grellem Hurrapatriotismus, über engherziger Erbfeindschaft gleich hoch erhaben ist.« (Berliner Tageblatt, 27. September 1914)

Mit Kriegsbeginn werden die Aufführungsmöglichkeiten auch der Werke Wedekinds eingeschränkt. In einigen Großstädten Deutschlands (Hamburg, Leipzig, München) werden Wedekind zu seinem fünfzigsten Geburtstag zahlreiche Ehrungen zuteil. Von Joachim Friedenthal herausgegeben erscheint »Das Wedekindbuch«. Von August 1914 bis Oktober 1915 dauert die Arbeit an »Bismarck. Historisches Schauspiel in fünf Akten«. Das Drama behandelt die diplomatischen und kriegerischen Auseinandersetzungen um die schleswig-holsteinische Frage (1863–66). (Nach dem stückweisen Vorabdruck im »Neuen Merkur« [1915] liegt das Werk 1916 als Buch vor. Die Uraufführung erfolgt erst 1926 am Deutschen Nationaltheater in Weimar.)

1915   In der Zeitschrift »Die weißen Blätter« erscheint der Zola-Essay Heinrich Manns (1871–1950). Wedekind beglückwünscht den Autor in einem Brief: »Ihre Arbeit verkörpert die Überlegenheit deutschen Geistes, nicht dem Geiste anderer Völker, sondern der ganzen Weltlage gegenüber. Außerdem erscheint mir Ihr Werk als eine Tat des Friedens, für die Ihnen jeder, dem das Glück seiner Mitmenschen am Herzen liegt, nicht dankbar genug sein kann.« (1. Dezember 1915) Wedekind tritt, von Walther Rathenau (1867–1922) aufgefordert, der im November des Vorjahres in Berlin gegründeten »Deutschen Gesellschaft 1914« bei. Dieser politische Verein unterstützt während des ersten Weltkriegs die Regierungspolitik. Führende Mitglieder sind W. Solf (Staatssekretär des Reichskolonialamtes), die Industriellen R. Bosch, G. Krupp, W. Rathenau, A. Hugenberg, die Historiker H. Delbrück, E. Troeltsch u. a. Wedekinds Motiv für den Beitritt drückt ein Brief an W. Rathenau aus: »Möge es der Gesellschaft beschieden sein, den Sieg des deutschen Volkes zum

Glück für das deutsche Volk zu gestalten.« (5. Oktober 1915) *Zum erstenmal kommen im Krieg Giftgas und Tanks zum Einsatz. Wegen der Lebensmittelknappheit in Deutschland werden Brotkarten verteilt.*

1916   »Überfürchtenichts«, ein im November des Vorjahres begonnenes balladeskes Spiel, wird im August abgeschlossen (Buchausgabe 1917, Uraufführung 1919). Die Neubearbeitung des Schauspiels »Oaha« wird unter dem Titel »Till Eulenspiegel. Komödie in vier Aufzügen« verlegt (Erstaufführung München).
Die Hungersnot in Deutschland (»Kohlrübenwinter«) stärkt die Antikriegsstimmung und führt zu Demonstrationen und Streiks: Gründung des Spartakus-Bundes.
Lenins Schrift »Der Imperialismus als höchstes Stadium des Kapitalismus« wird abgeschlossen.

1917   Zwischen Oktober 1916 und März 1917 entsteht »Herakles. Dramatisches Gedicht in drei Akten« (Buchausgabe 1917, Uraufführung in München 1919). Gastspiele in Deutschland und in der Schweiz. Die Nachricht vom Selbstmordversuch seiner Frau veranlaßt Wedekind zur Rückkehr nach München (Dezember).
Bürgerliche Februarrevolution und bolschewistische Oktoberrevolution in Rußland.
Gründung der »Unabhängigen Sozialdemokratischen Partei Deutschlands«.

1918   Wegen einer 1914 schlecht verlaufenen Blinddarmoperation muß Wedekind sich einer Reihe weiterer ärztlicher Eingriffe unterziehen. An den Folgen einer notwendig werdenden Hauptoperation stirbt er am 9. März und wird auf dem Münchner Waldfriedhof beigesetzt.
Ausbruch der Novemberrevolution in Deutschland infolge des Kieler Matrosenaufstands. Rosa Luxemburg (1871–1919) kommentiert: »Die Monarchie ist hinweggefegt, die oberste Regierungsgewalt ist in die Hände von Arbeiter- und Soldatenvertretern übergegangen. Aber die Monarchie war nie der eigentliche Feind, sie war nur Fassade, sie war das Aushängeschild des Imperialismus. Nicht der Hohenzoller hat den Weltkrieg entfacht, die Welt an allen Ecken in Brand gesteckt und Deutschland an den Rand des Abgrundes gebracht. Die Monarchie war wie jede bürgerliche Regierung die Geschäftsführerin der herrschenden Klassen.« (»Der Anfang«, 18. November)

TEXTAPPARAT UND ANMERKUNGEN

Zum Text dieser Ausgabe

Handschriftlich existieren zu der »Schauertragödie« (Brief an die Mutter vom 7. Januar 1893) eine von späteren Textschichten überlagerte Urfassung »Die Büchse der Pandora. Eine Monstretragödie in fünf Akten« sowie Entwürfe in Notizbüchern und teilweise Überarbeitungen fertiggestellter Akte. Mit der Ausarbeitung der »Schauertragödie« beginnt Wedekind Ende 1892; im Sommer 1894 ist das Drama vorläufig abgeschlossen.

Auf diese Urfassung greift Kadidja Wedekind in ihrer Bearbeitung »Lulu. Das Monsterlegendenspiel der Pandora« (vervielfältigtes Manuskript. Drei-Masken-Verlag. München 1966) zurück (vgl. auch »Die Büchse der Pandora. Eine Monstretragödie von Frank Wedekind. Mit einem pantomimischen Vorspiel eingeleitet und herausgegeben von Kadidja Wedekind«. München o. J. [1947] sowie »Nennt's Lulu, nennt's Pandora, als bliebe das Prinzip nicht immer das gleiche! Die Monstretragödie. Neubearbeitung von Kadidja Wedekind«. München 1960/61).

Eine historisch-kritische Ausgabe der restituierten Urfassung von 1894 liegt mittlerweile vor: »Frank Wedekind. Die Büchse der Pandora. Eine Monstretragödie. Pharus III«. Darmstadt 1990.

1895 erscheint bei Albert Langen »Der Erdgeist. Eine Tragödie« in vier Akten. Die ersten drei Akte der »Schauertragödie« sind überarbeitet und gekürzt; ein neuer dritter Akt ist zwischen dem zweiten und dem ursprünglichen dritten eingeschoben. Vor jedem Akt ist eine Bühnenskizze abgedruckt (siehe die »Regieanweisungen zu ›Erdgeist‹«, Seite 215 f. der vorliegenden Ausgabe). Für Kutscher bleibt es ungewiß, ob Wedekind »selber aus künstlerischen Gründen eine Teilung vornahm, oder ob er dazu – was wahrscheinlich ist – genötigt wurde. [...] Entscheidend wurde wohl, daß der Verleger den Druck der letzten Akte nicht verantworten zu können glaubte, und so schob denn Wedekind ihre Veröffentlichung hinaus.« (Artur Kutscher: Frank Wedekind. Sein Leben und seine Werke. Band 1. München 1922. Seite 347)

Die Willy Grétor gewidmete zweite Auflage von »Der Erdgeist. Eine Tragödie« erscheint 1903 bei Albert Langen unter dem Titel »›Lulu‹. Dramatische Dichtung in zwei Teilen. Erster Teil ›Erdgeist‹«.

Neu hinzugekommen sind ein Motto aus Friedrich Schillers »Wallensteins Tod« (II 2) und ein »Prolog«, der vermutlich zur zehnten Aufführung am 24. Juni 1898 in Leipzig entstanden ist und zuerst in der Zeitschrift »Die Insel« (Jahrgang 2, 1901, Heft 6) abgedruckt wurde. Der Text stellt eine an den Erfahrungen der ersten Inszenierungen orientierte Korrektur des Erstdrucks dar. (Über die Abweichungen informieren die »Textvarianten«, Seite 209 ff.

Die auf dem Text der zweiten Auflage fußende siebte Auflage liegt den »Gesammelten Werken« (Band 3, 1913) zugrunde.

Bis 1919 erreicht »Erdgeist« fünfzehn Auflagen. Sie enthalten im Vergleich mit dem Text der »Gesammelten Werke« nur geringfügige Korrekturen.

Erst im Juli 1902 werden in der Zeitschrift »Die Insel« (Jahrgang 3, Heft 10) die beiden letzten Akte der Handschrift »Die Büchse der Pandora. Eine Monstretragödie in fünf Akten«, zusätzlich mit einem neuen ersten Akt versehen, abgedruckt. Diese Fassung trägt den Titel »Die Büchse der Pandora. Tragödie in drei Aufzügen« und erscheint als Buchausgabe 1903 bei Bruno Cassirer in Berlin. Über die Abweichungen gegenüber der Handschrift informiert Kutscher (am angeführten Ort, Seite 356 ff.).

Diese Buchausgabe wird am 23. Juli 1904 auf Veranlassung der Staatsanwaltschaft beschlagnahmt. Wegen Verbreitung unzüchtiger Schriften werden Wedekind und sein Verleger angeklagt. Im Prozeß 1905 vor dem Berliner Landgericht werden die Angeklagten freigesprochen. Jedoch wird die Vernichtung der noch vorhandenen Buchexemplare in der letzten Verhandlung 1906 vor demselben Gericht angeordnet.

Eine neu bearbeitete und mit einem Vorwort versehene dritte Auflage erscheint 1906. Sie beruht zum Teil auf dem Text der Theateraufführung vom 1. Februar 1904 im Intimen Theater Nürnberg. Die französischsprachigen Passagen des zweiten Akts und die englischsprachigen Passagen des dritten Akts sind durchgängig übersetzt. Das 57 Seiten umfassende Vorwort enthält auch die Gerichtsurteile. Als Personenverzeichnis ist der Theaterzettel der von Karl Kraus eingerichteten Wiener Aufführung beigefügt.

Der vom Autor hergestellten Bühnenbearbeitung der siebten Auflage (Georg Müller, 1911) entspricht die Ausgabe der »Gesammelten Werke« (Band 3, 1913), welche Teile der Vorrede der dritten Auflage abdruckt. Die siebte Auflage verzichtet auf die Vorrede, enthält aber den »Prolog in der Buchhandlung« (Erstdruck in: »Pan«, 15. November 1910), dessen Anspielung auf Gerhart Hauptmann in den

»Gesammelten Werken« gestrichen ist. Die siebte Auflage übernimmt die Übersetzungen der dritten. (Über die Abweichungen zwischen der Erstausgabe und der Ausgabe der »Gesammelten Werke« informieren die »Textvarianten« und »Übersetzungen«, Seite 236 f. bzw. 223 ff.

Bis 1919 erreicht »Die Büchse der Pandora. Tragödie in drei Akten« die elfte Auflage.

Eine Bühnenbearbeitung, die wieder auf die Urfassung der »Monstretragödie« zurückgreift, legt Wedekind 1913 vor: »Lulu, Tragödie in fünf Aufzügen mit einem Prolog.« Gestrichen sind der dritte Akt des »Erdgeists« und der erste Akt der »Büchse der Pandora«. Der

Stemma

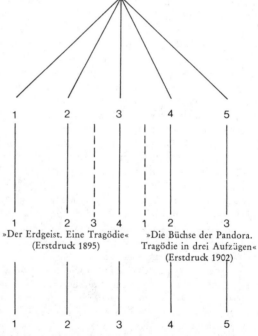

»Die Büchse der Pandora. Eine Monstretragödie«
(Handschrift 1894)

1 2 3 4 5

1 2 3 4   1 2 3
»Der Erdgeist. Eine Tragödie«   »Die Büchse der Pandora.
(Erstdruck 1895)   Tragödie in drei Aufzügen«
                                     (Erstdruck 1902)

1 2 3 4 5
»Lulu. Tragödie in fünf Aufzügen mit einem Prolog« (1913)

Schluß wird neu konzipiert. Die Jackszene entfällt. Lulu schaut »visionär« ihr Ende.

Textbasis

Der Text der Tragödie »Erdgeist« ist der Text der »Gesammelten Werke« (1913), welcher auf dem der zweiten Auflage (1903) fußt. Gegenüber der ersten Auflage (1895) stellt sich der Text der zweiten Auflage als stilistisch und dramaturgisch verbessert dar. Bedeutende Abweichungen der ersten Auflage sind im Textapparat verzeichnet.

Als Text der Tragödie »Die Büchse der Pandora« wurde der Text der ersten Buchausgabe (1904) gewählt, der als einziger der bisher veröffentlichten Fassungen der Tragödie – abgesehen vom Problem der Selbstzensur – von Eingriffen der Zensur, die erst nach der ersten Publikation einschritt, nicht entstellt ist. Der Text ist ergänzt um die »Vorrede« der dritten Auflage (1906) ausschließlich der Gerichtsurteile und um den »Prolog in der Buchhandlung« nach dem Text der »Gesammelten Werke« (1913). Bedeutende Abweichungen und die Übersetzungen der fremdsprachigen Teile der siebten Auflage (1911), welcher die Ausgabe der »Gesammelten Werke« (1913) entspricht, werden auch hier verzeichnet.

Anmerkungen zu »Erdgeist«

7   *Motto:* Friedrich Schiller: Wallensteins Tod II 2.
11 *Ibsen:* Henrik Ibsen (1828–1906), norwegischer Dichter. Mit »Die Stützen der Gesellschaft« (1877) schuf er die neue Gattung des Gesellschaftsstücks, die gemeinhin als Beginn des modernen naturalistischen Dramas angesehen wird.
12 *Der eine Held kann ...:* Polemik gegen Gerhart Hauptmanns (1862–1946) naturalistische Kunstauffassung. Der eine Held ist Dr. Loth in dem sozialen Drama »Vor Sonnenaufgang« (1889), der andere Johannes Vockerat in der Tragödie »Einsame Menschen« (1891), der dritte Professor Crampton in der Komödie »Kollege Crampton« (1892).

Tiger: allegorische Bezeichnung des Chefredakteurs Dr. Schön.
Bären: allegorische Bezeichnung des Medizinalrats Dr. Goll.
Affen: allegorische Bezeichnung des Schriftstellers Alwa
Schön.
Kamel: allegorische Bezeichnung des Kunstmalers Schwarz.
Schlange: allegorische Bezeichnung Lulus.
Pierrotkostüm: Der Pierrot ist eine dumm-pfiffige Diener-
figur aus der Pariser Comédie Italienne (17. Jahrhundert).
Er trug eine weiße Maske und ein sackartig weites weißes
Kostüm.

13 *Unheil:* Anspielung auf die »Büchse« der Pandora. Pandora
erhält nach der griechischen Mythologie einen alle Übel der
Menschen enthaltenden Krug, eine Gabe der Götter.

15 *Smyrnateppich:* elfenbeinfarbener, rot- oder blaugrundiger
Teppich aus der türkischen Stadt Izmir (griechisch Smyrna).
Ottomane: gepolsterte Liege.

17 *Tantalusqual:* Tantalus, eine Gestalt der griechischen Mythologie, setzt den Göttern das Fleisch seines Sohnes vor, um ihre
Allwissenheit zu prüfen. Dafür muß er ewige Qualen erleiden:
In einem See stehend, während über seinem Haupt köstliche
Früchte hängen, kann er dennoch Hunger und Durst niemals
stillen, da Wasser und Früchte bei jedem Versuch, sie zu erreichen, zurückweichen.

18 *Nelli:* Kurzform von Cornelia, Helena, Nathalie; erinnert
sei auch an die Figur der Ella aus Wedekinds Versdrama »Elins
Erweckung« (1887). Ellas Vater heißt Schigolch.
Apelles: griechischer Maler aus Kolophon (2. Hälfte des
4. Jahrhunderts v. Chr.).

19 *Mignon:* Gestalt in Goethes Roman »Wilhelm Meisters Lehr-
jahre« (1795/96), ein Mädchen rätselhafter Herkunft, im »Ur-
meister« (»Wilhelm Meisters theatralische Sendung«, 1777/85)
männlich und weiblich genannt.
Cäcilienverein: Der Cäcilien-Verband, 1868 ursprünglich zur
Pflege der katholischen Kirchenmusik gegründet, umfaßt heute über 250 000 Mitglieder.

20 *Raffael:* Raffaelo Santi (1483–1520), italienischer Maler und
Baumeister.
Impressionismus: eine in der französischen Malerei um 1870
entstandene Kunstrichtung, bedeutsam für die Kunst des 19.
und 20. Jahrhunderts durch ihre grundlegend neue Konzeption von Malerei als »Art pour l'art«.

21 *Velasquez:* Diego Rodríguez de Silva y Velázquez (1599 bis 1660), spanischer Maler.

22 *Dalailama:* Dalai-Lama, geistliches und weltliches Oberhaupt des tibetanischen Staates.

Nietzsche: Friedrich Nietzsche (1844–1900), Philosoph und klassischer Philolog, Wegbereiter der Existenz- und Lebensphilosophie.

Buddhismus: asiatische Religion, benannt nach dem Ehrentitel ihres Stifters Siddhattha (560–480 v. Chr.).

23 *Brahmanen:* Angehörige der angesehensten Gruppe innerhalb der Hindugesellschaft.

Proszeniumsloge: Logen seitlich des vordersten Teils der Bühne zwischen Vorhang und Orchestergraben.

Höllenbreugel: Pieter Breughel der Jüngere (um 1564–1638), flämischer Maler.

Caravacci: Caravaggio (1573–1610), italienischer Maler.

Nirvana: Heilsziel indischer Religionen.

24 *Csárdás:* alter ungarischer Bauerntanz, der um 1835 in das Tanzrepertoire der höheren Gesellschaft aufgenommen wurde und bis 1880 in Mode war.

Samaqueca: Zamacueca oder Cueca, chilenischer Tanz.

Fougère: Eugénie Fougère, berühmte Tänzerin der neunziger Jahre des 19. Jahrhunderts.

25 *Volants:* Stoffstreifen, der an einer Seite angekraust und als Besatz auf- oder angesetzt wird.

Lulu: weiblicher Vorname, Kurzform von Namen, die mit »Lu« beginnen; eigentlich wohl eine Lallform aus der Kindersprache.

28 *Stellagen:* Ständer.

32 *Portieren:* Türvorhänge.

34 *Feldzug:* Der Deutsche Krieg von 1866 führte zur politischen und militärischen Führung Preußens in Deutschland unter Ausschluß Österreichs.

chevaleresk: ritterlich.

Nimbus: Glanz.

35 *Bummelagen:* Pistolen.

36 *Heliotrop:* Heliotropin ist eine organische Verbindung, die zur Duftstoff- und Seifenherstellung verwendet wird.

37 *Kammfett:* Fett, das vor allem aus dem Nacken von Pferden gewonnen wird.

Zierbengel: stutzerhaft gekleideter Mann.

Satin: Sammelbegriff für Gewebe in Atlasbindung mit hoch-
glänzender Oberfläche.

schöne Melusine: Nach einer altfranzösischen Geschlechtersage
vermählt sich eine Meerfee mit einem Sterblichen, dem Grafen
Raymond von Poitiers, der sie trotz seines Versprechens in
ihrer Nixengestalt beobachtet; sie kehrt darauf in ihr Geister-
reich zurück.

38 *Terebinthe:* Zierpflanze, mit den Ahorngewächsen nah ver-
wandte Familie der Blütenpflanzen.

39 *Prätensionen:* Prätentionen, veraltend für Ansprüche.

40 *Krethi und Plethi:* Name der an der Seite König Davids
kämpfenden ausländischen Truppe, die vielleicht aus Kretern
und Philistern bestand; abwertend für: jedermann, alle Welt.
Cancan: vermutlich aus Algerien stammender, galoppartiger
Schautanz, um 1830 in Paris eingeführt. Ursprünglich nur von
Frauen getanzt und vorübergehend als Gesellschaftstanz an-
erkannt, wird er bis heute vor allem in Varietés und Nacht-
lokalen gezeigt.
exorbitant: übertrieben.
Peitsche: vielleicht Anspielung auf: »Du gehst zu Frauen?
Vergiß die Peitsche nicht!« (Friedrich Nietzsche: Also sprach
Zarathustra. Werke in drei Bänden. Herausgegeben von Karl
Schlechta. Band 2. München 1960. Seite 330)

44 *Alhambra:* eines der bedeutendsten Denkmäler der islamischen Profanarchitektur in Sevilla.

47 *Revolution:* der Aufstand der Pariser Commune 1871.

48 *Billetts:* veraltend für Briefkärtchen.
Staubmantel: Mantel bis zum Knöchel, zum Schutz der Klei-
der gegen Straßenstaub.
Spitzenhut: mit Spitzen besetzter Damenhut.

49 *Michel Angelo:* italienischer Bildhauer, Maler, Baumeister
und Dichter (1475–1564).

52 *Taglioni:* Maria Taglioni (1804–84) war besonders berühmt
durch die außerordentliche Schwerelosigkeit ihres Spitzen-
tanzes.

53 *Symbolismus:* antiklassizistische Literaturbewegung, insbesondere der europäischen Lyrik, seit 1860. Abgelehnt wird eine
– naturalistische – Kritik der bürgerlichen Wirklichkeit von
Imperialismus, Kapitalismus und Positivismus.
gradatim: nach und nach, schrittweise.

57 *Dancinggirl:* Varieté-Tänzerin.
Ballerina: Ballettänzerin.

Königin der Nacht: Gestalt aus Mozarts Oper »Die Zauber-flöte« (1791).

Ariel: Luftgeist in Shakespeares (1564–1616) Drama »Der Sturm« (1611) bzw. Führer der Elfen in Goethes »Faust« (1808/33).

Lascaris: Beiname des Herrschers von Nikäa, Theodoros I. (1175–1222), bzw. J. Lascaris (1445–1535), humanistischer Gelehrter.

Renkontre: Begegnung.

58 *Despotismus:* Zustand und System schrankenloser Gewalt-herrschaft.

60 *Noblesse:* veraltend für Adel.

63 *Harlekinaden:* närrische Geschichten; Harlekin (Hanswurst), ursprünglich Figur der italienischen Komödie.

64 *protegieren:* begünstigen.

67 *Plafond:* flache Decke eines Raumes.

Frontispiz: Dreiecks- oder Frontgiebel, auch über Fenstern und Türen.

Fauteuil: Lehnsessel.

70 *Relationen:* Liebschaften.

mediceische Venus: marmorne Statue der römischen Kaiser-zeit.

71 *Jour fixe:* fester Termin.

74 *dejeunieren:* veraltend für frühstücken.

Kuvert: Tafelgedeck für eine Person.

Pommery: Champagnermarke.

Hors-d'œuvres: Vorspeisen.

78 *applizieren:* anwenden.

Korrektionspolizei: Sittenpolizei.

79 *regalieren:* freihalten.

Stirn zu verzieren: Hörner aufsetzen.

Textvarianten des ersten Aufzugs von »Erdgeist«

17 Nach »Koketterie!«:
»*Auf das Bild deutend* Sehen Sie hier bitte die Achselhöhle.
SCHÖN   Ist das kokett?
SCHWARZ   Da zeigt sie in dem kräftigen matten Fleischton zwei brandschwarze Löckchen – gefärbt natürlich.
SCHÖN   Woher wissen Sie das?

SCHWARZ   Wenn nicht mit der Schere gekräuselt.«

24   Nach »Paris gelernt.« ist eingeschoben:

»SCHWARZ   Erzählen Sie mir ein wenig von Paris.

LULU   Diesen Winter gehen wir wieder hin.

SCHWARZ   Ihr Bild wird besser, wenn Sie erzählen.

LULU   Jeden Abend sah ich eine andere Tänzerin, weiß der Himmel auf welchem Theater, und hätte es dann immer auch gleich können sollen.

SCHWARZ   Man muß auch viel Elend in Paris sehen.

LULU   Wir fuhren nur nachts aus.

SCHWARZ   Den Tag haben Sie verschlafen?

LULU   Tagsüber war er in der *Ecole de Médicine*. Ich saß am Feuer und rauchte.

SCHWARZ   Dann haben Sie sozusagen nichts von dem eigentlichen Paris kennengelernt.«

25   Nach »Malen Sie doch!«:

»SCHWARZ   Ein Seelenabwürgen!

LULU   Ich bitte Sie drum.

SCHWARZ   Die Beleuchtung hat sich geändert.

LULU   Die können Sie regulieren.

SCHWARZ   Ich muß alles wegkratzen, was ich jetzt male.

LULU   Was macht denn das.

SCHWARZ   Ich verderbe das Bild.

LULU   Was macht denn das.

SCHWARZ   Was das macht?

LULU   Er sieht nach, wie weit Sie sind.«

Nach »nicht weh tun.«:

»SCHWARZ   Ich sehe Irrlichter . . .

LULU   Um Gottes Barmherzigkeit willen, malen Sie!

SCHWARZ   Wenn mir die Farben vor den Augen tanzen . . .

LULU   Dann tun Sie wenigstens so.«

Nach »Dazu müssen Sie mich aber erst haben.« ist eingeschoben:

»SCHWARZ *will links herum*   Dann lernen Sie mich aber kennen.

LULU   Wissen Sie das? *Neckend* Gus-gus . . .

SCHWARZ   Sie sollen was erleben! *Tappt rechts herum.*

LULU *nach links ausweichend*   Da-da-da-da!

SCHWARZ   Warten Sie!«

27   Nach »Das hatte ich niemals nötig.«:

»SCHWARZ   Du willst mich nicht verstehen.

LULU   Hm?

SCHWARZ Dein Pierrot . . .

LULU Er mißfällt Ihnen?

SCHWARZ Er ist eifersüchtig . . .

LULU Er verhätschelt mich.

SCHWARZ Wer?

LULU Er!

SCHWARZ Er sieht dich tanzen.

LULU Hm . . . ?«

Textvarianten des zweiten Aufzugs von »Erdgeist«

34 Nach »Du bist ja mein.« steht:

»LULU Ich erzähle dir was.

SCHWARZ O Gott, nur keine Überraschung!

LULU *flüstert ihm ins Ohr.*

SCHWARZ *freudig* Eva!

LULU *bedeckt ihr Gesicht.*

SCHWARZ Eva, Eva! Das einzige, was unserem Himmel noch fehlte!

LULU Es ist dein Werk.

SCHWARZ *setzt sich neben sie, umschlingt sie* Danke, tausend Dank! Jetzt weiß ich doch, wofür ich arbeite, wofür ich auf der Welt bin.

LULU Du bist herzlos.

SCHWARZ Schäm dich doch. Wofür ist mein Name in ganz Europa bekannt!

LULU Und ich?

SCHWARZ Aber dir danke ich es. Meine Schaffensfreude, mein Selbstvertrauen danke ich dir. Und mehr braucht es nicht, das habe ich erfahren, um es in der Welt zu etwas zu bringen.

LULU Ich möchte ein wenig auf die Veranda.

SCHWARZ *ruhiger* Ich bin Künstler. Das muß mich bei dir entschuldigen.

LULU *lächelnd* Weswegen?«

Nach »recht häßlich sein solltest.« steht:

»LULU *küßt ihn* Ich werde mir eine Flasche Kupfervitriol übers Gesicht gießen.

SCHWARZ Ich sperre dir das Köpfchen in eine eiserne Maske, zu der ich den Schlüssel führe. Da kann ich dann aufschließen, wann ich will.

LULU   Und wenn ich dich dann mit eisernen Lippen küsse?
SCHWARZ   Dann ist es aus mit mir. – Wo soll das hin. –«

Textvarianten des dritten Aufzugs von »Erdgeist«

58 Nach »Bedürfnis nach Abspannung...« steht:
»LULU   Ich möchte gar keinen Herrn, der nicht wie mit seiner
Sklavin mit mir verfährt.
ESCERNY   Diesen Herrn findet eine Frau wie Sie nie!
LULU   Warum nicht?
ESCERNY   – Aber in welcher Sphäre!
LULU   In meiner.
ESCERNY   Sie sind herzlos.
LULU *mit den Absätzen klirrend*   In diesen Schuhen tanzt es
sich so schwer – ich fühle nachher, als Ballerina, keinen Tep-
pich mehr unter den Füßen.«

60 Nach »hörbar« steht:
»– Eine Tänzerin! – Ich habe mich um die besten Jahre damit
betrogen, einem Grame zu leben, über den ein Mann in vier
Wochen hätte hinwegkommen müssen.«
Nach »mein Leben zurück.« ist eingeschoben:
»– – Eine Tänzerin! – Mein dunkles Blut läßt sich nicht aus
meiner Welt regenerieren. Will ich meinen Stamm nicht erlö-
schen lassen – was vielleicht das Beste für ihn wäre – dann
schulde ich meinen Kindern frischen Lebenssaft, strotzende
Gesundheit, Herrlichkeit... Eine Tänzerin!!«
Nach »ihren Körper geadelt...« ist eingeschoben:
»Wenn ich mir ein Leibpferd auswähle – dem ich mein Leben
anvertraue...«
Nach »zum Ausdruck!«:
»ALWA   Geschmackssache...
ESCERNY   Eigentümlich, wie die rhythmische Bewegung des
Körpers auf die Lebensgeister wirkt. Ich habe das schon in
Afrika gesehen. Die Neger, bevor sie zum Kampf ausziehen,
lassen sich von ihren Tänzerinnen vortanzen, bis sie sich vor
Lebensglut nicht mehr zu halten wissen. Es kommt nicht selten
vor, daß sie dann schon während des Marsches übereinander
herfallen oder gar, bevor die Vorstellung noch zu Ende ist,
Selbstmord begehen...«

62 Nach »perfekte Tänzerin!« steht:
»– Die Seele macht die Tänzerin! – Die Schamlosigkeit! – Nicht

das Exterieur! – Die Gymnastik haben andere auch in den Beinen. – –«

64 Nach »Türe verschließen.«:
»SCHÖN Die Tigerin hat sich festgebissen – sie läßt sich rütteln und schütteln und läßt nicht luck mit den Zähnen!
LULU Gehen Sie – gehen Sie!«

66 Statt »Jetzt – kommt die – Hinrichtung...«:
»Das ist der Anfang vom Ende.«

Textvarianten des vierten Aufzugs von »Erdgeist«

74 Nach *Beide setzen sich zu Tisch.*:
»LULU Es hat dir immer ein wenig vor mir gegraut?
ALWA Wie vor etwas Überirdischem. – Wenn mir je eines Menschenkindes Glück heilig war...
LULU *sich zu Tisch setzend, rechts* Du stehst so himmelhoch über uns, du kennst jeden von Grund der Seele aus und denkst so groß – du kannst eben nur Glück um dich haben...
ALWA *hat sich ihr gegenüber gesetzt* Du kennst mich von meiner besten Seite. Das ist *dein* Verdienst.«

76 Nach »nicht davon sprechen.« steht:
»LULU Du sagtest, es lebe kein so schlechter Mensch wie du...
ALWA Sagt' ich das?
LULU Was hast du dir aufgebürdet?
ALWA Dein Glück heilig zu halten!
LULU War das so schwer?
ALWA Du erleichterst es einem nicht.
LULU Wenn wir nicht wie Geschwister nebeneinander aufgewachsen wären...
ALWA Nimmt das deinen Augen die Glut? – Deinen Lippen die –?
LULU Was hast du?«

78 Nach »bring mich um!«:
»SCHÖN Ich habe dich nackt aus dem Straßenkot gezogen. Ich habe ich gepflegt, wie nie ein Vater ein leiblich Kind gepflegt hat. Ich habe auf dich gehäuft, was mir an Glück auszuteilen vergönnt war. Ich habe mich dir überantwortet. Ich habe meine grauen Haare deinem Takt anvertraut.«
Nach »in seinem Blute.« ist eingeschoben:
»LULU Weg mit mir.

SCHÖN Du bist eine reißende Bestie unter uns groß geworden. Du packst Seele um Seele bei ihrem Höchsten, um sie Satanas in den Rachen zu jagen.«

79 Nach »die Welt von dir zu befreien?« steht:

»Sieh mich an, sag ich! Du wartest, bis man dich totschlägt.

LULU Ich bin gleich zurück...

SCHÖN *hält sie am Arm nieder* Nicht mehr der Mühe wert! Du weißt, wo du hin mußt. Ich müßte von dir nicht zu Stein verhärtet worden sein, um dich mir noch einmal entwischen zu lassen. Mach's kurz. Ich müßte dir nicht gleich geworden sein an Menschlichkeit.«

Nach »über die Lippen?« ist eingeschoben:

»Siehst du den roten Kopf mit dem weißen Haar? Siehst du die verdrehten Augen, die blutige Stirn? Siehst du die dicke gelbe Hand nach dir vorgestreckt, nach deinem Pierrot? Das ist dein Geschiedener, Mörderin. Dem gehörst du mit Leib und Liebe. Geh ihm nach. Hol ihn ein. Du hast keine Zeit zu verlieren. Er hat dich geliebt. In seine Arme! In seine Arme!

LULU Erbarm dich mein.

SCHÖN Du sollst ihm Tararabumdiä* vortanzen. Drück los! Ich mich scheiden lassen?«

---

* Ein Cancan, zu dessen Melodie Wedekind das Gedicht »Gruß« (»Ich weiß ein allerliebstes Kind«) verfaßte.

Regieanweisungen zu »Erdgeist«

Bühnenskizzen der Erstausgabe

Erster Aufzug

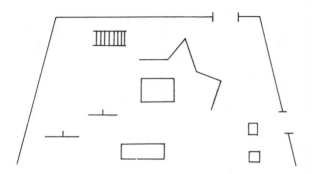

Zweiter Aufzug

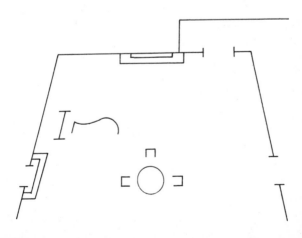

Dritter Aufzug

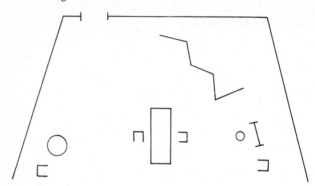

Vierter Aufzug

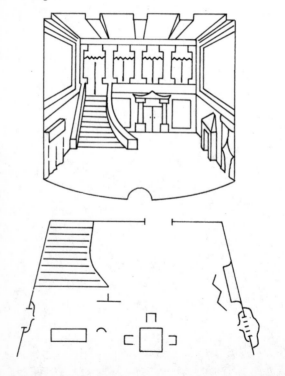

Anmerkungen zu »Die Büchse der Pandora«

85 *Vorrede:* Die »Vorrede« von 1906 enthält auch die Gerichtsurteile, auf deren Abdruck hier verzichtet ist. Der Titel »Vorrede« wird in der Ausgabe der »Gesammelten Werke« (1913)
durch »Vorwort« ersetzt. – Das »Vorwort« beginnt: »An dem
hier folgenden Drama habe ich neun Jahre, von 1892 bis 1901,
gearbeitet. Vor jedem Neuerscheinen unterzog ich es darauf
immer wieder einer gründlichen Durcharbeitung, bis es seine
jetzige Form erhielt, die ihm endgültig belassen werden soll.
Es mögen hier die Worte folgen, die ich dem Buch im Jahre
1906 mitgab, als es eben von einem richterlichen Vernichtungsurteil ereilt worden war.«
Vernichtungsurteil: In der letzten Verhandlung von 1906 vor
dem Berliner Landgericht wird die Vernichtung der noch vorhandenen Buchexemplare der »Büchse der Pandora« (1904)
angeordnet.

86 *Gräfin Geschwitz:* Der Verweis auf die Gräfin Geschwitz, sie
sei die tragische Hauptfigur des Stückes, diente zur satirischen
Irreführung von Zensur und Justiz. In der literarhistorischen
Rezeption wurde Wedekinds ironische Erklärung häufig für
bare Münze genommen.
stoisch: unerschütterlich.
Tantalus' Geschlecht: Die Tantaliden lehnen sich nach der
Überlieferung griechischer Mythologie gegen die Herrschaft
der Götter auf und unterliegen ihnen im Kampf.
Evolutionen: Umwälzungen.

87 *Falstaff:* Sir John Falstaff, komische Dramenfigur Shake-
speares in dessen Stücken »Heinrich IV.« (um 1595) und »Die
lustigen Weiber von Windsor« (um 1597).
Mephisto: Gestalt der Faustsage.
Spiegelberg: einer der Banditen in Schillers Drama »Die
Räuber«.
Exstirpation: völlige Entfernung eines erkrankten Organs.

88 *Summum jus und summa injuria:* »Höchstes Recht kann größ-
tes Unrecht sein«, altrömisches Sprichwort, das besagt, daß die
buchstabengetreue Auslegung eines Gesetzes schwerwiegendes
Unrecht bedeuten kann.
Synedrium: der Hohe Rat der Juden in der griechischen und
römischen Zeit.
Allerheiligstes: würfelförmiger Raum im Tempel von Jerusalem, in dem die Bundeslade aufbewahrt wurde.

König Cudraka (›Das irdene Wägelchen‹): Namen aus dem indischen Schauspiel von Vasantasena; vgl. Artur Kutscher: Frank Wedekind. Sein Leben und seine Werke. Band 1. München 1922. Seite 332.

Goethe (›Der Gott und die Bajadere‹): Gedicht Goethes, entstanden 1797, mit dem Untertitel »Indische Legende«.

89 Nach »nicht für die Gerechten.« folgt im »Vorwort«: »Dieser Ausspruch im Verein mit der verblüffenden Echtheit des gegen den ›Tempelschänder‹ gepflogenen Gerichtsverfahrens ist mir auch der schlagendste Beweis gegen die Behauptung heutiger Bibelforschung, *daß Jesus nie gelebt habe* und daß die Erzählungen der Evangelien nur eine fromme Erdichtung späterer Kirchenältesten darstellen, denn welcher Geistliche wagt es je, diesen Ausspruch auch nur auf der Kanzel zu zitieren?«

Nach »zu verteidigen.« folgt im »Vorwort«: »An Stelle des Personenverzeichnisses möge dem Drama der Theaterzettel der schönen, mir unvergeßlichen Aufführung vorausgehen, die *Karl Kraus* in Wien veranstaltete. Karl Kraus empfange auch an dieser Stelle nochmals meinen Dank dafür.«

90 *Karl Kraus:* bedeutender Schriftsteller und Zeitkritiker (1874 bis 1936), mit Wedekind befreundet.

91 *Groom:* Page, junger Diener.

92 *Havelock:* langer, ärmelloser Herrenmantel mit halblangem, pelerinenartigem Umhang (nach dem britischen General Sir Henry Havelock, 1795–1857).

Barett: flache Kopfbedeckung.

Der Mensch lebt . . . nicht allein vom Saufen: Vgl. 5. Mose 8, 3 und Matthäus 4, 4: »Der Mensch lebt nicht vom Brot allein . . .«

Zehn Jahre meines Lebens: Zwischen 1892 und 1902 arbeitete Wedekind an der Doppeltragödie »Erdgeist« und »Die Büchse der Pandora«.

93 *konfiszieren:* gerichtlich beschlagnahmen.

Paragraphen Einhundertvierundachtzig: Im Abschnitt 1 des § 184 des deutschen Strafgesetzbuches hieß es damals im Abschnitt 1 und 2: »(1) Mit Gefängnis bis zu einem Jahr und mit Geldstrafe oder mit einer dieser Strafen wird bestraft, wer 1. unzüchtige Schriften, Abbildungen oder Darstellungen feilhält, verkauft, verteilt, an Orten, welche dem Publikum zugänglich sind, ausstellt oder anschlägt oder sonst verbreitet, sie zum Zwecke der Verbreitung herstellt oder zu demselben Zwecke vorrätig hält, ankündigt oder anpreist. (2) Neben der

Gefängnisstrafe kann auf Verlust der bürgerlichen Ehrenrechte sowie auf Zulässigkeit von Polizeiaufsicht erkannt werden.« Durch das vierte Gesetz zur Reform des Strafrechts (1973) der Bundesrepublik Deutschland wird zwar zugunsten einer begrenzten Freigabe der »einfachen« Pornographie entschieden, in vollem Umfang strafbar bleibt aber die »harte« Pornographie. Nach wie vor wird mit Freiheitsstrafe bis zu einem Jahr oder mit Geldstrafe gedroht.

94 *Gaunerwelsch:* Gaunersprache.
Mamelucken: Leibwächter morgenländischer Herrscher; Mameluckendynastien seit 1250 im Vorderen Orient.

95 *Prospekte:* in der Werbung eine Druckschrift, die eine knappe, aber möglichst erschöpfende Information mit Werbeinhalt über das angebotene Produkt enthält.
expediert: abgesendet.
Krebse: hier im Sinn von Mißerfolg.
Schnitzler: Arthur Schnitzler (1862–1931), Dramatiker und Erzähler, typischer Repräsentant des Wiener Impressionismus. Statt Schnitzler stand im Erstdruck (1910) Hauptmann.

96 *Korrektionsanstalt:* Besserungsanstalt.

97 *Plafond:* flache Decke eines Raumes.
Frontispiz: Dreiecks- oder Frontgiebel, auch über Fenstern und Türen.
Portière: Türvorhänge.
Ottomane: gepolsterte Liege.
Kautschukdame: Gummipuppe, Zirkusartistin.

98 *Embonpoint:* Körperfülle.
Plauze: Bauch in der Gaunersprache.
›Folies Bergère‹: Kabarett und Varieté in Paris.
Plumkakes: Rosinenkuchen.
Billet: Fahrkarte.
dekolletiert: tief ausgeschnitten.
Dynamitbomben: Eine Serie von Bombenanschlägen erschütterte Ende des 19. Jahrhunderts die europäischen Staaten.
Alhambra: eines der bedeutendsten Denkmäler der islamischen Profanarchitektur in Sevilla.

99 *›Totentanz‹:* Mit »Totentanz« wird angespielt auf »Erdgeist«.
freie literarische Gesellschaft: Anspielung auf die »Leipziger Literarische Gesellschaft« (Vorsitzender: Kurt Martens); sie brachte den »Erdgeist« zur Uraufführung (1898).
Sukzeß: veraltend für Erfolg.
Trußhöschen: Schamhöschen.

Karlsbader Pastillen: ein Abführmittel.

Rekonvaleszent: Genesender.

101 *Entoutcas:* »in jedem Fall«, Bezeichnung für einen Schirm, der sowohl als Sonnen- wie als Regenschirm benutzt werden konnte (um 1870 bis um 1910).

spediert: befördert.

Hotel »Ochsenbutter«: im Gaunerjargon Ausdruck für Gefängnis.

102 *debütieren:* zum erstenmal öffentlich auftreten.

103 *Salär:* Gehalt.

107 *Jugendfreund:* Gemeint ist Gerhart Hauptmann.

108 *die sieben Todsünden:* Hoffart, Geiz, Unkeuschheit, Neid, Unmäßigkeit, Zorn und Trägheit.

Remise: veraltend für Geräte- und Wagenschuppen.

in die Puppen gehen: Jargonausdruck für »in die Binsen gehen«.

Zentrifugalpumpe: Schleuderpumpe.

109 *Wattons:* Watteau-Falte, vom Nacken herabfallende Rückenfalte am Frauenkleid, besonders zur Geltung kommend auf Gemälden des französischen Malers Jean Antoine Watteau (1684–1721).

Souper: anspruchsvolles Abendessen.

110 *Diakonissin:* Kranken- und Gemeindeschwester.

111 *Dithyrambus:* altgriechisches kultisches Chor- und Reigenlied; freirhythmische Liedform.

112 *Zeugschuhe:* Stoffschuhe.

Cantabile: musikalische Bezeichnung für ausdrucksvoll.

Capriccio: Bezeichnung für scherzhaftes Musikstück.

Andante: musikalische Bezeichnung für ruhig.

Ich werde dein Lob singen: Psalmenparaphrasierung, vgl. z. B. Psalm 61, 9.

Diwan: niedriges Liegesofa.

113 Rokokokonsole: Konsole, aus der Wand herausragender Stein.

Pierrot: dumm-pfiffige Dienerfigur der Pariser Comédie Italienne (17. Jahrhundert).

Louis XV.: König von Frankreich (1710–74).

Fauteuils: Lehnsessel.

Bakkarattisch: Tisch für das genannte Kartenglücksspiel.

Directoirerobe: Directoire, französischer Kunst- und Modestil während der Herrschaft des Direktoriums (1795–99).

Glacés: Handschuhe in Oberarmlänge aus glänzendem, changierendem Gewebe.

Husarentaille: Kostüm.

Changeantkleid: Kleid aus einem Gewebe mit schillerndem Effekt.

Volant: Stoffstreifen, der an einer Seite angekraust und als Besatz auf- oder angesetzt wird.

Göller: großer, vorn geschlossener Kragen bzw. ein enges, die Oberarme bedeckendes, capeartiges Jäckchen.

Topase: Edelsteine.

Fichu: Dreieckstuch aus leichtem Stoff bzw. aus Spitze.

Maria Antoinette: Gemahlin König Ludwigs XVI. von Frankreich, geboren 1755, hingerichtet 1793.

114 *Belle âme:* schöne Seele.

117 *Val Paraiso:* Stadt bzw. Provinz in Chile, hier in obszöner Bedeutung: Tal des Paradieses.

Holdchen: Herzblättchen.

Kokotten: Damen der Halbwelt.

118 *Sergeant de ville:* Polizist.

Etablissement: vornehmes Hotel, hier: Bordell.

Philanthrop: Menschenfreund.

eminent: bedeutend.

Minaretts: Moscheetürme.

119 *Luder:* Dirne.

Courtisane: elegante Geliebte.

Antezedentien: veraltend für frühere Lebensumstände.

120 *Fiacre:* Lohnkutsche.

Gare de Lyon: Bahnhof in Paris.

Konservatorium: Ausbildungsstätte für Musik.

121 *Sou:* Name französischen Kleingelds.

per Schub: im Austausch.

Apropos: übrigens.

Präventivhaft: Vorbeugehaft.

123 *Une petite seconde, Madame:* Einen Moment, Madame.

Billetdoux: Liebesbriefchen.

Kanaille: Schurkin.

124 ›*Tout est fini entre nous!*‹: ›Aus ist es!‹

La misère noire!: Tödliches Unglück!

Célestine: französischer weiblicher Vorname (bedeutet: die Himmlische).

Crédit Lyonnais: eine der Großbanken Frankreichs.

Mairie: Rathaus.

Arrondissement: Verwaltungseinheit in französischen Großstädten.

Femme de chambre: Kammerjungfer.

Homme du monde: Weltmann.

125 *Comme vous voulez, ma chère!:* Wie Sie wünschen, meine Teure!

Postbureau: Postamt.

Avenue de l'Opéra: »Opernstraße.«

Au plaisir de vous revoir!: Auf Wiedersehen!

Quelle chaleur: Ist das eine Hitze!

Sirenen: göttliche Wesen der griechischen Mythologie, mit bezauberndem Gesang, halb Vogel, halb Mädchen.

Josaphat: vierter König von Juda (um 868–847 v. Chr.), sorgte durch Verheiratung seines Sohnes für die Vereinigung seines Königtums mit Israel.

avachi: runzlig.

127 *Nouveau Cirque:* Neuer Zirkus.

Allez fermer les portes: Schließ die Türen.

128 *Elle veut se mettre dans ses meubles:* Sie will eigene Möbel haben.

König von Neapel: Gemeint ist der letzte König von Neapel, Franz II. (1859–1861).

Quai de la Gare: »Bahnhofsstraße«.

Vingt cinq: fünfundzwanzig.

129 *perfid:* tückisch.

130 *Kaldaunen:* eßbare Eingeweide vom Rind.

131 *Salle à manger:* Speisezimmer.

132 *Voyons, viens, chéri!:* Darf ich bitten, mein Liebling!

133 *A la bonne heure!:* Wortspiel mit à la bonheur! – Zur rechten Zeit!: Auf gut Glück!

Bonne nuit, chers enfants!: Gute Nacht, liebe Kinder!

pas cours!: keinen Kurs!

134 *Vous avez beau dire, Madame!:* Sie haben schön reden, Madame!

136 *Proszenium:* vorderster Teil der Bühne zwischen Vorhang und Orchestergraben.

Chaiselongue: Sitzsofa.

Paletot: doppelreihiger, etwas taillierter, meist schwarzer Herrenmantel mit Samtkragen.

Plaid: großes Umhangtuch aus Wolle.

fers de cheval: Pferdefleisch.

137 *Kommis:* Handlungsgehilfe.

138 *Katharina die Zweite:* Verheiratet mit Peter III. von Rußland, kam sie durch die von ihr inszenierte Ermordung ihres

Gatten 1762 als Kaiserin an die Macht.

139 *Ça me chauffe! Ça m'excite!:* Das heizt ein!

Konsultation: ärztliche Beratung.

»Gesellschaft«: Münchner Zeitschrift (1885–1902), herausgegeben von Michael Georg Conrad. Sie vertrat den aufkommenden Naturalismus in seiner süddeutschen Form. Gegnerschaft zum Berliner Naturalismus.

»Hetz Deine Meute . . .«: Gedicht Wedekinds mit dem Titel »An eine grausame Geliebte« (ursprünglich: »Katja«, 1897).

»Tristan und Isolde«: Musikdrama Richard Wagners (1813 bis 1883) nach dem mittelalterlichen Sagenstoff; 1865 in München uraufgeführt.

142 *Foulard:* feines Seidengewebe für Krawatten und Schals.

144 *der werfe den ersten Stein auf uns:* Vgl. Johannes 8, 7.

Akquisition: Erwerbung.

146 *Der Eine:* polemische Anspielung auf Gerhart Hauptmann.

147 *sovereign:* ursprünglich britische Goldmünze, seit 1814 Banknote.

148 *Why look you so sorrowful, my dear?:* Warum blickst du so sorgenvoll, mein Liebling?

149 *Herr Gott, ich danke dir, daß . . .:* Vgl. Lukas 18, 9–14.

150 *Kräuzpatadiohn:* »Kreuzbataillon«, schweizerischer Fluch.

Nursery governess: Kindermädchen.

Chaib: Aas, Seuche.

151 *Favoris:* Backenbart, der bis zum Kinn reicht.

153 *immatrikulieren:* in die Liste der Studierenden eintragen.

Übersetzung französischsprachiger Stellen im zweiten Aufzug von »Die Büchse der Pandora«

113– RODRIGO *das volle Glas in der Hand* Meine Herren und
116 Damen – entschuldigen Sie mich – seien Sie bitte ruhig – ich trinke – gestatten Sie mir, daß ich trinke – denn es ist das Geburtstagsfest von unserer liebenswürdigen Wirtin – *Lulu am Arm nehmend* der Gräfin Adelaide d'Oubra – verdammt und zugenäht! – Ich trinke also – – und so weiter, meine Damen! *Alle umringen Lulu und stoßen mit ihr an.*

ALWA *zu Rodrigo, ihm die Hand drückend* Ich gratuliere dir.

RODRIGO Ich schwitze wie ein Schweinebraten.

ALWA *zu Lulu*   Laß uns sehen, ob im Spielzimmer alles in Ordnung ist.

Beide ins Spielzimmer ab.

BIANETTA *zu Rodrigo*   Eben erzählte man mir, mein Herr, Sie seien der stärkste Mann der Welt.

RODRIGO   Das bin ich, mein Fräulein. Darf ich Sie bitten, über meine Kräfte zu verfügen.

MAGELONE   Ich liebe eigentlich mehr die Kunstschützen. Vor drei Monaten trat ein Kunstschütze im Kasino auf und jedesmal, wenn er Bumm machte, dann ging es bei mir so! *Sie zuckt mit den Hüften.*

GRAF CASTI-PIANI *spricht während des ganzen Aktes in müdem gelangweiltem Ton, zu Magelone*   Sag mal, Teuerste, wie kommt das eigentlich, daß man deine *auf Kadidja zeigend* niedliche kleine Prinzessin heute zum erstenmal hier sieht?

MAGELONE   Findest du sie wirklich so entzückend? – Sie ist noch im Kloster. Sie muß nächsten Montag wieder in der Schule sein.

KADIDJA   Wie sagst du, Mütterchen?

MAGELONE   Ich erzähle den Herren eben, daß du letzte Woche die erste Note in der Geometrie bekommen hast.

JOURNALIST HEILMANN   Was die für hübsches Haar hat!

CASTI-PIANI   Sehen Sie sich mal die Füße an! Die Art, wie die geht!

PUNTSCHU   Weiß Gott, die hat Rasse!

MAGELONE *lächelnd*   Aber haben Sie doch Mitleid, meine Herren; sie ist ja noch vollkommen Kind!

PUNTSCHU *zu Magelone*   Das würde mich verdammt wenig genieren! – *Zu Heilmann* Zehn Jahre meines Lebens gäbe ich darum, wenn ich das gnädige Fräulein in die Zeremonien unseres Geheimkultus einführen könnte!

MAGELONE   Dazu bekommen Sie meine Zustimmung aber nicht für eine Million! Ich will nicht, daß man dem Kinde seine Jugend verdirbt, wie man mir das getan hat!

CASTI-PIANI   Bekenntnisse einer schönen Seele! *Zu Magelone* Würdest du deine Einwilligung auch nicht für eine Garnitur echter Diamanten erteilen?

MAGELONE   Renommier doch nicht! Du schenkst mir so wenig echte Diamanten wie meinem Kind! Das weißt du selber am allerbesten!

Kadidja geht ins Spielzimmer.

DIE GESCHWITZ Aber wird denn heute abend gar nicht gespielt?

LUDMILLA STEINHERZ Aber selbstverständlich, Komtesse! Ich rechne sogar sehr darauf.

BIANETTA Dann wollen wir doch gleich unsere Plätze einnehmen! Unsere Herren kommen dann schon nach.

DIE GESCHWITZ Darf ich Sie bitten, mich nur noch eine Sekunde zu entschuldigen. Ich habe noch ein Wort mit meiner Freundin zu sprechen.

CASTI-PIANI *Bianetta den Arm bietend* Darf ich um die Ehre bitten, halbpart mit Ihnen zu spielen? Sie haben eine so glückliche Hand!

LUDMILLA STEINHERZ Nun geben Sie mir mal Ihren anderen Arm, und dann führen Sie uns in die Spielhölle!

Casti-Piani mit den beiden Damen ins Spielzimmer ab.

MAGELONE Sagen Sie, Herr Puntschu, haben Sie vielleicht noch einige Jungfrauaktien für mich?

PUNTSCHU Jungfrauaktien? *Zu Heilmann* Das verehrte Fräulein meinen die Aktien der Drahtseilbahn auf die Jungfrau. Die Jungfrau ist nämlich ein Berg, auf den man eine Drahtseilbahn bauen will. *Zu Magelone* Wissen Sie, nur damit keine Verwechslungen entstehen. Wie leicht wäre das in diesem erwählten Kreise möglich! – Ich habe allerdings noch etwa viertausend Jungfrauaktien, aber die möchte ich gerne für mich behalten. Es bietet sich nicht so bald wieder Gelegenheit, sich unter der Hand ein kleines Vermögen zu machen.

HEILMANN Ich habe bis jetzt nur eine einzige von diesen Jungfrauaktien. Ich möchte auch gern noch mehr haben.

PUNTSCHU Ich will's versuchen, Herr Heilmann, Ihnen welche zu besorgen. Aber das sage ich Ihnen im voraus, Sie zahlen Apothekerpreise dafür!

MAGELONE Mir hat meine Wahrsagerin dazu geraten, daß ich mich beizeiten umtat. Meine sämtlichen Ersparnisse bestehen jetzt aus Jungfrauaktien. Wenn das nicht glückt, Herr Puntschu, dann kratz' ich Ihnen die Augen aus!

PUNTSCHU Ich bin mir meiner Sache vollkommen sicher, meine Teuerste.

ALWA *der aus dem Spielzimmer zurückgekommen ist, zu Magelone* Ich kann Ihnen garantieren, daß Ihre Befürchtungen vollkommen unbegründet sind. Ich habe meine Jungfrauaktien sehr teuer bezahlt und bedauere es keinen Augenblick. Sie

steigen ja von einem Tag auf den andern. So was ist noch gar
nicht dagewesen.

MAGELONE   Um so besser, wenn Sie recht haben. *Puntschus
Arm nehmend* Kommen Sie, mein Freund! Jetzt wollen wir
unser Glück im Bakkarat versuchen!

123   PUNTSCHU   Aber nicht das geringste! Wir haben Durst; das
ist alles!

MAGELONE   Alle Welt hat gewonnen; es ist nicht zu glauben!

BIANETTA   Mir scheint, ich habe ein ganzes Vermögen gewonnen!

LUDMILLA STEINHERZ   Rühmen Sie sich dessen nicht, mein
Kind! Das bringt kein Glück.

MAGELONE   Aber die Bank hat ja auch gewonnen! Wie ist das
nur möglich!

ALWA   Es ist ganz pyramidal, wo all das Geld herkommt!

CASTI-PIANI   Fragen wir nicht danach! Genug, daß man den
Champagner nicht zu sparen braucht!

HEILMANN   Ich kann mir nachher wenigstens ein Abendessen
in einem anständigen Restaurant bezahlen!

ALWA   Zum Büfett, meine Damen! Kommen Sie zum Büfett!

126 f. BOB   Herrn Bankier Puntschu!

PUNTSCHU *erbricht das Telegramm und murmelt* »Jungfrau-
Drahtseilbahn-Aktien gefallen auf . . .« – Ja, ja, so ist die
Welt –! *Zu Bob* Warte! *Gibt ihm ein Trinkgeld* Sag mal – wie
heißt du eigentlich?

BOB   Ich heiße eigentlich Fredy, aber man nennt mich Bob,
weil das jetzt Mode ist.

PUNTSCHU   Wie alt bist du denn?

BOB   Fünfzehn.

KADIDJA *tritt zögernd aus dem Speisezimmer ein* Entschuldigen Sie, können Sie mir nicht sagen, ob Mama nicht hier ist?

PUNTSCHU   Nein, mein Kind. – *Für sich* Zum Teufel, die hat
Rasse!

KADIDJA   Ich suche sie überall; ich kann sie gar nirgends finden.

PUNTSCHU   Deine Mama kommt schon wieder zum Vorschein; so wahr ich Puntschu heiße! – – *Auf Bob sehend* Und
das Paar Kniehosen! – – Gott der Gerechte! – – Es wird einem
unheimlich! *Nach rechts hinten ab.*

KADIDJA *zu Bob* Haben *Sie* nicht vielleicht meine Mama gesehen?

BOB   Nein, aber Sie brauchen nur mit mir zu kommen.

KADIDJA Wo ist sie denn?

BOB Sie ist im Lift hinaufgefahren. Kommen Sie nur!

KADIDJA Nein, nein, ich fahre nicht mit hinauf.

BOB Wir können uns oben auf dem Korridor verstecken.

KADIDJA Nein, nein – ich komme nicht, sonst krieg' ich Schelte.

Magelone stürzt in heilloser Aufregung durch die Entreetür herein und bemächtigt sich Kadidjas.

MAGELONE Ha, da bist du ja endlich, du gemeines Geschöpf!

KADIDJA *heulend* O Mama, Mama, ich habe dich gesucht!

MAGELONE Du hast mich gesucht?! Hab' ich dich geheißen, mich zu suchen?! Was hast du mit diesem Mannsbild gehabt?

Heilmann, Alwa, Ludmilla Steinherz, Puntschu, die Gräfin Geschwitz und Lulu treten aus dem Speisezimmer ein. – Bob hat sich gedrückt.

MAGELONE *zu Kadidja* Daß du mir den Leuten nichts vorheulst! Das sag' ich dir!

Alle umringen Kadidja.

LULU Aber du weinst ja, mein süßes Herzblatt! Warum weinst du denn?

PUNTSCHU Weiß Gott, sie hat wahrhaftig geweint! Wer hat dir denn was zuleide getan, du kleine Göttin!

LUDMILLA STEINHERZ *kniet vor ihr nieder und schließt sie in die Arme* Sag mir, mein Engelsgeschöpfchen, was es Schlimmes gegeben hat. Willst du Kuchen? Willst du Schokolade?

MAGELONE Das sind die Nerven. Das kommt viel zu früh bei dem Kind. Das beste wäre jedenfalls, man achtete gar nicht darauf!

PUNTSCHU Das sieht Ihnen ähnlich! Sie sind eine Rabenmutter! Das Gericht wird Ihnen das Kind noch fortnehmen und mich zu seinem Vormund bestellen! *Kadidja die Wangen streichelnd* Nicht wahr, meine kleine Göttin?

DIE GESCHWITZ Ich wäre froh, wenn man endlich wieder mit Bakkarat anfinge!

*Die Gesellschaft begibt sich ins Spielzimmer:
Lulu wird an der Tür von Bob zurückgehalten, der ihr etwas zuflüstert.*

LULU Gewiß! Laß ihn nur eintreten!

133– LULU Rasch, rasch, Bob! Wir müssen noch diesen Augenblick
135 fort! Du begleitest mich! Aber wir müssen die Kleider wechseln.

BOB *kurz, hell*   Wie die gnädige Frau befehlen!

LULU *ihn bei der Hand nehmend*   Ach was, gnädige Frau! Du gibst mir deine Kleider und ziehst meine Kleider an. Komm!

> *Lulu und Bob ins Speisezimmer ab. Im Spielzimmer entsteht Lärm; die Türen werden aufgerissen. Puntschu, Heilmann, Alwa, Bianetta, Magelone, Kadidja und Ludmilla Steinherz kommen in den Salon.*

HEILMANN *ein Wertpapier in der Hand, auf dessen Titelkopf ein Alpenglühen zu sehen ist, zu Puntschu*   Wollen Sie wohl diese Jungfrauaktie akzeptieren, mein Herr!

PUNTSCHU   Aber das Papier hat keinen Kurs, lieber Freund.

HEILMANN   Sie Spitzbube! Sie wollen mir einfach keine Revanche geben!

MAGELONE *zu Bianetta*   Verstehen Sie vielleicht etwas von dem, was hier los ist?

LUDMILLA STEINHERZ   Puntschu hat ihm all sein Geld abgenommen, und jetzt gibt er das Spiel auf.

HEILMANN   Jetzt kriegt er kalte Füße, der Saujude!

PUNTSCHU   Wieso gebe ich das Spiel auf? Wieso krieg' ich kalte Füße? Der Herr soll doch nur einfach bares Geld setzen! Bin ich hier in meiner Wechselstube? Seinen Wisch kann er mir ja morgen früh anbieten!

HEILMANN   Einen Wisch nennen Sie das? – Die Aktie steht meines Wissens auf 210.

PUNTSCHU   Gestern stand sie auf 210, da haben Sie recht. Heute steht sie überhaupt nicht mehr. Und morgen finden Sie gar nichts Billigeres und Geschmackvolleres zur Tapezierung Ihres Treppenhauses.

ALWA   Wie ist denn das möglich?! – Dann wären wir ja auf dem Pflaster!

PUNTSCHU   Was soll denn ich erst sagen, der ich mein ganzes Vermögen dabei verliere! Morgen früh habe ich das Vergnügen, den Kampf um eine gesicherte Existenz zum sechsunddreißigstenmal aufzunehmen!

MAGELONE *sich vordrängend*   Aber träum' ich denn, oder hör' ich nicht recht?! Die Jungfrauaktien sollen gesunken sein??

PUNTSCHU   Noch tiefer gesunken als Sie! Sie können sie auch beim Lockenbrennen verwerten!

MAGELONE   O du allmächtiger Gott! Zehn Jahre Arbeit! *Sie sinkt in Ohnmacht.*

KADIDJA   Wach auf, Mama! Wach auf!

BIANETTA   Sagen Sie, Herr Puntschu, wo werden Sie heute zu Abend essen, weil Sie doch Ihr ganzes Vermögen verloren haben?

PUNTSCHU   Wo es Ihnen beliebt, mein Fräulein! Führen Sie mich, wohin Sie wollen; aber rasch! Hier wird es jetzt fürchterlich.

Puntschu und Bianetta verlassen den Salon.

HEILMANN *ballt seine Aktie zusammen und wirft sie zu Boden* Das hat man von dem Pack!

LUDMILLA STEINHERZ   Warum spekulieren Sie auch auf die Jungfrau? Schicken Sie doch einige kleine Notizen über die Gesellschaft hier an die deutsche Polizei, dann gewinnen Sie schließlich doch noch was dabei.

HEILMANN   Ich habe das noch nie in meinem Leben versucht, aber wenn Sie mir dabei behilflich sein wollen . . .?

LUDMILLA STEINHERZ   Lassen Sie uns in ein Restaurant gehen, das die ganze Nacht geöffnet ist. Kennen Sie den »Fünffüßigen Hammel«?

HEILMANN   Ich bedaure sehr –

LUDMILLA STEINHERZ   Oder »Das Saugkalb« oder den »Rauchenden Hund«? – Das liegt alles hier in der Nähe. Wir sind dort ganz unter uns. Bis zum Morgengrauen haben wir einen kleinen Artikel fertig.

HEILMANN   Schlafen Sie denn nicht?

LUDMILLA STEINHERZ   O gewiß; aber doch nicht bei Nacht!

Heilmann und Ludmilla Steinherz verlassen den Salon durch die Entreetür.

ALWA *seit längerer Zeit über Magelone gebeugt, die er aus ihrer Ohnmacht zu wecken sucht* Eiskalte Hände hat sie! Ach – ist das ein prachtvolles Weib! – Man müßte ihr die Taille aufknöpfen! – Komm, Kadidja, knöpf deiner Mutter die Taille auf! Sie ist so furchtbar geschnürt.

KADIDJA *ohne sich vom Platz zu rühren* Ich fürchte mich.

Lulu kommt aus dem Speisezimmer in Jockeimütze, rotem Jackett, weißen Lederhosen und Stulpenstiefeln, einen Radmantel um die Schultern

LULU   Hast du noch bares Geld, Alwa?

ALWA *aufblickend* Bist du verrückt geworden?

LULU   In zwei Minuten kommt die Polizei. Wir sind angezeigt. Du kannst ja hier bleiben, wenn du Lust hast!

ALWA *aufspringend* Allbarmherziger Himmel!

Lulu und Alwa durch die Entreetür ab.

KADIDJA *ihre Mutter schüttelnd, unter Tränen* Mama! Mama! Wach doch auf! Alle sind fortgelaufen!

MAGELONE *zu sich kommend* Und die Jugend dahin – – Und die schönen Tage dahin! – – Oh, dieses Leben!

KADIDJA Aber ich bin doch jung, Mama! Warum soll denn ich kein Geld verdienen! – Ich mag nicht mehr ins Kloster. Ich bitte dich, Mama, behalte mich bei dir!

MAGELONE Gott segne dich, mein Herzblatt! Du weißt ja nicht, was du sprichst. – Ach nein, ich werde mich nach einem Engagement an einem Varietétheater umsehen und den Leuten mein Mißgeschick mit den Jungfrauaktien vorsingen. So was wird immer beklatscht.

KADIDJA Aber du hast ja keine Stimme, Mama!

MAGELONE Ach ja, das ist ja wahr!

KADIDJA Nimm mich doch mit in das Varietétheater!

MAGELONE Nein, es zerreißt mir das Herz! Aber wenn's denn nicht anders sein soll, und es ist dir mal so bestimmt, dann kann ich nichts daran ändern! – – Wir können ja morgen zusammen in die Olympiasäle gehen!

KADIDJA O Mama, wie ich mich darauf freue!

EIN POLIZEIKOMMISSÄR *in Zivil, vom Korridor eintretend* Im Namen des Gesetzes – Sie sind verhaftet!

CASTI-PIANI *ihm müde folgend* Aber was machen Sie denn da für Unsinn? Das ist ja gar nicht die Rechte!

Übersetzung englischsprachiger Stellen im dritten Aufzug von »Die Büchse der Pandora«

140– LULU Hier ist meine Wohnung.
143 HERR HUNIDEI *legt den Zeigefinger auf den Mund und sieht Lulu bedeutungsvoll an. Darauf spannt er seinen Schirm auf und stellt ihn im Hintergrund zum Trocknen auf die Diele.*

LULU Sehr behaglich ist es hier allerdings nicht.

HERR HUNIDEI *kommt nach vorn und hält ihr die Hand vor den Mund.*

LULU Was wollen Sie mir damit zu verstehen geben?

HERR HUNIDEI *legt ihr die Hand vor den Mund und hält den Zeigefinger an seine Lippen.*

LULU Ich weiß nicht, was das bedeutet.

HERR HUNIDEI *hält ihr rasch den Mund zu.*

LULU *sich freimachend* Wir sind hier ganz allein. Es hört uns kein Mensch.

HERR HUNIDEI *legt den Zeigefinger an die Lippen, schüttelt verneinend den Kopf, zeigt auf Lulu, öffnet den Mund wie zum Sprechen, zeigt auf sich und dann auf die Türe.*

LULU *für sich* Herr Gott – das ist ein Ungeheuer!

HERR HUNIDEI *hält ihr den Mund zu. Darauf geht er nach hinten, faltet seinen Havelock zusammen und legt ihn über den Stuhl neben der Tür. Dann kommt er mit grinsendem Lächeln nach vorn, nimmt Lulu mit beiden Händen beim Kopf und küßt sie auf die Stirn.*

SCHIGOLCH *hinter der halboffenen Tür links vorn* Bei dem ist eine Schraube los.

ALWA Er soll sich vorsehen!

SCHIGOLCH Etwas Trostloseres hätte sie nicht heraufbringen können.

LULU *zurücktretend* Ich hoffe, Sie werden mir etwas schenken!

HERR HUNIDEI *hält ihr den Mund zu und drückt ihr ein Goldstück in die Hand.*

LULU *besieht das Goldstück und wirft es aus einer Hand in die andere.*

HERR HUNIDEI *sieht sie unsicher fragend an.*

LULU Na ja, es ist schon gut! *Steckt das Geld in die Tasche.*

HERR HUNIDEI *hält ihr rasch den Mund zu, gibt ihr einige Silberstücke und wirft ihr einen gebieterischen Blick zu.*

LULU Ei, das ist schön von Ihnen!

HERR HUNIDEI *springt wie wahnsinnig im Zimmer umher, fuchtelt mit den Armen in der Luft herum und starrt verzweiflungsvoll gen Himmel.*

LULU *nähert sich ihm vorsichtig, schlingt den Arm um ihn und küßt ihn auf den Mund.*

HERR HUNIDEI *macht sich lautlos lachend von ihr los und blickt fragend umher.*

LULU *nimmt die Lampe vom Blumentisch und öffnet die Tür zu ihrer Kammer.*

HERR HUNIDEI *tritt lächelnd ein, indem er unter der Tür seinen Hut lüftet.*

*Die Bühne ist finster bis auf einen Lichtstrahl, der aus der Kammer
durch die Türspalte dringt. – Alwa und Schigolch kriechen auf allen
vieren aus ihrem Verschlag.*

ALWA   Sind sie weg?

SCHIGOLCH *hinter ihm*   Warte noch!

ALWA   Hier hört man nichts.

SCHIGOLCH   Das hat man oft genug gehört!

ALWA   Ich will vor ihrer Türe knien.

SCHIGOLCH   Dieses Muttersöhnchen! *Er drückt sich an Alwa
vorbei, tappt über die Bühne, nimmt Herrn Hunideis Havelock vom Stuhl und durchsucht die Taschen.*

ALWA *hat sich vor Lulus Kammertür geschlichen.*

SCHIGOLCH   Handschuhe – sonst nichts! *Er kehrt den Havelock um, durchsucht die inneren Taschen und zieht ein Buch
heraus, das er an Alwa gibt* Sieh mal nach, was das ist!

ALWA *hält das Buch in den Lichtstrahl, der aus der Kammer
dringt, und entziffert mühsam das Titelblatt* Ermahnungen
für fromme Pilger und solche, die es werden wollen. – Sehr
hilfreich! – Preis zwei Schilling, sechs Pence.

SCHIGOLCH   Der scheint mir ganz von Gott verlassen zu sein.
*Legt den Mantel wieder über den Stuhl und tastet sich nach
dem Verschlag zurück* Es ist nichts mit diesen Leuten. Die
Nation hat ihre Glanzzeit hinter sich.

ALWA   Das Leben ist nie so schlimm, wie man es sich vorstellt.
Er kriecht ebenfalls nach dem Verschlag zurück.

SCHIGOLCH   Nicht einmal ein seidenes Halstuch hat der Kerl.
Und dabei kriechen wir in Deutschland vor dem Pack auf dem
Bauch.

ALWA   Komm, laß uns wieder verschwinden.

SCHIGOLCH   Sie denkt eben nur an sich selbst und nimmt den
ersten, der ihr in den Weg läuft. Hoffentlich vergißt der Hund
sie zeit seines Lebens nicht.

*Schigolch und Alwa verkriechen sich in ihrem Verschlag und schließen
die Tür hinter sich. Darauf tritt Lulu ein und setzt die Lampe auf den
Blumentisch.*

LULU   Werden Sie mich wieder besuchen?

147f. LULU *die Tür öffnend*   Komm nur herein, Schatz!

*Kungu Poti, Erbprinz von Uahubee, in hellem Überrock, hellen Bein-
kleidern, weißen Gamaschen, gelben Knopfstiefeln und grauem Zylinder, tritt ein. Seine Sprache läßt die spezifisch afrikanischen Zischlaute
hören und ist von vielfachem Rülpsen unterbrochen.*

KUNGU POTI Goddam – ist sehr dunkel im Treppenhaus!

LULU Hier ist es heller, süßes Herz! – *Ihn an der Hand nach vorn ziehend* Komm, komm!

KUNGU POTI Aber kalt ist hier. Sehr kalt.

LULU Trinkst du einen Schnaps?

KUNGU POTI Schnaps? – Immer trink' ich Schnaps! – Schnaps ist gut!

LULU *gibt ihm die Flasche* Ich weiß nicht, wo das Glas ist.

KUNGU POTI Macht nichts. *Setzt die Flasche an und trinkt* Schnaps! – Viel Schnaps!

LULU Sie sind ein hübscher junger Mann.

KUNGU POTI Mein Vater ist Kaiser von Uahubee. Ich habe hier sechs Frauen, zwei spanische, zwei englische, zwei französische. Well – ich liebe nicht meine Frauen. Immer soll ich Bad nehmen, Bad nehmen, Bad nehmen . . .

LULU Wieviel schenken Sie mir?

KUNGU POTI Goldstück! – Du kannst glauben, du wirst haben Goldstück! – Goldstück! – Immer schenken Goldstück!

LULU Sie können es mir später geben; aber zeigen Sie es mir.

KUNGU POTI Ich nie bezahlen vorher.

LULU Aber zeigen können Sie es mir doch!

KUNGU POTI Nicht verstehen! Nicht verstehen! – Komm, Ragapsischimulara! *Lulu um die Taille fassend* Komm!

LULU *wehrt sich aus Leibeskräften* Lassen Sie mich los! Lassen Sie mich los!

ALWA *hat sich mühsam vom Lager aufgerafft, schleicht von hinten an Kungu Poti heran und reißt ihn am Rockkragen zurück.*

KUNGU POTI *wendet sich rasch nach Alwa um* Oh! Oh! Hier ist Mörderhöhle! – Komm, Freund, will dir geben Schlafmittel! *Er schlägt ihn mit einem Totschläger über den Kopf, worauf Alwa stöhnend zusammenbricht* Hier hast du Schlafmittel! Hier hast du Opium! – Schöne Träume kommen! Schöne Träume! *Darauf gibt er Lulu einen Kuß, auf Alwa zeigend* Träumt von dir, Ragapsischimalara! – Schöne Träume! – *Zur Tür eilend* Hier ist Türe! *Ab.*

151–
154 JACK *die Geschwitz bemerkend* Wer ist das?

LULU Das ist meine Schwester, Herr. Sie ist verrückt. Ich weiß nicht, wie ich sie loswerden soll.

JACK Du scheinst einen schönen Mund zu haben.

LULU Den hab' ich von meiner Mutter.

JACK   Danach sieht er aus. – Wieviel willst du? – Viel Geld hab' ich nicht übrig.

LULU   Wollen Sie denn nicht die ganze Nacht hier bleiben?

JACK   Nein, ich habe keine Zeit. Ich muß nach Haus.

LULU   Sie können doch morgen zu Hause sagen, Sie hätten den letzten Omnibus verpaßt und hätten bei einem Freund übernachtet.

JACK   Wieviel willst du?

LULU   Ich verlange keinen Goldklumpen, aber doch – ein kleines Stück.

JACK *wendet sich zur Tür*   Guten Abend! Guten Abend!

LULU *hält ihn zurück*   Nein, nein! Bleiben Sie um Gottes willen!

JACK *geht an der Geschwitz vorbei und öffnet den Verschlag* Warum soll ich bis morgen hier bleiben? – Das klingt verdächtig! – Wenn ich schlafe, kehrt man mir die Taschen um.

LULU   Nein, das tu' ich nicht! Das tut niemand! – Gehen Sie deshalb nicht wieder fort! Ich bitte Sie darum!

JACK   Wieviel willst du?

LULU   Dann geben Sie mir die Hälfte von dem, was ich sagte!

JACK   Nein, das ist zuviel. – Du scheinst noch nicht lange dabei zu sein?

LULU   Heute zum erstenmal. – *Sie reißt die Geschwitz, die sich immer auf den Knien halb gegen Jack aufgerichtet hat, an dem Riemen, den sie um den Hals trägt, zurück* Willst du dich kuschen!

JACK   Laß sie in Ruh'! Das ist nicht deine Schwester. Sie ist in dich verliebt. *Er streichelt der Geschwitz wie einem Hunde den Kopf* Armes Tier!

LULU   Was starren Sie mich auf einmal so an?!

JACK   Ich beurteile dich nach der Art, wie du gehst. Ich sagte mir, die muß einen gutgebauten Körper haben.

LULU   Wie kann man denn so etwas sehen?

JACK   Ich sah sogar, daß du einen hübschen Mund hast. – Ich habe aber nur ein Silberstück bei mir.

LULU   Nun ja, was macht das! Gib es mir nur!

JACK   Du mußt mir aber die Hälfte herausgeben, damit ich morgen früh den Omnibus nehmen kann.

LULU   Ich habe nichts in der Tasche.

JACK   Sieh nur mal nach! Such deine Taschen durch! – Nun, was ist das? Laß mich's sehen!

LULU *hält ihm die Hand hin*   Das ist alles, was ich habe.

JACK   Gib mir das Geldstück.

LULU   Ich wechsle es morgen früh; dann gebe ich dir die Hälfte!

JACK   Nein, gib mir das ganze.

LULU *gibt es ihm* In Gottes Namen! – Aber nun komm auch! *Sie nimmt die Lampe.*

JACK   Wir brauchen kein Licht, der Mond scheint.

LULU *stellt die Lampe weg* Wie Sie meinen. *Sie fällt Jack um den Hals* Ich tu' Ihnen nichts zuleide! Ich habe Sie so gern! Lassen Sie mich nicht länger betteln!

JACK   Mir soll's recht sein. *Er folgt ihr in Schigolchs Verschlag.*

> *Die Lampe erlischt. Auf der Diele unter den beiden Fenstern erscheinen vom Mondlicht zwei viereckig gelbe Flecke. Im Zimmer ist alles deutlich erkennbar.*

DIE GESCHWITZ *allein, spricht wie im Traum* Dies ist der letzte Abend, den ich mit diesem Volk verbringe. – Ich kehre nach Deutschland zurück. Meine Mutter schickt mir das Reisegeld. – Ich lasse mich immatrikulieren. Ich muß für Frauenrechte kämpfen, Jurisprudenz studieren.

LULU *barfuß in Hemd und Unterrock, reißt schreiend die Tür auf und hält sie außen zu* Hilfe! – Hilfe!

DIE GESCHWITZ *stürzt nach der Tür, zieht ihren Revolver und richtet ihn, Lulu hinter sich drängend, gegen die Tür; zu Lulu* Laß los!

JACK *reißt, zur Erde gebückt, die Tür von innen auf und rennt der Geschwitz ein Messer in den Leib.*

> *Die Geschwitz knallt einen Schuß gegen die Decke und bricht wimmernd zusammen.*

JACK *entreißt ihr den Revolver und wirft sich gegen die Ausgangstür* Goddam! Ich habe noch keinen hübscheren Mund gesehen. *Der Schweiß trieft ihm aus den Haaren, seine Hände sind blutig. Er keucht aus tiefster Brust und starrt mit aus dem Kopf tretenden Augen zu Boden.*

LULU *zitternd an allen Gliedern, blickt wild umher. Plötzlich ergreift sie die Flasche, zerschlägt sie am Tisch und stürzt, den abgebrochenen Hals in der Hand, auf Jack los.*

JACK *hat den rechten Fuß emporgezogen und schleudert Lulu auf den Rücken. Darauf hebt er sie vom Boden auf.*

LULU   Nein, nein! – Erbarmen! – Mörder! – Polizei! – Polizei!

JACK   Sei ruhig! Du entkommst mir nicht mehr! *Er trägt sie in den Verschlag.*

LULU *(von innen)*   Nein! – Nein! – Nein! – – O! – O . . .

JACK *kommt nach einer Weile zurück und setzt die Schale auf den Blumentisch*   Das war ein Stück Arbeit! – *Sich die Hände waschend* Ich bin doch ein verdammter Glückspilz! *Sieht sich nach einem Handtuch um* Nicht einmal ein Handtuch haben die Leute hier! Eine furchtbar ärmliche Höhle! – *Er trocknet seine Hände am Unterrock der Geschwitz ab* Dies Ungeheuer ist ganz sicher vor mir! – *Zur Geschwitz* Mit dir ist es auch bald zu Ende. *Durch die Mitte ab.*

Textvarianten des ersten Aufzugs von »Die Büchse der Pandora«

107   »Wenn ich bedenke« bis »vom Haupte nehme.« ist gestrichen.

110   Statt »LULU   Sie war als Diakonissin« bis »Mörderin des Doktor Schön.« heißt es:

»LULU   Oh, die Geschwitz hat das sehr klug eingerichtet; ich bewundere ihren Erfindungsgeist. In Hamburg muß diesen Sommer doch die Cholera so furchtbar gewütet haben. Darauf gründete sie ihren Plan zu meiner Befreiung. Sie nahm hier einen Krankenpflegerinnenkursus, und als sie die nötigen Zeugnisse hatte, reiste sie damit nach Hamburg und pflegte die Cholerakranken. Bei der ersten Gelegenheit, die sich bot, zog sie dann die Unterkleider an, in denen eben eine Kranke gestorben war und die eigentlich hätten verbrannt werden müssen. Am selben Morgen reiste sie noch hierher und kam zu mir ins Gefängnis. In meiner Zelle, als die Aufseherin draußen war, vertauschten wir beide dann rasch unsere Unterkleider.

ALWA   Das also war die Ursache, weshalb die Geschwitz und du am gleichen Tage an der Cholera erkranktet?!

LULU   Gewiß! Das war der Grund. – Die Geschwitz wurde aus ihrer Wohnung natürlich sofort in die Isolierbaracke beim Krankenhaus gebracht. Aber mit mir wußte man auch nirgends anders hin. So lagen wir in einem Zimmer in der Isolierbaracke hinter dem Krankenhaus, und die Geschwitz bot vom ersten Tag an alle ihre Künste auf, um unsere Gesichter einander so ähnlich wie möglich zu machen. Vorgestern wurde sie als geheilt entlassen. Eben kam sie nun wieder und sagte, sie habe ihre Uhr vergessen. Ich zog ihre Kleider an, sie schlüpfte in meinen Gefängniskittel, und dann ging ich fort. *Vergnügt* Jetzt liegt sie dort drüben als die Mörderin des Dr. Schön.«

Textvarianten des zweiten Aufzugs von »Die Büchse der Pandora«

125 »Muß man sich durchquetschen zwischen Juden, Christen und Sirenen!«: gestrichen.

Nach »Demain« folgt in der Erstausgabe nicht:

134 ». . . habe ich das Vergnügen, den Kampf um eine gesicherte Existenz zum sechsunddreißigstenmal aufzunehmen!

MAGELONE *sich vordrängend* Aber träum' ich denn, oder hör' ich nicht recht?! Die Jungfrauaktien sollen gesunken sein??

PUNTSCHU Noch tiefer gesunken als Sie! Sie können sie auch beim Lockenbrennen verwerten!«

135 Statt »Dans ta jupe de bébé?! Ça non, par exemple!« heißt es:

»Nein, es zerreißt mir das Herz! Aber wenn's denn nicht anders sein soll und es ist dir mal so bestimmt, dann kann ich nichts daran ändern!«

Statt »Mais non, mais non!« heißt es:

»Aber was machen Sie denn da für Unsinn? Das ist ja gar nicht die Rechte!«

Textvarianten des dritten Aufzugs von »Die Büchse der Pandora«

148 Nicht enthalten ist in der Erstausgabe nach »murderhole!«:
»Komm, Freund, will dir geben Schlafmittel! *Er schlägt ihn mit einem Totschläger über den Kopf, worauf Alwa stöhnend zusammenbricht* Hier hast du Schlafmittel! Hier hast du Opium! – Schöne Träume kommen! Schöne Träume! *Darauf gibt er Lulu einen Kuß, auf Alwa zeigend* Träumt von dir, Ragapsischimulara! – Schöne Träume! – *Zur Tür eilend* Hier ist Türe! Ab.«

152 Nicht enthalten ist in der Erstausgabe nach »to-day.«: »*Sie reißt die Geschwitz, die sich immer auf den Knien halb gegen Jack aufgerichtet hat, an dem Riemen, den sie um den Hals trägt, zurück* Willst du dich kuschen!«

Regieanweisungen
zum ersten Aufzug von »Die Büchse der Pandora«

101   Nach *tritt heraus.* (Erstausgabe) ist ergänzt: *Während aller*
      drei Akte ist sein Sprechen von häufigem Gähnen unterbro-
      chen.
106   Vor »Ist es wahr« ist eingefügt: *zu Alwa.*
109   Vor »Langsam!« ist eingefügt: *spricht bis zum Schluß des*
      Aktes alles in munterstem Ton.
      Vor »O Freiheit!« ist eingefügt: *hell.*
110   Vor »Nun lernt« ist eingefügt: *froh.*
111   Nach »durchsuchen.« steht: *Sie küßt ihn leidenschaftlich.*
112   Vor *Ruhig* ist eingefügt: *in dem Tone, in dem man ein un-*
      artiges Kind beruhigt.
      Nach *Kopf zurück.* steht: *Sie küßt ihn mit Bedacht.*
      Vor »Wollte Gott« ist eingefügt: *aufgeräumt.*
      Vor »Derweil vergrabe ich« ist eingefügt: *lustig.*
      Nach »in deinem Haar.« ist eingefügt: *Sie tut es.*

Regieanweisungen
zum zweiten Aufzug von »Die Büchse der Pandora«

114   Nach »santé« steht: *Lulu am Arm nehmend.*
      Vor »Ich gratuliere dir.« ist eingefügt: *ihm die Hand drük-*
      kend.
      Vor »Dites donc« steht: *spricht während des ganzen Aktes in*
      müdem gelangweiltem Ton, zu Magelone.
      Nach »rencontrer« steht: *auf Kadidja zeigend.*
      Vor »Ayez donc pitié« steht: *lächelnd.*
      Vor »Voilà« steht: *zu Magelone.*
      Vor »Je donnerais« steht: *Zu Heilmann.*
      Nach »Belle âme!« steht: *Zu Magelone.*
115   Nach »trop sûr.« steht: *Kadidja geht ins Spielzimmer.*
116   Vor »Vous n'avez rien« steht: *der aus dem Spielzimmer zu-*
      rückgekommen ist, zu Magelone.
      Nach »tant mieux« steht: *Puntschus Arm nehmend.*
117   Vor »Ich tauge nicht« ist eingefügt: *mit Entschiedenheit.*
118   Vor »Das Leben« ist eingefügt: *wie oben.*
119   Vor »Ich glaube« ist eingefügt: *mit zitternder Stimme.*
      Vor »Was schert mich« ist eingefügt: *stolz, mit heller Stimme.*
      Vor »Warum bittest du« ist eingefügt: *verwundert.*

120 Vor »Dann besucht« ist eingefügt: *munter.*

121 Vor »Ich kann nicht« ist eingefügt: *verhetzt.*
    Vor »Ich liefere dir« ist eingefügt: *wie oben.*

122 Vor »Weiß Gott« ist eingefügt: *entschlossen.*
    Vor »Ich bin gegen dich« ist eingefügt: *wie oben.*
    Vor »Um was bist du« ist eingefügt: *munter.*
    Vor »Ich spreche« ist eingefügt: *wie oben.*

124 Vor »Dabei prahlt« ist eingefügt: *vergnügt.*

125 Vor »Soll ich ihn« ist eingefügt: *munter.*

126 Vor »Maman n'est pas« steht: *tritt zögernd aus dem Speise-
    zimmer ein.*
    Nach »Non.« steht: *Für sich.*
    Vor »Ecoutez« steht: *zu Bob.*
    Vor »Oh, maman« steht: *heulend.*

127 Nach »tu sais!« steht: *Alle umringen Kadidja.*
    Vor »Ich brauche« ist eingefügt: *sich setzend.*
    Vor »braucht sie« ist eingefügt: *scheinbar in vollkommener
    Ruhe.*

128 Vor »O du allmächtiger« ist eingefügt: *plötzlich von einem
    Weinkrampf überwältigt, stürzt Schigolch zu Füßen.*
    Vor »Nun?« ist eingefügt: *sie streichelnd.*
    Vor »Hm« ist eingefügt: *zieht sie auf seine Knie und hält sie
    wie ein kleines Kind in seinen Armen.*
    Vor »Nimm mich mit« ist eingefügt: *heulend.*
    Vor »Dem besorg' ich es!« ist eingefügt: *mit größter Seelen-
    ruhe.*
    Vor »Besorg es ihm!« ist eingefügt: *flehentlich.*
    Zwischen »Aber« und »er kommt nicht« ist eingefügt: *den
    Kopf schüttelnd.*

129 Vor »Nicht für dich« ist eingefügt: *gähnend.*
    Vor »Was könnte mich« ist eingefügt: *vollkommen apathisch.*

130 Nach »Spielzimmer« ist ergänzt: *lustig.*

131 Vor »Sie ist noch Jungfrau.« ist eingefügt: *lauernd.*
    Vor »Wenn es einen Gott« ist eingefügt: *seufzend.*
    Vor »Mein liebes Herz« ist eingefügt: *vergnügt.*

132 Vor »Ich will in Paris« ist eingefügt: *vergnügt und munter.*
    Vor »Vielleicht kuriert dich« ist eingefügt: *lauernd.*
    Vor »O Lulu« ist eingefügt: *seufzend.*

133 Vor »A votre service« steht: *kurz, hell.*
    Vor »Est-ce que vous« steht: *zu Bianetta.*

134 Vor *über Madelaine de Marelle gebeugt* ist ergänzt: *seit län-
    gerer Zeit.*

Nach *gebeugt* ist ergänzt: *die er aus ihrer Ohnmacht zu wecken sucht.*

Vor »Bist du verrückt« ist eingefügt: *aufblickend.*

135   Vor »Allbarmherziger Himmel!« ist eingefügt: *aufspringend.*

Vor »Maman, réveille-toi!« steht: *ihre Mutter schüttelnd, unter Tränen.*

Statt »EIN HERR« steht: EIN POLIZEIKOMMISSÄR *in Zivil.*

Zwischen *ihm* und *folgend* ist eingefügt: *müde.*

Regieanweisungen
zum dritten Aufzug von »Die Büchse der Pandora«

143   Vor »Hat mich der Mensch erregt!« ist eingefügt: *tonlos.*

Vor »Ich gehe wieder« ist eingefügt: *tonlos.*

144   Nach *entrollt sie* ist ergänzt: *sichtlich erfreut.*

Vor »Warum nicht gar!« ist eingefügt: *plötzlich wie neu belebt, sehr vergnügt.*

Nach »erlebt haben.« ist eingefügt: *Etwas elegisch.*

Vor »Da drüben« ist eingefügt: *sehr geschäftig.*

Nach *seinen Stiefel wieder anziehend* ist ergänzt: *sich stolz aufrichtend.*

Vor *mit der Lampe vor das Bild tretend* ist ergänzt: *wieder vollkommen ruhig.*

145   Nach »ganz derselbe« ist eingefügt: *In freudiger Erregung.*

Vor »Gott sei Dank« ist eingefügt: *munter.*

Nach »verkehrt.« ist eingefügt: *Leicht hinwerfend.*

Vor »Ich werde es ja sehen« ist eingefügt: *ebenso vergnügt wie Alwa.*

Vor »Du gehst nicht mehr« ist eingefügt: *in jähem Zorn.*

Zwischen *wirft sich* und *auf seine Chaiselongue* ist ergänzt: *wimmernd.*

147   Nach *tritt ein.* ist ergänzt: *»Seine Sprache läßt die spezifisch afrikanischen Zischlaute hören und ist von vielfachem Rülpsen unterbrochen.*

Nach »more light.« steht: *Ihn an der Hand nach vorn ziehend.*

Vor »Let me go« steht: *wehrt sich aus Leibeskräften.*

152   Statt *Sie wirft die Geschwitz* bis *zu Boden* steht: *Sie reißt die Geschwitz, die sich immer auf den Knien halb gegen Jack aufgerichtet hat, an dem Riemen, den sie um den Hals trägt, zurück.*

Zwischen *Er streichelt der Geschwitz* und *den Kopf* ist ergänzt: *wie einem Hunde.*

153 Zwischen *erscheinen* und *zwei viereckige grelle Flecke.* ist ergänzt: *vom Mondlicht.*

BIBLIOGRAPHISCHE HINWEISE

Bibliographie

Horst Stobbe: Bibliographie der Erstausgaben Frank Wedekinds. In: Almanach der Bücherstube auf das Jahr 1921. München 1920. Seite 58–70

Forschungsberichte

Edward Force: The Development of Wedekind Criticism. Diss. Bloomington 1964

Paul G. Graves: Frank Wedekinds dramatisches Werk im Spiegel der Sekundärliteratur 1960–1980. Ein Forschungsbericht. Diss. der University of Colorado 1982

Jahrbücher

Pharus I. Frank Wedekind. Texte. Interviews. Studien. Herausgegeben von der Editions- und Forschungsstelle Frank Wedekind, Darmstadt. Darmstadt 1989

Pharus II. Frank Wedekind. Ein gefallener Teufel. Herausgegeben von der Editions- und Forschungsstelle Frank Wedekind, Darmstadt. Darmstadt 1990

Pharus III. Frank Wedekind. Die Büchse der Pandora. Eine Monstretragödie. Herausgegeben von der Editions- und Forschungsstelle Frank Wedekind, Darmstadt. Darmstadt 1990

Pharus IV. Frank Wedekinds Maggi-Zeit. Reklamen, Reiseberichte, Briefe. Herausgegeben von der Editions- und Forschungsstelle Frank Wedekind, Darmstadt. Darmstadt 1990

Frank Wedekind. Yearbook 1991. Edited by Rolf Kieser and Reinhold Grimm. Bern, Berlin, Basel, Frankfurt am Main, New York und Paris 1992

Nachlaß und Dokumente

Stadtbibliothek München. Wedekind-Archiv – Handschriftenabteilung
Kantonsbibliothek Aarau. Wedekind-Archiv
Historisches Museum. Schloß Lenzburg. Wedekind-Archiv

Gesamtausgaben

Frank Wedekind: Gesammelte Werke. 9 Bände. München 1912–21
Frank Wedekind: Ausgewählte Werke. Herausgegeben von Fritz
  Strich. 5 Bände. München 1924
Frank Wedekind: Werke. Herausgegeben von Manfred Hahn. 3 Bände. Berlin und Weimar 1969
Frank Wedekind: Werke. Herausgegeben von Erhard Weidl. 2 Bände.
  München 1990
Frank Wedekind: Werke. Kritische Studienausgabe in 11 Bänden. Herausgegeben von der Editions- und Forschungsstelle Frank Wedekind, Darmstadt, unter der Leitung von Elke Austermühl, Rolf
  Kieser und Hartmut Vinçon. Darmstadt 1994 ff. (Bisher sind erschienen: Band 3, 1/2 und 4.)

Briefe

Frank Wedekind: Gesammelte Briefe. Herausgegeben von Fritz
  Strich. 2 Bände. München 1924
Wedekind-Brandes: Unveröffentlichte Briefe. In: Euphorion 72,
  1978, Seite 106–119

Tagebücher

Frank Wedekind: Die Tagebücher. Herausgegeben von Gerhard Hay.
  Frankfurt am Main 1986

Erstausgaben der Dramen dieses Bandes

Der Erdgeist. Eine Tragödie. Paris und Leipzig 1895
Die Büchse der Pandora. Tragödie in drei Aufzügen. In: Die Insel
  (herausgegeben von O. J. Bierbaum) 3, 1902, Heft 10, Seite 19 bis
  105. Berlin o. J. (1904)

Biographien, Gesamtdarstellungen, Essays

Rudolf Baucken: Bürgerlichkeit, Animalität und Existenz im Drama Wedekinds und des Expressionismus. Diss. Kiel 1950

Alan Best: Frank Wedekind. London 1975

Franz Blei: Über Wedekind, Sternheim und das Theater. Leipzig 1915

Elizabeth Boa: The Sexual Circus. Wedekind's Theatre of Subversion. Oxford 1987

Angelika B. Bograd: Eros und Sexualität im Werk Frank Wedekinds. Eine psychoanalytische Untersuchung. Diss. Los Angeles (University of California) 1990

Sigrid Damm: Probleme der Menschengestaltung im Drama Hauptmanns, Hofmannsthals und Wedekinds. Diss. Jena 1970

Fritz Dehnow: Frank Wedekind. Leipzig 1922

Bernhard Diebold: Anarchie im Drama. Frankfurt am Main 1921

Willi Duwe: Zur dramatischen Form Frank Wedekinds in ihrem Verhältnis zur Ausdruckskunst. Diss. Bonn 1936

Hanns Martin Elster: Wedekind und seine zwölf besten Bühnenwerke. Berlin und Leipzig 1922

Robert Faesi: Ein Vorläufer: Frank Wedekind. In: Expressionismus. Gestalten einer literarischen Bewegung. Herausgegeben von Hermann Friedmann und Otto Mann. Heidelberg 1956. Seite 241–263

Paul Fechter: Frank Wedekind. Der Mensch und das Werk. Jena 1920

Jürgen Friedmann: Frank Wedekinds Dramen nach 1900. Eine Untersuchung zur Erkenntnisfunktion seiner Dramen. Stuttgart 1975

Paul Friedrich: Frank Wedekind. Berlin o. J. (1913)

Alfons Gallati: Individuum und Gesellschaft in Frank Wedekinds Drama. Drei Interpretationen. Diss. Zürich 1981

Horst A. Glaser: Arthur Schnitzler und Frank Wedekind – Der doppelköpfige Sexus. In: Wollüstige Phantasie. Herausgegeben von Horst A. Glaser. München 1974. Seite 148–184

Maurice Gravier: Strindberg et Wedekind. In: Etudes germaniques 3, 1948, Seite 309–318

Friedrich Gundolf: Frank Wedekind. München1954

Frederick W. J. Heuser: Gerhart Hauptmann und Frank Wedekind. In: Frederick W. J. Heuser: Gerhart Hauptmann. Tübingen 1961. Seite 226–246

Alfons Höger: Frank Wedekind. Der Konstruktivismus als schöpferische Methode. Kronberg im Taunus 1979

Alfons Höger: Hetärismus und bürgerliche Gesellschaft im Frühwerk Frank Wedekinds. München 1981

Ralph Martin Hovel: The Image of the Artist in the Works of Frank Wedekind. Diss. 1966 der University of Southern California

Hans-Jochen Irmer: Der Theaterdichter Frank Wedekind. Werk und Wirkung. Berlin 1975

Jörg Jesch: Stilhaltungen im Drama Frank Wedekinds. Diss. Marburg 1959

Joachim Kalcher: Frank Wedekind: »Tod und Teufel«. In: Joachim Kalcher: Perspektiven des Lebens in der Dramatik um 1900. Köln und Wien 1980. Seite 292–410

Julius Kapp: Frank Wedekind. Seine Eigenart und seine Werke. Berlin 1909

Hans Kaufmann: Zwei Dramatiker: Gerhart Hauptmann und Frank Wedekind. In: Hans Kaufmann: Krisen und Wandlungen der deutschen Literatur von Wedekind bis Feuchtwanger. 3. Auflage. Berlin und Weimar 1976. Seite 45–81

Hans Kempner: Frank Wedekind als Mensch und Künstler. Berlin o.J. (1911)

Rolf Kieser: Benjamin Franklin Wedekind. Biographie einer Jugend. Zürich 1990

Anna Kuhn: Der Dialog bei Frank Wedekind. Heidelberg 1981

Artur Kutscher: Frank Wedekind. Sein Leben und seine Werke. 3 Bände. München 1922–31

Ludwig Leiss: Der »Fall Wedekind«. In: Ludwig Leiss: Kunst im Konflikt. Berlin und New York 1971. Seite 267–286

Dagmar C. G. Lorenz: Wedekind und die emanzipierte Frau. Eine Studie über Frau und Sozialismus im Werk Frank Wedekinds. In: Seminar 12, 1976, Seite 38–56

Nancy McCombs: Earth Spirit, Victim or Whore? The Prostitute in German Literature, 1880–1925. New York, Bern und Frankfurt am Main 1986

Thomas Medicus: Die große Liebe. Ökonomie und Konstruktion der Körper im Werk von Frank Wedekind. Marburg 1982

Michael Meyer: Theaterzensur in München 1900–1918. Geschichte und Entwicklung der polizeilichen Zensur und des Theaterzensurbeirates unter besonderer Berücksichtigung Frank Wedekinds. Diss. München 1982

Peter Michelsen: Frank Wedekind. In: Deutsche Dichter der Moderne. Ihr Leben und Werk. Herausgegeben von Benno von Wiese. Berlin 1965. Seite 49–67

Gertrud Milkereit: Die Idee der Freiheit im Werke von Frank Wedekind. Diss. Köln 1957

Erich Mühsam: »Ich hab' meine Tante geschlachtet«. Erinnerungen an Frank Wedekind. In: Der Literat 10, 1968, Seite 36

Marc Muylaert: L'image de la femme dans l'œuvre de Frank Wedekind. Stuttgart 1985

Editha S. Neumann: Der Künstler und sein Verhältnis zur Welt in Frank Wedekinds Dramen. Diss. 1968 der Tulane University

Nancy Jean Frankian Pierce: Woman's Place in German Turn-of-the-Century Drama. The Function of Female Figures in Selected Plays by Gerhart Hauptmann, Frank Wedekind, Ricarda Huch and Elsa Bernstein. Diss. Irvine (University of California) 1988

Raimund Pissin: Frank Wedekind. Berlin o. J. (1905)

Mary Elizabeth Place: The Characterization of Women in the Plays of Frank Wedekind. Diss. Nashville (Vanderbilt University) 1977

Wolfdietrich Rasch: Sozialkritische Aspekte in Wedekinds dramatischer Dichtung. Sexualität, Kunst und Gesellschaft. In: Gestaltungsgeschichte und Gesellschaftsgeschichte. In Zusammenarbeit mit Käte Hamburger herausgegeben von Helmut Kreuzer. Stuttgart 1969. Seite 409–426

Otto Riechert: Studien zur Form des Wedekindschen Dramas. Diss. Hamburg 1923

Friedrich Rothe: Frank Wedekinds Dramen. Jugendstil und Lebensphilosophie. Stuttgart 1968

Hugh Salvesen: Ambivalent Alliance. Frank Wedekind in Karl Kraus's Periodical »Die Fackel«. Diss. Cambridge 1981

Ulrike Sattel: Studien zur Marktabhängigkeit der Literatur am Beispiel Frank Wedekinds. Diss. Kassel 1976

Hans Ludwig Schulte: Die Struktur der Dramatik Frank Wedekinds. Diss. Göttingen 1954

Ernst Schweizer: Das Groteske und das Drama Frank Wedekinds. Diss. Tübingen 1929

Günter Seehaus: Frank Wedekind und das Theater. München 1964

Derselbe: Frank Wedekind in Selbstzeugnissen und Bilddokumenten. Reinbek 1974

Leo Trotzkij: Frank Wedekind. In: Leo Trotzkij: Literatur und Revolution (1924). Berlin 1968. Seite 366–387

Karl Ude: Frank Wedekind. Mühlacker 1966

Mally Untermann: Das Groteske bei Wedekind, Thomas Mann, Heinrich Mann, Morgenstern und Wilhelm Busch. Diss. Königsberg 1929

Adolf R. Vieth: Die Stellung der Frau in den Werken von Frank Wedekind. Diss. Wien 1939

Erich Vieweger: Frank Wedekind und sein Werk. Chemnitz o. J. (1919)

Hartmut Vinçon: Frank Wedekind. Stuttgart 1987

Klaus Völker: Frank Wedekind. Velber 1965

Das Wedekindbuch. Herausgegeben von Joachim Friedenthal. München 1914

Frank Wedekind und das Theater. Herausgegeben vom Drei-Masken-Verlag. München 1915

Tilly Wedekind: Lulu. Die Rolle meines Lebens. München, Bern und Wien 1969

Kurt Wiespointner: Die Auflösung der architektonischen Form des Dramas durch Wedekind und Strindberg. Diss. Wien 1949

Gerd Witzke: Das epische Theater Wedekinds und Brechts. Ein Vergleich des frühen dramatischen Schaffens Brechts mit dem dramatischen Werk Wedekinds. Diss. Tübingen 1972

Monographien und Aufsätze zu »Erdgeist«
und »Die Büchse der Pandora«

Theodor W. Adorno: Erfahrungen an Lulu. In: Theodor W. Adorno: Berg. Der Meister des kleinsten Übergangs. Frankfurt am Main 1977. Seite 155–174

Alban Berg: Lulu. Herausgegeben von Attila Csampai und Dietmar Holland. Reinbek 1985

C. C. Boone: Zur inneren Entstehungsgeschichte von Wedekinds Lulu. Eine neue These. In: Etudes germaniques 27, 1972, Seite 423 bis 430

Silvia Bovenschen: Inszenierung der inszenierten Weiblichkeit: Wedekinds »Lulu« – paradigmatisch. In: Silvia Bovenschen: Die imaginierte Weiblichkeit. Exemplarische Untersuchungen zu kulturgeschichtlichen und literarischen Präsentationsformen des Weiblichen. Frankfurt am Main 1979. Seite 43–61

Edson M. Chick: Frank Wedekind and his Lulu Tragedy. In: Edson M. Chick: Dances of Death. Wedekind, Brecht, Dürrenmatt and the Satiric Tradition. Columbia, South Carolina 1984. Seite 11–45

Carl Dahlhaus: Berg und Wedekind. Zur Dramaturgie der Lulu. In: Carl Dahlhaus: Vom Musikdrama zur Literaturoper. Aufsätze zur neueren Operngeschichte. München und Salzburg 1983

Eva Demski: To Be Lulu. In: Lulu. Oper Frankfurt. Programmheft. Frankfurt am Main 1979. Seite 9–12

John Elsom: Lulu Dancing. In: John Elsom: Erotic Theatre. London 1973. Seite 84–104

Wilhelm Emrich: Die Lulu-Tragödie. In: Wilhelm Emrich: Protest und Verheißung. Studien zur klassischen und modernen Dichtung. Bonn 1960. Seite 206–222

Werner Esser: Das verführerische Objekt auf dem Kunstmarkt. In: Werner Esser: Die Physiognomie der Kunstfigur oder Spiegelungen. Formen der Selbstreflexion im modernen Drama. Heidelberg 1983. Seite 45–73

Gail Finney: Woman as Spectacle and Commodity: Wedekind's Lulu Plays. In: Gail Finney: Women in Modern Drama. Freud, Feminism and European Theatre at the Turn of the Century. Ithaca und London 1989. Seite 79–101

Ruth Florack: Wedekinds »Lulu«. Zerrbild der Sinnlichkeit. Tübingen 1995

Luigi Forte: Lulu e l'utopia dell'origine: storia di un'affinità elettiva. In: Luigi Forte: Le forme del dissenso. Milano 1987. Seite 131–143

Ulrich Gregor: Lulu im Kino. In: Theater heute 3, 1962, Heft 9, Seite 50/51

Ortrud Gutjahr: Lulu als Prinzip. Verführte und Verführerin in der Literatur um 1900. In: Lulu, Lilith, Mona Lisa… Frauenbilder der Jahrhundertwende. Herausgegeben von Irmgard Roebling. Pfaffenweiler 1989. Seite 45–76

Fritz Hagemann: Wedekinds »Erdgeist« und »Die Büchse der Pandora«. Diss. Erlangen 1926

Derselbe: Essay über Frank Wedekinds Drama »Erdgeist«. In: Carolinum 38, 1972, Heft 62, Seite 37–39

Edward P. Harris: The Liberation of Flesh From Stone. Pygmalion in Frank Wedekind's »Erdgeist«. In: German Review 52, 1977, Seite 44–56

Kurt Herbst: Gedanken über Frank Wedekinds »Frühlings Erwachen«, »Erdgeist« und »Die Büchse der Pandora«. Eine literarische Plauderei. Leipzig o. J. (1919)

Carola Hilmes: Lulu – raffinierter Vamp und moderne Hetäre. Zu Wedekinds Konzeption »freier Sinnlichkeit«. In: Carola Hilmes: Die Femme fatale. Ein Weiblichkeitstypus in der nachromantischen Literatur. Stuttgart 1990. Seite 155–176

Alfons Höger: Die Büchse der Pandora. In: Alfons Höger: Hetärismus und bürgerliche Gesellschaft im Frühwerk Frank Wedekinds. Kopenhagen und München 1981. Seite 90–147

Pierre Jean Jouve: Lulu et la censure. In: Mercure de France, Nr. 1191/92, 1962, Seite 321–332

Jutta Kolkenbrock-Netz: Interpretation, Diskursanalyse und/oder feministische Lektüre literarischer Texte von Frank Wedekind. In:

Weiblichkeit in geschichtlicher Perspektive. Fallstudien und Reflexionen zu Grundproblemen der historischen Frauenforschung. Herausgegeben von Ursula A. J. Becher und Jörn Rüsen. Frankfurt am Main 1988. Seite 397–422

Karl Kraus: Die Büchse der Pandora. In: Karl Kraus: Literatur und Lüge. Band 6 der »Werke«, herausgegeben von Heinrich Fischer. München 1958. Seite 9–21 [zuerst 1905]

Artur Kutscher: Eine unbekannte französische Quelle zu Frank Wedekinds »Erdgeist« und »Die Büchse der Pandora«. In: Goldenes Tor 2, 1947, Seite 497–505

Jacques Le Rider: Lulu de Wedekind à Berg: Métamorphose d'un mythe. In: Critique 36, 1980, Seite 962–974

Hector MacLean: The Body and the Grotesque in Wedekind's *Lulu* Dramas. In: Antipodische Aufklärungen. Festschrift für Leslie Bodi. Unter Mitwirkung von M. Clyne u. a. herausgegeben von Walter Veit. Frankfurt am Main, Bern und New York 1987. Seite 269–277

Derselbe: Zur Entstehungsgeschichte der »Lulu«-Dramen (1977). In: Pharus I. Herausgegeben von der Editions- und Forschungsstelle Frank Wedekind, Darmstadt. Darmstadt 1989. Seite 57–76

Hans Mayer: Lulu und andere Weibsteufel. In: Hans Mayer: Außenseiter. Frankfurt am Main 1981. Seite 127–137

Ursula McGowan: Wedekinds Bühnenstil. Zur Interpretation seiner Lulu-Dramen. In: Aula 16, 1974/75, Seite 227–241

David Midgley: Wedekind's Lulu: From »Schauertragödie« to Social Comedy. In: German Life and Letters 38, 1984/85, Seite 205–232

Donald Mitchell: The Character of Lulu. Wedekind's and Berg's Conceptions Compared. In: Music Review 15, 1954, Seite 268 bis 274

Christina Oberhausen: Ich dagegen nenne sie … Frank Wedekinds »Lulu« – ein Beispiel imaginierter Weiblichkeit. In: Philosophische Beiträge zur Frauenforschung. Herausgegeben von Ruth Großmaß und Christiane Schmerl. Bochum 1981. Seite 113–125

Jan E. Olsson: Don Juan und Lulu. Sinnlichkeit und Sittlichkeit in mythischer Verarbeitung. In: Autorität und Sinnlichkeit. Studien zur Literatur- und Geistesgeschichte zwischen Nietzsche und Freud. Internationale Tagung in Bachotek (Polen) 1984. Herausgegeben von Karol Sauerland. Frankfurt am Main, Bern und New York 1986. Seite 39–55

Dora and Erwin Panofsky: Pandora's Box. The Changing Aspects of a Mythical Symbol. New York 1956. Deutsch: Die Büchse der Pandora. Bedeutungswandel eines mythischen Symbols. Frankfurt am Main 1992

Ronald Peacock: Zur Problematik der Lulugestalt. In: Bild und Gedanke. Festschrift für Gerhard Baumann zum 60. Geburtstag. Herausgegeben von Günter Schnitzler u. a. München 1980. Seite 343 bis 356

Ulrike Prokop: Lulu. Vom Umgang mit der Sehnsucht. In: Lulu. Oper Frankfurt. Programmheft. Frankfurt am Main 1979. Seite 18–33

Noami Ritter: The Portrait of Lulu as Pierrot. In: Frank Wedekind Yearbook 1991. Edited by Rolf Kieser and Reinhold Grimm. Bern, Berlin, Basel, Frankfurt am Main, New York und Paris 1992. Seite 127–140

Hugh Salvesen: A Pinch of Snuff from Pandora's Box. New Light on Karl Kraus and Frank Wedekind. In: Oxford German Studies 12, 1981, Seite 122–138

Jörg Schönert: »Lulu Regained«: Überlegungen zur Lektüre von Frank Wedekinds »Monstretragödie« (1894). In: Literatur in der Gesellschaft. Festschrift für Theo Buck zum 60. Geburtstag. Herausgegeben von Frank-Rutger Hausmann u. a. Tübingen 1990. Seite 183–193

Jeannine Schuler-Will: Wedekind's Lulu. Pandora and Pierrot, the Visual Experience of Myth. German Studies Review 7, 1984, Seite 27–38

Karl Jürgen Skrodzki: Frank Wedekinds Dramen »Erdgeist« und »Die Büchse der Pandora«. Pandora und Lulu. Die Femme fatale des antiken Mythos und ihre Wiedergeburt in der Moderne. In: Karl Jürgen Skrodzki: Mythopoetik. Das Weltbild des antiken Mythos und die Struktur des nachnaturalistischen Dramas. Bonn 1986. Seite 137–166

Jack M. Stein: Lulu. Alban Berg's Adaption of Wedekind. In: Comparative Literature 26, 1974, Seite 220–241

Robert F. Storey: Pierrot. A Critical History of a Mask. Princeton 1978

Hauke Stroszeck: »Ein Bild, vor dem die Kunst verzweifeln muß.« Zur Gestaltung der Allegorie in Frank Wedekinds Lulu-Tragödie. In: Literatur und Theater im Wilhelminischen Zeitalter. Herausgegeben von Hans-Peter Bayerdörfer u. a. Tübingen 1978. Seite 217–237

Anne-Marie Taeger: Bürgerlicher Zirkus: Die dressierte Natur. Frank Wedekind: »Erdgeist« – »Die Büchse der Pandora«. In: Anne-Marie Taeger: Die Kunst, Medusa zu töten. Zum Bild der Frau in der Literatur der Jahrhundertwende. Bielefeld 1987. Seite 23–30

Henning Thies: Lulu, Mignon, Pandora: Stilisierung durch Namen und Anspielungen im Kontext bürgerlichen Bildungsgutes. In: Henning Thies: Namen im Kontext von Dramen. Studien zur Funktion von Personennamen im englischen, amerikanischen und deutschen Drama. Frankfurt am Main, Bern und Las Vegas 1978. Seite 224–268

Hartmut Vinçon: Lulu. Dramatische Dichtung in zwei Teilen. Eine philologische Revision. In: Pharus I. Herausgegeben von der Editions- und Forschungsstelle Frank Wedekind, Darmstadt. Darmstadt 1989. Seite 77–128

Gerhard Vogel: Der Mythos von Pandora. Die Rezeption eines griechischen Sinnbildes in der deutschen Literatur. Hamburg 1972

Kadidja Wedekind Biel: A Scene from an Unpublished Version of Frank Wedekind's Lulu-Tragedy. In: Modern Drama 4, 1961/62, Seite 97–100

Erhard Weidl: Philologische Spurensicherung zur Erschließung der »Lulu«-Tragödie Frank Wedekinds. In: Wirkendes Wort 35, 1985, Seite 99–118

Derselbe: Lulu's Pierrot-Kostüm und die Lüftung eines zentralen Kunstgeheimnisses. In: editio 2, 1988, Seite 90–110

Peter Zadek: Lulu. Eine Monstretragödie. In: Lulu. Die Büchse der Pandora. Eine Monstretragödie von Frank Wedekind. Programmbuch des Schauspielhauses Hamburg. Herausgegeben von Peter Zadek. Hamburg 1988. Seite 6/7

Peter Zadek und Johannes Grützke: Lulu, eine deutsche Frau. Frankfurt am Main 1988

Vertonung von »Erdgeist« und »Die Büchse der Pandora«

Alban Berg: Lulu. Oper nach den Tragödien »Erdgeist« und »Die Büchse der Pandora« von Frank Wedekind, unvollendet (1935). – Das Libretto ist broschiert gedruckt: Teldec »Telefunken-Decca« Schallplatten GmbH Hamburg 1978: »Lulu«. Wiener Philharmoniker. Dirigent: Christoph von Dohnányi

Verfilmungen von »Erdgeist« und »Die Büchse der Pandora«

1923   Erdgeist. Regie: Leopold Jessner
1928   Die Büchse der Pandora. Regie: Georg Wilhelm Pabst
1962   Lulu. Regie: Rolf Thiele
1975–77   Lulu. Regie: Ronald Chase
1980   Lulu. Regie: Walerian Borowczyk

Theodor Storm (1817 – 1888)

Der Schimmelreiter. Novelle. Nachwort, Zeittafel zu Storm, Erläuterungen und bibliographische Hinweise: Professor Dr. Hartmut Vinçon, Fachhochschule Darmstadt. (7675)

Gottfried Keller (1819 – 1890)

Der grüne Heinrich. Roman. Erste Fassung mit dem Text der zweiten Fassung vom Abschluß der Jugendgeschichte an. Nachwort, Vergleich der Fassungen, Zeittafel zu Keller und bibliographische Hinweise: Professor Dr. Gert Sautermeister, Universität Bremen. Erläuterungen: Manfred Heigenmoser und Norbert Richter, Universität Bremen. (7549)

Die Leute von Seldwyla. Erzählungen. Inhalt: Pankraz, der Schmoller – Romeo und Julia auf dem Dorfe – Frau Regel Amrain und ihr Jüngster – Die drei gerechten Kammacher – Spiegel, das Kätzchen – Kleider machen Leute – Der Schmied seines Glückes – Die mißbrauchten Liebesbriefe – Dietegen – Das verlorne Lachen. Nachwort und bibliographische Hinweise: Professor Dr. Gert Sautermeister, Universität Bremen. Zeittafel zu Keller und Erläuterungen: Hans Lankes, München. (7577)

Züricher Novellen. Inhalt: Hadlaub – Der Narr auf Manegg – Der Landvogt von Greifensee – Das Fähnlein der sieben Aufrechten – Ursula. Nachwort, Zeittafel zu Keller und bibliographische Hinweise: Professor Dr. Gert Sautermeister, Universität Bremen. Erläuterungen: Dr. Wolfgang Schömel, Universität Bremen. (7614)

Theodor Fontane (1819 – 1898)

Effi Briest. Roman. Nachwort, Zeittafel zu Fontane, Erläuterungen und bibliographische Hinweise: Dr. Dirk Mende, Universität Stuttgart. (7575)

Frau Jenny Treibel. Roman. Nachwort, Zeittafel zu Fontane, Erläuterungen und bibliographische Hinweise: Dr. Dirk Mende, Universität Stuttgart. (7522)

Grete Minde. Erzählung. Nachwort, Zeittafel zu Fontane, Erläuterungen und bibliographische Hinweise: Dr. Dirk Mende, Universität Stuttgart. (7656) September 1995

Irrungen, Wirrungen. Roman. Nachwort, Zeittafel zu Fontane, Erläuterungen und bibliographische Hinweise: Dr. Dirk Mende, Universität Stuttgart. (7521)

Der Stechlin. Roman. Nachwort, Zeittafel zu Fontane, Erläuterungen und bibliographische Hinweise: Dr. Dirk Mende, Universität Stuttgart. (7525)

Conrad Ferdinand Meyer (1825 – 1898)

Jürg Jenatsch. Eine Bündnergeschichte. Nachwort, Zeittafel zu Meyer, Erläuterungen und bibliographische Hinweise: Professor Dr. Gerhard P. Knapp, Staatsuniversität von Utah, Salt Lake City. (7563)

Friedrich Nietzsche (1844 – 1900)

Also sprach Zarathustra. Ein Buch für alle und keinen. Nachwort, Zeittafel zu Nietzsche, Erläuterungen und bibliographische Hinweise: Professor Dr. Peter Pütz, Universität Bonn. (7526)

Der Antichrist. Fluch auf das Christentum – Ecce Homo. Wie man wird, was man ist – Dionysos-Dithyramben. Nachwort, Zeittafel zu Nietzsche, Erläuterungen und bibliographische Hinweise: Professor Dr. Peter Pütz, Universität Bonn. (7511)

Der Fall Wagner. Ein Musikanten-Problem – Götzen-Dämmerung, oder: Wie man mit dem Hammer philosophiert – Nietzsche contra Wagner. Aktenstücke eines Psychologen. Nachwort, Zeittafel zu Nietzsche, Erläuterungen und bibliographische Hinweise: Professor Dr. Peter Pütz, Universität Bonn. (7650)

Die fröhliche Wissenschaft. »La gaya scienza«. Nachwort, Zeittafel zu Nietzsche, Erläuterungen und bibliographische Hinweise: Professor Dr. Peter Pütz, Universität Bonn. (7557)

Die Geburt der Tragödie aus dem Geiste der Musik. Nachwort, Zeittafel zu Nietzsche, Erläuterungen und bibliographische Hinweise: Professor Dr. Peter Pütz, Universität Bonn. (7555)

Jenseits von Gut und Böse. Vorspiel einer Philosophie der Zukunft. Nachwort, Zeittafel zu Nietzsche, Erläuterungen und bibliographische Hinweise: Professor Dr. Peter Pütz, Universität Bonn. (7530)

Menschliches, Allzumenschliches. Ein Buch für freie Geister. Nachwort, Zeittafel zu Nietzsche, Erläuterungen und bibliographische Hinweise: Professor Dr. Peter Pütz, Universität Bonn. (7596)

Morgenröte. Gedanken über die moralischen Vorurteile. Nachwort, Zeittafel zu Nietzsche, Erläuterungen und bibliographische Hinweise: Professor Dr. Peter Pütz, Universität Bonn. (7505)

Unzeitgemäße Betrachtungen. Inhalt: David Strauß, der Bekenner und der Schriftsteller – Vom Nutzen und Nachteil der Historie für das Leben – Schopenhauer als Erzieher – Richard Wagner in Bayreuth. Nachwort, Zeittafel zu Nietzsche. Erläuterungen und bibliographische Hinweise: Professor Dr. Peter Pütz, Universität Bonn. (7638)

Zur Genealogie der Moral. Eine Streitschrift. Nachwort, Zeittafel zu Nietzsche, Erläuterungen und bibliographische Hinweise: Professor Dr. Peter Pütz, Universität Bonn. (7556)

Eduard von Keyserling (1855 – 1918)

Abendliche Häuser. Roman. Nachwort: Professor Dr. Helmut Bachmaier, Universität Konstanz. Zeittafel zu Keyserling,

Erläuterungen und bibliographische Hinweise: Martin Vosseler, München. (7604)

Beate und Mareile. Eine Schloßgeschichte. Nachwort, Zeittafel zu Keyserling, Erläuterungen und bibliographische Hinweise: Professor Dr. Heide Eilert, Universität Leipzig. (7647) Januar 1995

Frank Wedekind (1864 – 1918)

Erdgeist – Die Büchse der Pandora. Tragödien. Nachwort, Zeittafel zu Wedekind, Erläuterungen und bibliographische Hinweise: Professor Dr. Hartmut Vinçon, Fachhochschule Darmstadt. (7534)

Frühlings Erwachen. Eine Kindertragödie. Nachwort, Zeittafel zu Wedekind, Erläuterungen und bibliographische Hinweise: Dr. Thomas Medicus, Berlin. (7674)

Der Marquis von Keith. Schauspiel. Nachwort, Zeittafel zu Wedekind, Erläuterungen und bibliographische Hinweise: Professor Dr. Burghard Dedner, Universität Marburg. (7590)

Gedichte und Chansons. Nachwort, Zeittafel zu Wedekind, Erläuterungen und bibliographische Hinweise: Professor Dr. Leander Petzoldt, Universität Innsbruck. (7585)

Ludwig Thoma (1867 – 1921)

Der Münchner im Himmel. Satiren und Humoresken. Nachwort: Dr. Reinhard Baumann, München. Zeittafel zu Thoma, Erläuterungen und bibliographische Hinweise: Martin Vosseler, München. (7608)

Franziska zu Reventlow (1871 – 1918)

Von Paul zu Pedro. Amouresken. Nachwort, Zeittafel zu Franziska zu Reventlow, Erläuterungen und bibliographische Hinweise: Professor Dr. Heide Eilert, Universität Leipzig. (7635)